Comunidades autónomas de España

Relieve de España

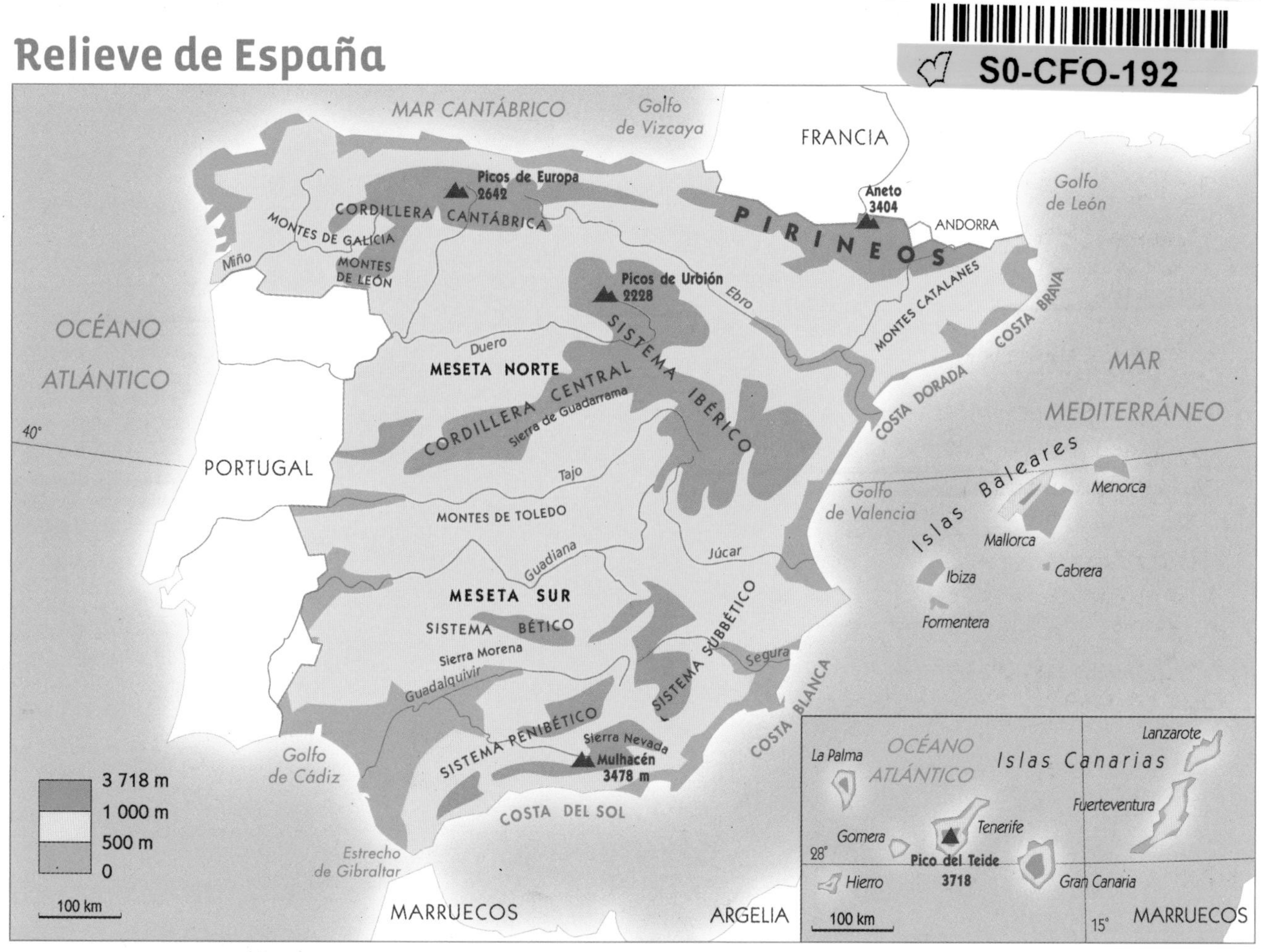

Nouveaux programmes
Palier 1 - Année 2

Juntos

A2
Espagnol 2e année

Collection dirigée par Édouard Clemente
Inspecteur d'Académie,
Inspecteur Pédagogique Régional, Bordeaux

Direction pédagogique
Edouard Clemente et Danièle Urbin-Landreau

Danièle Urbin-Landreau
Professeur agrégé
Lycée Camille Jullian, Bordeaux (33)

Jorge Barbosa
Professeur certifié
Collège Bertran de Born, Périgueux (24)

Manuel Bugallo Martin
Professeur certifié
Collège Bertran de Born, Périgueux (24)

Hélène Courouge
Professeur certifié
Collège Cantelande, Cestas (33)

Robert Louison
Professeur agrégé
Collège J. M. Lonne, Hagetmau (40)
Coordonnateur Académique pour les TICE

Sylvie Miermon
Professeur certifié
Collège Notre Dame Jeanne d'Arc, Brive (19)

Nathan

Illustrations de la couverture

Haut à gauche : Femme et son enfant dans le massif de L'Illimani (Bolivie), région du lac Titicaca

Haut à droite : Jeunes filles à la *Feria de abril*, Séville (Espagne)

Bas : Jeunes filles posant devant un *mural*, La Havane (Cuba)

Édition : **Marie Picard**

Iconographie : **Christine Morel**

Illustratrice : **Mademoiselle Caroline**

Conception de la maquette : **Élise Rebaa-Launay**

Mise en pages : **Élodie Breda**

Conception de la couverture : **Killiwatch**

Cartographie : **AFDEC** et **Légendes Cartographie**

Lecture et correction : **Dulce Gamonal**

ISBN 978.2.09.175513.7

AVANT-PROPOS

Juntos 2e année prend en compte les nouveaux programmes du Palier 1 (année 2) qui intègrent les axes forts du CECRL (Cadre européen commun de référence pour les langues).

Les huit unités de cette méthode constituent un parcours qui vous permettra de consolider le niveau A1, et vous mènera au niveau A2. Chacune des unités vous fera travailler les cinq activités langagières (écouter, lire, parler en continu, parler en interaction, écrire), mais la méthode met particulièrement l'accent sur la pratique de l'oral conformément aux instructions du Palier 1. Vous serez entraînés à comprendre et à vous exprimer et vous serez mis en situation d'utiliser vos acquis pour agir, en réalisant des tâches qui entraînent des réemplois linguistiques et sollicitent votre mémoire et votre imagination. Vous disposerez d'activités qui vous permettront de vous évaluer, guidés par votre professeur afin de vous situer par rapport au niveau A2 attendu en fin de collège.

Les unités comportent des pages spécifiques à chacune des cinq activités langagières indiquées par des logos facilement identifiables. Ces pages s'appuient sur des documents authentiques correspondant à l'activité majeure travaillée. La démarche adoptée favorise l'entraînement régulier et méthodique à toutes les activités langagières. Les différents supports oraux, visuels, textuels, audiovisuels ciblent une activité dominante dont la réalisation met systématiquement en jeu d'autres activités.

La variété des situations, des tâches et des supports proposés renforcera votre intérêt pour la langue espagnole, les pays, les hommes et les femmes qui la pratiquent : plus de 400 millions de personnes à travers le monde !

De la découverte et de la compréhension d'une langue authentique à l'expression orale et écrite, de l'expression en continu à l'interaction orale, ce sont toujours des activités guidées ou semi-guidées qui vous permettront d'acquérir une autonomie linguistique confortée par des évaluations souples et ciblées.

Nous vous souhaitons à toutes et à tous, ***Juntos***, une année riche en découvertes avec ce manuel !

Édouard Clemente

À la fin de la deuxième année le niveau « attendu » est A2, mais il peut être A2+ pour des élèves de section européenne.

	ÉCOUTER	LIRE	PRENDRE PART À UNE CONVERSATION	S'EXPRIMER ORALEMENT EN CONTINU	ÉCRIRE
A2-1	Reconnaître des énoncés simples déjà rencontrés et entendus dans des situations familières. Comprendre les nombres et les chiffres isolés ainsi que des mots simples désignant des personnages dans un récit très bref.	Comprendre à l'écrit des énoncés déjà rencontrés auparavant. Repérer les thèmes essentiels abordés dans un courrier personnel ou dans un texte traitant d'un domaine familier.	Prendre part à des conversations brèves dans des situations simples et habituelles (rencontre, achats, demande de renseignements) sans que l'interlocuteur manifeste de grandes difficultés pour comprendre.	Se présenter ainsi que sa famille et ses amis (identité, travail, loisirs, domicile...) en quelques phrases simples.	Transcrire en 2 ou 3 phrases une information simple communiquée oralement.
A2-2	Comprendre des énoncés simples jamais entendus auparavant mais portant sur des thèmes familiers. Comprendre des consignes de travail brèves et claires. Comprendre des chiffres et des nombres exprimés dans des phrases.	Comprendre l'essentiel d'un texte simple et très court ne comportant que très peu de structures ou de mots inconnus. Trouver une information dans un document informatif traitant d'un domaine ou d'un thème familier.	Dans une conversation brève, poser des questions et répondre sur des thèmes familiers, quand ces réponses n'exigent pas d'interventions longues ni de prises de position personnelles.	Décrire en quelques phrases et avec des moyens simples, sa situation personnelle et résumer les informations les plus importantes sur soi-même, en relation avec le thème de l'intervention (goûts, formation...)	Rédiger une note ou un message court et simple pour communiquer une information en prenant appui sur des documents ou en utilisant le dictionnaire. Le sens général de l'écrit produit reste clair même s'il y a quelques erreurs de langue.

Présentation du manuel

→ Les logos utilisés dans le manuel

Écouter

Lire

Parler en continu

Parler en interaction

Écrire

Document enregistré sur le CD élève

Document enregistré sur les CD classe

Exercices disponibles sur le CD élève

Document disponible sur le DVD vidéo classe

Structure des unités

Ouverture

- Un grand visuel pour entrer dans la thématique de l'unité
- Les objectifs d'apprentissage par activité langagière
- Les outils de la langue à maîtriser
- La tâche finale de l'unité

Rubriques récurrentes

→ **Palabras para decirlo**
Aide à l'expression

→ **Memoriza**
Étude d'un point de grammaire issu du document

→ **Practica**
Court exercice d'application

→ **¿Cómo se pronuncia?**
Étude d'un point de prononciation issu du document et court exercice d'application

→ **¿Lo sabías?**
Aspect de la culture hispanique

→ **¡Y ahora tú!**
Micro-tâche pour apprendre à utiliser la langue dans une situation courante

Comprensión oral

- Un document audio par page
- Un visuel en lien avec chaque document pour faciliter la compréhension
- Une série de tâches pour comprendre les 2 enregistrements et s'exprimer

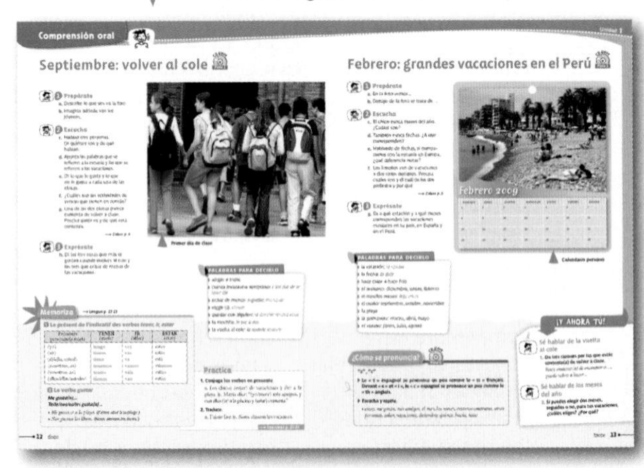

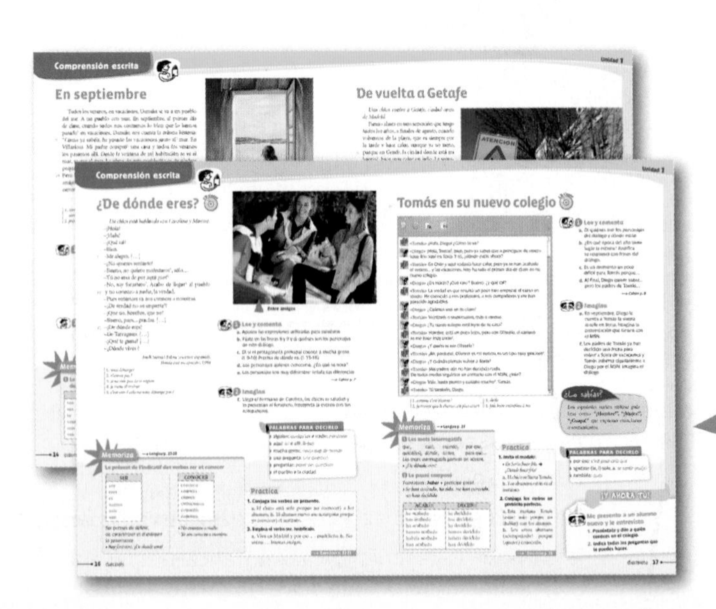

Comprensión escrita

- 4 textes, un texte par page et un visuel en lien avec ce texte
- Une série de tâches pour comprendre les textes et s'exprimer

Expresión oral

- Deux documents déclencheurs de parole
- Une série de tâches d'expression orale en continu et en interaction

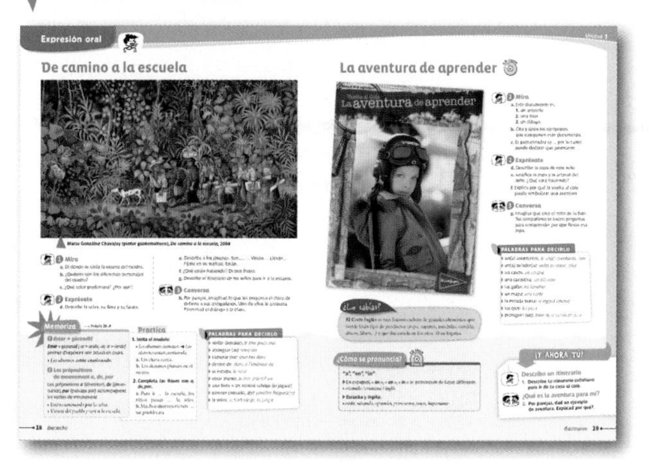

Expresión escrita

- Un document écrit comme modèle
- Des tâches d'expression orale pour repérer les étapes d'écriture
- Une tâche d'expression écrite

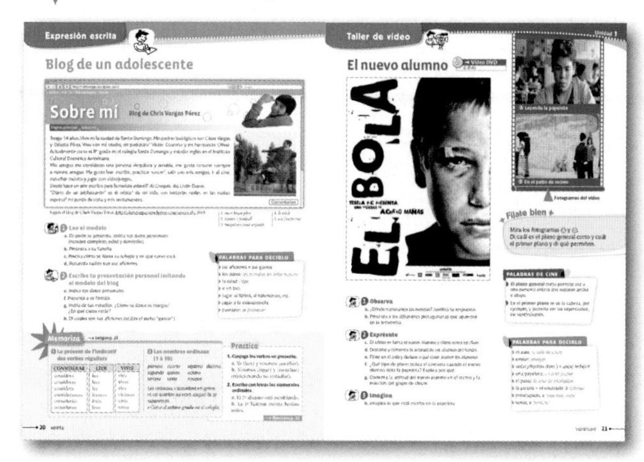

Taller de vídeo

- L'affiche du film et deux photogrammes de l'extrait
- Une série de tâches pour comprendre et s'exprimer sur un document vidéo

Lengua y Práctica

- Les points de langue de l'unité
- Des exercices pour faire le point sur ses connaissances grammaticales et lexicales

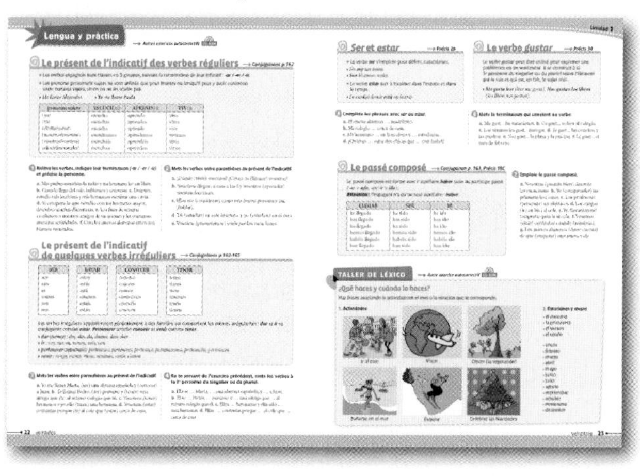

Muy interesante

- Des documents pour découvrir les cultures du monde hispanique
- Des activités de compréhension
- Une tâche finale, **Proyecto final**
- Des pistes de recherche sur Internet

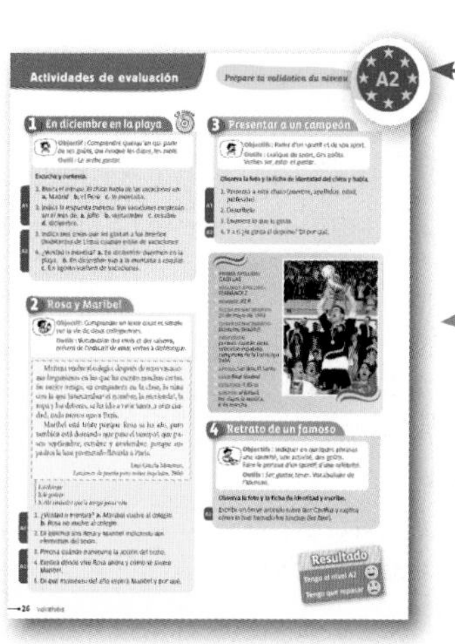

Pour préparer ta validation du niveau A2

Actividades de evaluación

- Des activités pour s'évaluer et valoriser les compétences acquises dans chaque activité langagière

En fin de manuel

- Des pages **Bellas Artes** : *Dos genios del Arte español : Picasso, Gaudí*
- Un **précis grammatical** et des **tableaux de conjugaison**
- Un **lexique** espagnol-français et français-espagnol

SOMMAIRE A2

	ACTIVIDADES DE COMUNICACIÓN	TEXTOS Y DOCUMENTOS	
Unidad 1 p. 11-26 **Vuelta al cole**	**Comprensión oral** • Comprendre quelqu'un qui parle de ses vacances, de la rentrée scolaire, de ses goûts.	• Septiembre: volver al cole (interview) • Febrero: grandes vacaciones en el Perú (interview)	12 13
	Comprensión escrita • Comprendre la description d'un lieu de vacances, d'un lieu de vie, de ce que l'on aime. • Comprendre un dialogue de rencontre, des amis qui échangent sur la rentrée.	• En septiembre (texte) • De vuelta a Getafe (texte) • ¿De dónde eres? (texte) • Tomás en su nuevo colegio (tchat)	14 15 16 17
	Expresión oral • Décrire quelqu'un, ses vêtements, ce qu'il fait. • Poser et répondre à des questions.	• De camino a la escuela (tableau) • La aventura de aprender (publicité)	18 19
	Expresión escrita • Me présenter dans un blog.	• Blog de un adolescente (blog)	20
Unidad 2 p.27-42 **Vida cotidiana**	**Comprensión oral** • Reconnaître des activités propres à la vie en ville. • Comprendre le programme d'une journée.	• ¿Pueblo o ciudad? (interview) • Programa del día (reportage)	28 29
	Comprensión escrita • Comprendre les différents moments d'une journée de travail ou de repos. • Comprendre des activités quotidiennes (itinéraire, courses, rencontres, etc.).	• Rutina (texte) • Los Príncipes también trabajan (article de presse) • Mi vecino (texte) • Parquesur (texte)	30 31 32 33
	Expresión oral • Parler des loisirs et des moyens de transport. • Localiser des personnes et des objets. • Faire connaissance avec un voisin. • Se donner rendez-vous pour sortir.	• Ahora Madrid (publicité) • La familia Thuault (tableau)	34 35
	Expresión escrita • Rédiger un message pour organiser une sortie.	• ¿Quedamos? (mail)	36
Unidad 3 p. 43-58 **Relacionarse**	**Comprensión oral** • Comprendre le lexique d'Internet. • Comprendre l'expression des sentiments.	• Navegando por la red (chanson) • Mi hijo con Internet (interview)	44 45
	Comprensión escrita • Comprendre des situations d'échanges. • Comprendre l'expression des émotions et des sentiments. • Comprendre un texte informatif sur les jeux vidéos.	• Pero entérate si le gusto (texte) • ¿Tienes amigos? (texte) • Teléfono apagado (texte) • Una nueva forma de ocio familiar (texte)	46 47 48 49
	Expresión oral • Parler des relations parents-enfants. • Imaginer un dialogue entre deux ami(e)s.	• Test: ¿Qué tipo de padres tienes? (test) • ¿Cómo ser padre y no morir en el intento? (dessin humoristique)	50 51
	Expresión escrita • Exprimer l'ordre et la défense pour donner des règles.	• Escribir un reglamento (règlement)	52
Unidad 4 p.59-74 **Historias de mi tierra**	**Comprensión oral** • Comprendre le lexique de l'environnement et de la santé. • Comprendre l'expression de la volonté et de l'engagement pour la planète.	• Ska de la tierra (chanson) • Plantar árboles (interview)	60 61
	Comprensión escrita • Comprendre la description d'un environnement naturel typiquement hispanique. • Comprendre l'état de santé d'une personne, de la planète. • Comprendre un court récit au passé qui éclaire une situation présente.	• ¡Escribe pronto! (lettre) • El mal de altura en México D.F. (texte) • El cerro (texte) • Tellagori amaba la Naturaleza (texte)	62 63 64 65
	Expresión oral • Relayer une campagne de sensibilisation à l'utilisation du vélo en ville. • Échanger sur la façon d'agir pour sauver la planète.	• Mejor con bici (publicité) • El suplicio (tableau)	66 67
	Expresión escrita • Rédiger un courrier des lecteurs pour sensibiliser aux problèmes écologiques.	• Carta del lector (courrier des lecteurs)	68

LENGUA	LÉXICO	VÍDEO	CULTURA PROYECTO FINAL Y EVALUACIÓN
• Le présent de l'indicatif de *tener, ir, estar* 12 • Le verbe *gustar* 12 • La prononciation de "s", "c" 13 • Le présent de l'indicatif de *ver* et *oír* 14 • Les verbes à diphtongue e> ie, o > ue au présent 15 • *Estar* et la localisation 15 • Le présent de l'indicatif des verbes *ser* et *conocer* 16 • Les mots interrogatifs 17 • Le passé composé 17 • Estar + gérondif 18 • Les prépositions de mouvement *a, de, por* 18 • "an", "en", "in" 19 • Le présent de l'indicatif des verbes réguliers 20 • Les nombres ordinaux (1 à 10) 20	• Les vacances d'été • La rentrée des classes • Les présentations	**Taller de vídeo** 21 → *El nuevo alumno* (película *El Bola*, Achero Mañas)	muy interesante Estudiar en España y Latinoamérica 24-25 **Proyecto final** **→ Jeu de rôle : un élève chilien et un élève espagnol se présentent et discutent de leur rentrée et des vacances scolaires.** 25 Actividades de evaluación 26
• Le son [x] 28 • L'expression de l'heure 29 • L'expression de l'habitude 29 • L'obligation personnelle 30 • L'apocope de certains adjectifs 31 • Le vouvoiement avec *usted, ustedes* 32 • L'imparfait de l'indicatif 33 • Les verbes pronominaux: *pasearse* 34 • Les prépositions de lieu 35 • L'enclise 36 • *Acabar de* + infinitif 36	• La ville et la campagne • Les rythmes quotidiens • Le travail, les loisirs • La famille • Les amis	**Taller de vídeo** 37 → *Esperando el autobús* (película *Qué tan lejos*, Tania Hermida)	muy interesante ¿Cómo pasar un buen fin de semana? 40-41 **Proyecto final** **→ Imaginer que l'on passe un week-end avec un ami espagnol ou latino-américain et raconter ce que l'on fait.** 41 Actividades de evaluación 42
• Le questionnement avec *preguntar* 44 • La prononciation de "ch" 45 • Le présent du subjonctif 46 • La défense avec l'impératif négatif 46 • Les indéfinis 47 • Le verbe *coger* aux présents 48 • L'obligation impersonnelle 49 • *Permitir* + infinitif 49 • Les adjectifs possessifs 50 • La prononciation de "ia", "ía" 51 • L'ordre avec l'impératif 52	• Les moyens de communication : les médias, Internet • Les nouvelles technologies : l'ordinateur, le téléphone portable, le MP3 • Les relations humaines : l'amitié, l'amour, la famille	**Taller de vídeo** 53 → *¿Te vienes al cine?* (película *Cobardes*, José Corbacho)	muy interesante Medioshispánicos.com 56-57 **Proyecto final** **→ Trouver sur Internet des informations sur une équipe sportive connue en Amérique latine ou en Espagne.** 57 Actividades de evaluación 58
• La prononciation de "r", "rr" 60 • Le subjonctif dans les propositions subordonnées 61 • Les diminutifs 62 • Le passé simple 63 • Le plus-que-parfait 64 • Le passé simple irrégulier 64 • La négation 65 • La prononciation de "c" et "z" 66 • La phrase exclamative 67 • *Ir* + gérondif 68	• La nature • La pollution • Les actions pour la défense de l'environnement • Les changements climatiques	**Taller de vídeo** 69 → *Marea negra* (película de animación *Historia de una gaviota*, Enzo d'Alo)	muy interesante Cambios climáticos en España 72-73 **Proyecto final** **→ Me projeter dans l'Espagne de 2050 pour inventer un dialogue sur l'environnement tel qu'il était en 2000.** 73 Actividades de evaluación 74

	ACTIVIDADES DE COMUNICACIÓN	TEXTOS Y DOCUMENTOS	
Unidad 5 p.75-90 **Destinos y carreras**	**Comprensión oral** • Repérer l'essentiel d'une conversation téléphonique. • Comprendre quelqu'un qui parle de son travail.	• Mi primer trabajo (conversation téléphonique) • Una pasión por el trabajo (interview)	76 77
	Comprensión escrita • Comprendre les projets, les souhaits de quelqu'un. • Comprendre quelqu'un qui parle de son futur métier.	• Me iré a Estados Unidos (texte) • ¿Qué te gustaría hacer? (texte) • Aprendiz de marinero (texte) • Carta a mi hija Mela (texte)	78 79 80 81
	Expresión oral • Parler des études universitaires. • Obtenir des informations par téléphone sur une offre d'emploi.	• Por vocación (publicité) • Se busca aficionado(a) (petite annonce)	82 83
	Expresión escrita • Rédiger quelques lignes sur mon projet professionnel et la façon de le réaliser.	• Rellenar una ficha de tutoría (fiche à remplir)	84
Unidad 6 p.91-106 **Gentes por descubrir**	**Comprensión oral** • Comprendre quelqu'un qui parle de ses origines et de son combat. • Comprendre l'essentiel d'un récit historique.	• Rigoberta Menchú, maya y mujer (reportage) • Lo que debemos a Al-Ándalus (interview)	92 93
	Comprensión escrita • Comprendre des différences de cultures. • Comprendre un texte évoquant des traditions.	• Balada gitana (texte et chanson) • Un viaje por el Amazonas (texte) • Contrastes en Bolivia (texte) • Balada de los dos abuelos (texte)	94 95 96 97
	Expresión oral • Analyser la composition d'une peinture murale. • Imaginer un dialogue entre personnes de cultures différentes.	• Con los inmigrantes (publicité) • Mural boliviano (peinture murale)	98 99
	Expresión escrita • Rédiger une strophe de poème.	• Escribir una poesía (poème)	100
Unidad 7 p.107-122 **Relatos de viajes**	**Comprensión oral** • Comprendre quelqu'un qui parle des avantages et des inconvénients d'un voyage. • Comprendre quelqu'un qui parle des moyens de transport.	• La vía de la Plata (reportage) • Tahina-Can, llegada a Perú (reportage)	108 109
	Comprensión escrita • Comprendre un récit de voyage avec un itinéraire précis. • Comprendre un texte évoquant des réalités géographiques, climatiques ou culturelles.	• Viaje de una inmigrante mexicana (texte) • El soroche (texte) • Rumbo al Coca (texte) • Un paseo a caballo (texte)	110 111 12 113
	Expresión oral • Raconter les voyages que j'ai faits. • Parler de mon envie de voyager et des voyages que je voudrais faire. • Donner ses préférences sur des moyens de transport. • Se renseigner pour effectuer une réservation.	• Ven a Puebla (publicité) • Paradores (publicité)	114 115
	Expresión escrita • Rédiger une carte postale pour raconter un voyage.	• Contar un viaje en una postal (carte postale)	116
Unidad 8 p.123-138 **Cuentos y leyendas**	**Comprensión oral** • Comprendre quelqu'un qui raconte une légende. • Suivre les différentes étapes d'une légende.	• La leyenda del lago Titicaca (reportage) • La leyenda del acueducto de Segovia (émission de radio)	124 125
	Comprensión escrita • Comprendre quelques spécificités des civilisations précolombiennes. • Comprendre un récit fantastique.	• El barrio del Alcázar (texte) • La fuente de Zulema (texte) • Quetzalcóatl (texte) • La leyenda de Eldorado (texte)	126 127 128 129
	Expresión oral • Parler de la découverte de l'Amérique. • Parler des fêtes qui rappellent le passé historique de l'Espagne. • Imaginer une discussion au passé entre une mère et sa fille. • Échanger sur les avantages des fêtes historiques aujourd'hui.	• La llegada de Colón a las Indias (tableau) • Moros y cristianos (publicité)	130 131
	Expresión escrita • Écrire une légende.	• Imaginar un desenlace (conte)	132

LENGUA	LÉXICO	VÍDEO	CULTURA PROYECTO FINAL Y EVALUACIÓN
• Le futur de l'indicatif 76 • La prononciation de "ll" 77 • *Cuando* + idée de futur 78 • La simultanéité avec *mientras* 78 • Le conditionnel 79 • *Preguntar* et *pedir* 80 • L'imparfait du subjonctif 81 • Les prépositions *por* et *para* 82 • Les *palabras agudas* 83 • *Seguir* + gérondif 84	• Les études • Le monde du travail • Les projets d'avenir • Les souhaits	**Taller de vídeo** 85 → *Una niña con futuro* (película *Maroa*, Solveig Hoogesteijn)	MUY INTERESANTE Carreras de excepción 88-89 **Proyecto final** **→ Jeu de rôle parents/enfants : échanger des arguments à propos d'un choix de métier.** 89 Actividades de evaluación 90
• L'expression de la cause 92 • Les diphtongues 93 • Formation et valeur du gérondif 94 • Les pronoms personnels compléments sans préposition 95 • *Ni siquiera* 96 • L'emploi de *sino* 96 • *De* et *con* 97 • Le subjonctif dans les propositions subordonnées 98 • L'emploi de la préposition *a* 98 • Les comparatifs 100	• La découverte d'autres cultures (Espagne, Amérique latine) • La découverte de l'autre	**Taller de vídeo** 101 → *Romería* (extracto de un reportage)	MUY INTERESANTE Pueblos, gentes y músicas hispanas 104-105 **Proyecto final** **→ Imaginer un vidéoclip à partir d'une chanson espagnole ou latinoaméricaine** 105 Actividades de evaluación 106
• La prononciation de "v", "b" 108 • Les superlatifs relatifs 109 • Les pronoms personnels compléments 110 • *Hacer* + élément temporel 111 • La concession avec *aunque* 112 • L'imparfait du subjonctif 113 • La prononciation de "x" 114 • *Quisiera...* 115 • La modification du radical de certains verbes 116	• Le voyage • L'aventure • La géographie • Les moyens de transport	**Taller de vídeo** 117 → *Un viaje por la Pampa* (película *Diarios de motocicleta*, Walter Salles)	MUY INTERESANTE Caminos y rutas hispánicas 120-121 **Proyecto final** **→ Choisir le voyage que j'aimerais faire et le raconter : *Camino de Santiago, Al-Ándalus, Ruta maya* ou *Machu Picchu*.** 121 Actividades de evaluación 122
• *Mientras que* 124 • La prononciation de "c" et "q" 125 • *Como si* + imp. ou plus-que-parfait du subj. 126 • Les adverbes 126 • Les subordonnées au subjonctif 127 • *Cuyo(s), cuya(s)* 128 • *Al* + infinitif 128 • Les pronoms relatifs *que, quien(es)* 129 • Les adjectifs démonstratifs 130 • L'expression de la date 131 • *Si* + imparfait du subjonctif 132	• Les légendes fondatrices des civilisations précolombiennes • La colonisation • Contes et légendes espagnols • La *España de las tres culturas*	**Taller de vídeo** 133 → *La isla del fin del mundo* (Serie *Planeta Encantado*, J. J. Benítez)	MUY INTERESANTE Mitos y leyendas de América 136-137 **Proyecto final** **→ Imaginer une légende racontant le début ou la fin d'une civilisation.** 137 Actividades de evaluación 138

BELLAS ARTES: Dos genios del Arte español: Picasso, Gaudí 139-143
Test de validation du niveau A2 144-145
Précis Grammatical 146-165
Lexique espagnol-français, français-espagnol 166-175

El ciberespañol en clase

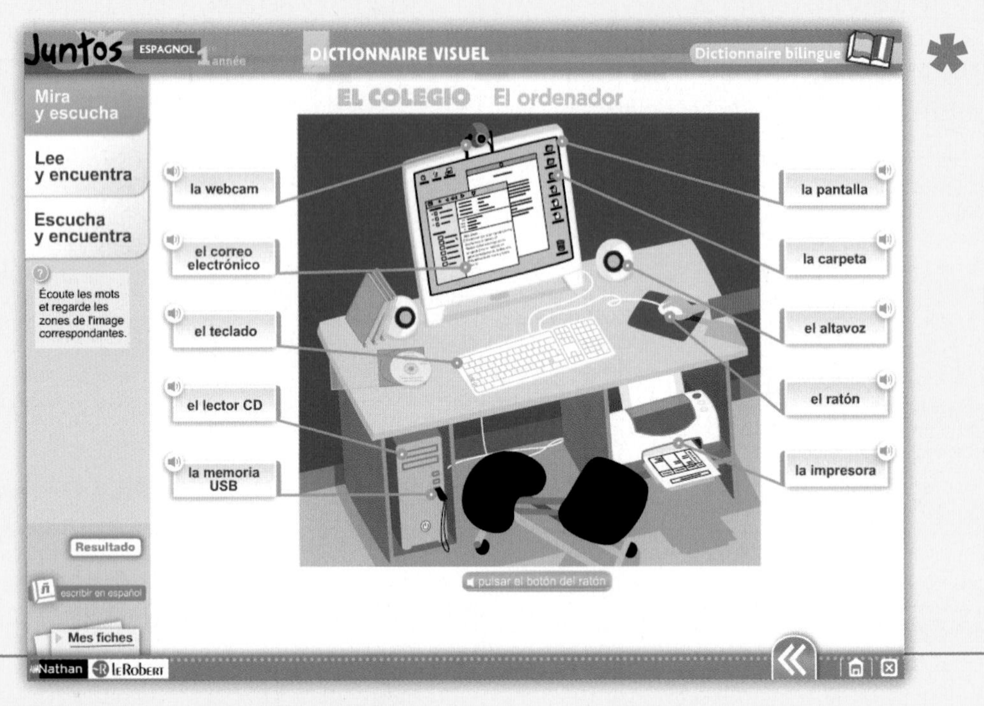

*

Vas a usar el ordenador

Si quieres...

mandar un correo electrónico (envoyer un courrier électronique)

- el archivo adosado: *le fichier joint*
- el buzón: *la boîte aux lettres*
- la contraseña: *le mot de passe*
- la dirección: *l'adresse*
- el mensaje: *le message*
- el nombre de usuario: *le nom d'utilisateur*

usar un programa

- abrir un archivo: *ouvrir un fichier*
- borrar: *effacer*
- la carpeta: *le dossier*
- copiar: *copier*
- grabar sonido: *enregistrer du son*
- guardar: *sauvegarder*
- imprimir: *imprimer*
- insertar: *insérer*
- modificar: *modifier*
- pegar: *coller*
- el procesador de texto: *le traitement de texte*
- la tabla: *le tableau*

buscar informaciones en Internet (chercher des informations sur Internet)

- el buscador: *le moteur de recherche*
- descargar: *télécharger*
- la página web: *la page web*
- la palabra clave: *le mot-clé*
- pinchar un enlace: *cliquer sur un lien*

* Va dans le dictionnaire, de ton CD élève pour faire les activités proposées sur ce visuel.

Unidad 1

Vuelta al cole

Día de vuelta al cole en Ecuador

Je vais apprendre à... A1/A2

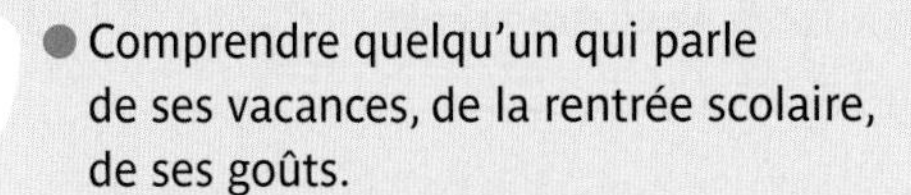

- Comprendre quelqu'un qui parle de ses vacances, de la rentrée scolaire, de ses goûts.

- Comprendre la description d'un lieu de vacances, d'un lieu de vie, de ce que l'on aime.
- Comprendre un dialogue de rencontre, des amis qui échangent sur la rentrée.

- Décrire quelqu'un, ses vêtements, ce qu'il fait.

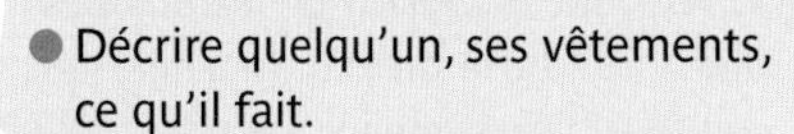

- Poser et répondre à des questions.

- Me présenter dans un blog.

Je vais utiliser...

- Le présent de l'indicatif des verbes réguliers
- Le présent de l'indicatif de quelques verbes irréguliers
- Le verbe *gustar*
- La localisation avec le verbe *estar* et la caractérisation avec le verbe *ser*
- Les verbes à diphtongue
- Les interrogatifs
- Le passé composé

Mon projet final

→ Jeu de rôle : un élève chilien et un élève espagnol se présentent et discutent de leur rentrée et des vacances scolaires.

Septiembre: volver al cole

1 Prepárate

a. Describe lo que ves en la foto.
b. Imagina adónde van los jóvenes.

2 Escucha

c. Hablan tres personas. Di quiénes son y de qué hablan.
d. Apunta las palabras que se refieren a la escuela y las que se refieren a las vacaciones.
e. Di lo que le gusta y lo que no le gusta a cada una de las chicas.
f. ¿Cuáles son las actividades de verano que tienen en común?
g. Una de las dos chicas parece contenta de volver a clase. Precisa quién es y de qué está contenta.

→ *Cahier p. 4*

3 Exprésate

h. Di las tres cosas que más te gustan cuando vuelves al cole y las tres que echas de menos de las vacaciones.

Primer día de clase

PALABRAS PARA DECIRLO

- alegre ≠ triste
- cuesta levantarse temprano: *c'est dur de se lever tôt*
- echar de menos: *regretter, manquer*
- elegir (i): *choisir*
- quedar con alguien: *se donner rendez-vous*
- la mochila: *le sac à dos*
- la vuelta al cole: *la rentrée scolaire*

Memoriza

→ Lengua p. 22-23

1 Le présent de l'indicatif des verbes *tener, ir, estar*

Pronoms personnels sujets	TENER (avoir)	IR (aller)	ESTAR (être)
(yo)	tengo	voy	estoy
(tú)	tienes	vas	estás
(él/ella, usted)	tiene	va	está
(nosotros, as)	tenemos	vamos	estamos
(vosotros, as)	tenéis	vais	estáis
(ellos/ellas/ustedes)	tienen	van	están

2 Le verbe *gustar*

Me gusta(n)...
Te/le/nos/os/les gusta(n)...

› *Me gusta ir a la playa.* (J'aime aller à la plage.)
› *Nos gustan los libros.* (Nous aimons les livres.)

Practica

1. Conjuga los verbos en presente.

a. Los chicos (estar) de vacaciones y (ir) a la playa. b. María dice: "(yo/tener) mis amigos, y con ellos (ir) a la piscina y (estar) contenta."

2. Traduce.

a. J'aime lire. b. Nous aimons les vacances.

→ Exercices p. 22-23

Febrero: grandes vacaciones en el Perú

1 Prepárate

a. En la foto vemos...

b. Debajo de la foto se trata de...

2 Escucha

c. El chico evoca meses del año. ¿Cuáles son?

d. También evoca fechas. ¿A qué corresponden?

e. Hablando de fechas, si comparamos con la escuela en Europa, ¿qué diferencia notas?

f. Los limeños van de vacaciones a dos sitios distintos. Precisa cuáles son y di cuál de los dos prefieren y por qué.

→ *Cahier p. 5*

3 Exprésate

g. Di a qué estación y a qué meses corresponden las vacaciones escolares en tu país, en España y en el Perú.

DOMINGO	LUNES	MARTES	MIÉRCOLES	JUEVES	VIERNES	SÁBADO
1	2	3	4	5	6	7
8	9	10	11	12	13	14
15	16	17	18	19	20	21
22	23	24	25	26	27	28

Calendario peruano

PALABRAS PARA DECIRLO

- la estación: *la saison*
- la fecha: *la date*
- hace calor ≠ hace frío
- el invierno: diciembre, enero, febrero
- el mes/los meses: *le(s) mois*
- el otoño: septiembre, octubre, noviembre
- la playa
- la primavera: marzo, abril, mayo
- el verano: junio, julio, agosto

¿Cómo se pronuncia?

"s", "c"

- **Le « s » espagnol se prononce un peu comme le « ss » français. Devant « e » et « i », le « c » espagnol se prononce un peu comme le « th » anglais.**
- **Escucha y repite.**
  › *estoy, me gusta, mis amigos, el mes, los meses, estamos contentos, otras personas, saber, vacaciones, diciembre, quince, hacia, hace*

¡Y AHORA TÚ!

Sé hablar de la vuelta al cole

1. Da tres razones por las que estás contento(a) de volver a clase.

Estoy contento(a) de encontrar a..., puedo volver a hacer...

Sé hablar de los meses del año

2. Si puedes elegir dos meses, seguidos o no, para tus vacaciones, ¿cuáles eliges? ¿Por qué?

En septiembre

Todos los veranos, en vacaciones, Damián se va a un pueblo del sur. A un pueblo con mar. En septiembre, el primer día de clase, cuando todos nos contamos lo bien que lo hemos pasado[1] en vacaciones, Damián nos cuenta la misma historia: 5 "Como ya sabéis, he pasado las vacaciones junto al[2] mar. En Villaricos. Mi padre compró[3] una casa y todos los veranos los pasamos allí. Desde la ventana de mi habitación se ve el mar, se oye el mar. La playa de este pueblecito es de piedras pequeñitas. A mí me encanta buscar conchas[4] en la orilla[5]. 10 Pero lo que más me gusta es pasear en un velero que tiene un amigo de mi padre. Cuando navegamos[6], la playa, las casas, los cerros[7] se quedan atrás[8]."

Daniel Nesquens (escritor español), *Días de clase*, 2004

1. *comme nous nous sommes bien amusés*
2. *près de, au bord de*
3. *a acheté*
4. *chercher des coquillages*
5. *au bord de l'eau*
6. *naviguons*
7. las colinas
8. *restent derrière*

Salvador Dalí (pintor español), *Mujer en la ventana*, 1925

1 Lee y comenta

a. Di dónde está la mujer del cuadro y lo que está haciendo.
b. Di adónde va a veranear Damián.
c. Di cuándo y en qué lugar cuenta Damián sus vacaciones. (línea 2-3)
d. Explica lo que se puede hacer desde la ventana de la habitación de Damián.
e. A Damián, ¿qué le gusta hacer durante las vacaciones? (líneas 9-11)

→ *Cahier p. 6*

2 Imagina

f. Un amigo de Damián le cuenta sus vacaciones y lo que se ve desde la ventana de su habitación. Imagina lo que dice.
g. ¿En qué se parecen el niño del texto y la mujer del cuadro?

PALABRAS PARA DECIRLO

- bañarse: *se baigner*
- broncear: *bronzer*
- descansar: *se reposer*
- divertirse (ie, i)
- le gusta = le encanta
- lo que: *ce que, ce qui*
- un lugar, un sitio: *un endroit*
- nadar: *nager*
- veranear: *passer ses vacances d'été*

Memoriza

→ *Précis 18.A, 37*

1 Le présent de l'indicatif des verbes *ver* et *oír*

VER	OÍR
veo	oigo
ves	oyes
ve	oye
vemos	oímos
veis	oís
ven	oyen

2 Les équivalents de « on »

Pour rendre l'indéfini « on », l'espagnol peut utiliser :
- le pronom *se*
- la 1re personne du pluriel

› *Se ve, se oye el mar.*
› *Cuando **navegamos**...*

Practica

1. Conjuga los verbos en presente.

a. Cuando volvemos al colegio, nosotros (oír) historias de vacaciones. **b.** Yo (ver) y (oír) el mar desde la casa de mi amigo.

2. Traduce.

a. On ne voit pas la plage depuis le collège. **b.** Cet été, avec mes parents, on passe les vacances en Espagne.

De vuelta a Getafe

Una chica vuelve a Getafe, ciudad cerca de Madrid.

Pienso ahora en una sensación que tengo todos los años, a finales de agosto, cuando volvemos de la playa, que es siempre por la tarde y hace calor, aunque ya no tanto, porque en Getafe, la ciudad donde está mi barrio[1], hace más calor en julio. La sensación en cuestión es que apenas[2] llegamos me entra la alegría de volver a ver el parque y la plaza y nuestro bloque[3]. No soy tan tonta[4] como para no darme cuenta de que a lo mejor[5] objetivamente es mucho más bonito el sitio de playa del que venimos. Pero mi bloque y mi barrio son míos, y en ellos he vivido todas las cosas buenas y también las menos buenas de las que me acuerdo, y subjetivamente, que es lo que[6] a mí me importa, a su lado no tienen nada que hacer las playas más paradisíacas ni los chalés más enormes de las urbanizaciones[7] de chalés con piscina.

Lorenzo Silva (escritor español), *Trilogía de Getafe*, 1997

1. *quartier*
2. *dès que*
3. *immeuble*
4. *stupide*
5. *peut-être*
6. *ce qui*
7. *lotissements*

Un colegio en Getafe

1 Lee y comenta

a. Di qué momento del año evoca la chica que habla. (l. 2)

b. La chica compara dos sitios distintos. Ella compara... (l. 6-12)

c. La chica parece contenta. ¿Cómo lo sabemos? (l. 6-9)

d. ¿Por qué le gusta su barrio? (l. 12-19)

→ *Cahier p. 6*

2 Imagina

e. La chica habla de cosas buenas y menos buenas que ha vivido en su barrio. Imagina algunas.

Memoriza

→ Lengua p. 23

1 Les verbes à diphtongue *e* > *ie*, *o* > *ue* au présent de l'indicatif

PENSAR	VOLVER	SENTIR
pienso	vuelvo	siento
piensas	vuelves	sientes
piensa	vuelve	siente
pensamos	volvemos	sentimos
pensáis	volvéis	sentís
piensan	vuelven	sienten

2 *Estar* et la localisation

Estar permet de situer dans l'espace et dans le temps.

› *La ciudad donde **está** mi barrio.*

› ***Estamos** en verano.*

Practica

1. Conjuga los verbos en presente.

a. Los chicos (pensar) en ir al parque cuando (volver) de la playa.

b. Tú también (sentir) alegría cuando (volver) a casa.

2. Traduce.

a. Ton quartier est près de Madrid. **b.** Quand nous sommes en été, il fait chaud.

→ Exercices p. 23

PALABRAS PARA DECIRLO

- un acontecimiento: *un événement*
- el cariño: *la tendresse*
- cerca de ≠ lejos de: *près de ≠ loin de*
- comparar con: *comparer à*
- elegir (i): *choisir*
- preferir (ie, i): *préférer*
- sentir (ie, i): *ressentir*

¡Y AHORA TÚ!

Describo mi entorno

1. **Cuenta lo que ves desde tu habitación en la casa donde veraneas.**
2. **Di dónde está tu colegio.**

¿De dónde eres?

Un chico está hablando con Carolina y Montse.

–¡Hola!
–¡Hola!
–¿Qué tal?
–Bien.
5 –Me alegro. […]
–¿No quieres sentarte?
–Bueno, no quiero molestaros[1], sólo…
–Tú no eres de por aquí ¿no?[2]
–No, soy forastero[3]. Acabo de llegar[4] al pueblo
10 y no conozco a nadie, la verdad.
–Pues entonces ya nos conoces a nosotras.
–¿De verdad no os importa[5]?
–¡Que no, hombre, que no!
–Bueno, pues... gracias. […]
15 –¿De dónde eres?
–De Tarragona. […]
–¿Qué te gusta? […]
–¿Dónde vives ?

Jordi Sierra i Fabra (escritor español),
Donde esté mi corazón, 1998

1. *vous déranger*
2. *n'est-ce pas ?*
3. *je ne suis pas de la région*
4. *Je viens d'arriver*
5. *c'est vrai ? cela ne vous dérange pas ?*

Entre amigos

1 Lee y comenta

a. Apunta las expresiones utilizadas para saludarse.
b. Fíjate en las líneas 8 y 9 y di quiénes son los personajes de este diálogo.
c. Di si el protagonista principal conoce a mucha gente. (l. 9-10) Precisa de dónde es. (l. 15-16)
d. Los personajes quieren conocerse. ¿En qué se nota?
e. Los personajes son muy diferentes: señala sus diferencias.

→ *Cahier p. 7*

2 Imagina

f. Llega el hermano de Carolina, las chicas lo saludan y lo presentan al forastero. Interpreta la escena con tus compañeros.

PALABRAS PARA DECIRLO

- alguien: *quelqu'un* ≠ nadie: *personne*
- aquí: *ici* ≠ allí: *là-bas*
- mucha gente: *beaucoup de monde*
- una pregunta: *une question*
- preguntar: *poser des questions*
- el pueblo ≠ la ciudad

Memoriza

→ Lengua p. 22-23

Le présent de l'indicatif des verbes *ser* et *conocer*

SER
soy
eres
es
somos
sois
son

Ser permet de définir, de caractériser et d'indiquer la provenance.
› ***Soy*** *forastero. ¿De dónde* ***eres****?*

CONOCER
conozco
conoces
conoce
conocemos
conocéis
conocen

› *No* ***conozco*** *a nadie. Ya nos* ***conoces*** *a nosotras.*

Practica

1. Conjuga los verbos en presente.

a. El chico está solo porque no (conocer) a los alumnos. b. El alumno nuevo me acompaña porque yo (conocer) el instituto.

2. Emplea el verbo *ser*. Justifícalo.

a. Vivo en Madrid y por eso … madrileño. b. Nosotras … buenas amigas.

→ Exercices p. 22-23

Tomás en su nuevo colegio

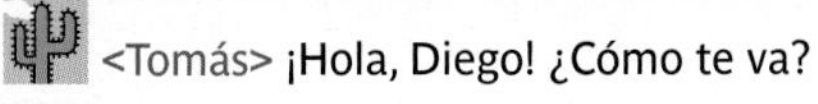

<Tomás> ¡Hola, Diego! ¿Cómo te va?

<Diego> ¡Hola, Tomás!, bien, pero ya sabes que a principios de marzo hace frío aquí en Soria. Y tú, ¿dónde estás ahora?

<Tomás> En Chile y aquí todavía hace calor, pero ya se han acabado el verano... y las vacaciones. Hoy ha sido el primer día de clase en mi nuevo colegio.

<Diego> ¿En marzo? ¡Qué raro[1]! Bueno, ¿y qué tal?

<Tomás> La verdad es que resulta un poco raro empezar el curso en marzo. He conocido a mis profesores, a mis compañeros y me han parecido agradables.

<Diego> ¿Cuántos sois en tu clase?

<Tomás> Veintitrés o veinticuatro, más o menos.

<Diego> ¿Tu nuevo colegio está lejos de tu casa?

<Tomás> Hombre, está un poco lejos, pero con Oliverio, el camino se me hace muy corto[2].

<Diego> ¿Y quién es ese Oliverio?

<Tomás> ¡Ah, perdona!, Oliverio es mi vecino, es un tipo muy gracioso[3].

<Diego> ¿Y cuándo piensas volver a Soria?

<Tomás> Mis padres aún no han decidido nada. De todos modos seguimos en contacto con el MSN, ¿vale?

<Diego> Vale, hasta pronto y cuídate mucho[4], Tomás.

<Tomás> Tú también, Diego.

1. *comme c'est bizarre !*
2. *je trouve que le chemin est plus court*
3. *drôle*
4. *fais bien attention à toi*

Memoriza

→ Lengua p. 23

1 Les mots interrogatifs

qué, cuál, cuándo, por qué, quién(es), dónde, cómo, para qué...
Les mots interrogatifs portent un accent.
› *¿De **dónde** eres?*

2 Le passé composé

Formation : ***haber*** + participe passé.
› *Se **han** acab**ado**, **ha** s**ido**, me **han** parec**ido**, no **han** decid**ido***

ACABAR	DECIDIR
he acabado	he decidido
has acabado	has decidido
ha acabado	ha decidido
hemos acabado	hemos decidido
habéis acabado	habéis decidido
han acabado	han decidido

Practica

1. Imita el modelo:

› *En Soria hace frío.* → *¿Dónde hace frío?*

a. El chico se llama Tomás.
b. Los alumnos están en el instituto.

2. Conjuga los verbos en pretérito perfecto.

a. Esta mañana Tomás (estar) solo porque no (hablar) con los alumnos.
b. Los otros alumnos (acompañarlo) porque (querer) conocerlo.

→ Exercices p. 23

1 Lee y comenta

a. Di quiénes son los personajes del diálogo y dónde están.
b. ¿En qué época del año tiene lugar la escena? Justifica tu respuesta con frases del diálogo.
c. Es un momento un poco difícil para Tomás porque...
d. Al final, Diego quiere saber... pero los padres de Tomás...

→ *Cahier p. 8*

2 Imagina

e. En septiembre, Diego le cuenta a Tomás la vuelta al cole en Soria. Imagina la conversación que tienen con el MSN.
f. Los padres de Tomás ya han decidido una fecha para volver a Soria de vacaciones y Tomás informa rápidamente a Diego por el MSN. Imagina el diálogo.

¿Lo sabías?

Los españoles suelen utilizar palabras como **"¡Hombre!"**, **"¡Mujer!"**, **"¡Guapa!"** que expresan emociones o sentimientos.

PALABRAS PARA DECIRLO

- por eso: *c'est pour cela que*
- sentirse (ie, i) solo, a: *se sentir seul(e)*
- también: *aussi*

¡Y AHORA TÚ!

Me presento a un alumno nuevo y le entrevisto

1. **Preséntate y dile a quién conoces en el colegio.**
2. **Indica todas las preguntas que le puedes hacer.**

De camino a la escuela

Mario González Chavajay (pintor guatemalteco), *De camino a la escuela*, 2004

1 Mira

a. Di dónde se sitúa la escena del cuadro.

b. ¿Quiénes son los diferentes personajes del cuadro?

c. ¿Qué color predomina? ¿Por qué?

2 Exprésate

d. Describe la selva, su flora y su fauna.

e. Describe a los jóvenes: Son..., ... Visten... Llevan... Fíjate en su actitud: Están...

f. ¿Qué están haciendo? Di tres frases.

g. Describe el itinerario de los niños para ir a la escuela.

3 Conversa

h. Por parejas, imaginad lo que les pregunta el chico de delante a sus compañeros. Uno de ellos le contesta. Presentad el diálogo a la clase.

Memoriza

→ Précis 29. A

1 *Estar* + gérondif

Estar + gérondif *(-ar > ando, -er, -ir > iendo)* permet d'exprimer une action en cours.

› *Los alumnos **están caminando**.*

2 Les prépositions de mouvement *a, de, por*

Les prépositions ***a*** (direction), ***de*** (provenance), ***por*** (passage par) accompagnent les verbes de mouvement.

› *Están caminando **por** la selva.*

› *Vienen del pueblo y van **a** la escuela.*

Practica

1. Imita el modelo:

› *Los alumnos caminan.* → *Los alumnos están caminando.*

a. Un chico canta.

b. Los alumnos piensan en el recreo.

2. Completa las frases con *a, de, por*.

a. Para ir ... la escuela, los niños pasan ... la selva.

b. Muchos alumnos vienen ... un pueblecito.

PALABRAS PARA DECIRLO

- andar descalzo, a: *être pieds nus*
- atravesar (ie): *traverser*
- caminar por: *marcher dans*
- dentro de: *dans, à l'intérieur de*
- la escoba: *le balai*
- estar atento, a: *être attentif, ive*
- una fiera = un animal salvaje (el jaguar)
- parecer cansado, a(s): *paraître fatigué(e)(s)*
- la selva: *la forêt vierge, la jungle*

La aventura de aprender

1 Mira

a. Este documento es:
1. un anuncio
2. una foto
3. un dibujo.

b. Cita y sitúa los elementos que componen este documento.

c. El patrocinador es... por lo tanto puedo deducir que promueve...

2 Exprésate

d. Describe la ropa de este niño.

e. Justifica la ropa y la actitud del niño. ¿Qué está haciendo?

f. Explica por qué la vuelta al cole puede simbolizar una aventura.

3 Conversa

g. Imagina que eres el niño de la foto. Tus compañeros te hacen preguntas para comprender por qué llevas esa ropa.

PALABRAS PARA DECIRLO

- un(a) aventurero, a: *un(e) aventurier, -ière*
- un(a) aviador(a): *un(e) aviateur, -trice*
- un casco: *un casque*
- una cazadora: *un blouson*
- las gafas: *les lunettes*
- un mapa: *une carte*
- la mirada tensa: *le regard intense*
- los ojos: *les yeux*
- promover (ue): *faire de la publicité pour*

¿Lo sabías?

El Corte Inglés es una famosa cadena de grandes almacenes que vende todo tipo de productos (ropa, zapatos, mochilas, comida, discos, libros...) y que fue creada en los años 30 en España.

¿Cómo se pronuncia?

"an", "en", "in"

▶ En espagnol, « **an** », « **en** », « **in** » se prononcent de façon différente.
› *mir**an**do / av**en**tura / **in**glés*

▶ **Escucha y repite.**
› *están, mirando, aprender, promueven, tenso, importante*

¡Y AHORA TÚ!

Describo un itinerario

1. **Describe tu itinerario cotidiano para ir de tu casa al cole.**

¿Qué es la aventura para mí?

2. **Por parejas, dad un ejemplo de aventura. Explicad por qué.**

Blog de un adolescente

http://chrisvargas.wordpress.com/

Editar Ver Ir Herramientas Ayuda

Sobre mí

Blog de Chris Vargas Pérez

Página principal | Sobre mí |

Tengo 14 años. Vivo en la ciudad de Santo Domingo. Mis padres biológicos son César Vargas y Celeste Pérez. Vivo con mi madre, mi padrastro[1] Víctor Guareño y mi hermanito Oliver. Actualmente curso el 8° grado en el colegio Santo Domingo y estudio inglés en el Instituto Cultural Dominico Americano.

Mis amigos me consideran una persona simpática y amable, me gusta conocer siempre a nuevos amigos. Me gusta leer, escribir, practicar soccer[2], salir con mis amigos, ir al cine, escuchar música y jugar con videojuegos.

Desde hace un año escribo para la revista infantil[3] *Al Compás*, del Listín Diario.

"Diario de un adolescente" es el relato[4] de mi vida, son historias reales en las cuales expreso[5] mi punto de vista y mis sentimientos.

Comentarios

Según el blog de Chris Vargas Pérez, http://chrisvargas.wordpress.com/acerca-de, 2008

1. *mon beau-père*
2. *(amer.) football*
3. *magazine pour enfants*
4. *le récit*
5. *où j'exprime*

1 Lee el modelo

a. Di quién se presenta. Indica sus datos personales (nombre completo, edad y domicilio).

b. Presenta a su familia.

c. Precisa cómo se llama su colegio y en qué curso está.

d. Recuerda cuáles son sus aficiones.

2 Escribe tu presentación personal imitando el modelo del blog

e. Indica tus datos personales.

f. Presenta a tu familia.

g. Habla de tus estudios. ¿Cómo se llama tu colegio? ¿En qué curso estás?

h. Di cuáles son tus aficiones (utiliza el verbo "gustar").

PALABRAS PARA DECIRLO

- las aficiones = los gustos
- los datos: *les données, les informations*
- la edad: *l'âge*
- ir en bici
- jugar al fútbol, al baloncesto, etc.
- jugar a la videoconsola
- pasearse: *se promener*

Memoriza

→ Lengua p. 22

1 Le présent de l'indicatif des verbes réguliers

CONSIDERAR	LEER	VIVIR
considero	leo	vivo
consideras	lees	vives
considera	lee	vive
consideramos	leemos	vivimos
consideráis	leéis	vivís
consideran	leen	viven

2 Les nombres ordinaux (1 à 10)

primero, segundo, tercero, cuarto, quinto, sexto, séptimo, octavo, noveno, décimo

Les ordinaux s'accordent en genre et en nombre au nom auquel ils se rapportent.

› *Curso el **octavo grado** en el colegio.*

Practica

1. Conjuga los verbos en presente.

a. Yo (leer) y vosotros (escribir).

b. Nosotros (jugar) y (escuchar) música cuando no (estudiar).

2. Escribe con letras los numerales ordinales.

a. El 2º alumno está escribiendo.

b. La 1ª historia cuenta hechos reales.

→ Exercices p. 22

El nuevo alumno

Fotogramas del vídeo

Fíjate bien

Mira los fotogramas A y B.
Di cuál es el plano general corto y cuál el primer plano y di qué permiten.

PALABRAS DE CINE

- **El plano general corto** permite ver a una persona entera con espacio arriba y abajo.
- En **el primer plano** se ve la cabeza, por ejemplo, y permite ver las expresiones, los sentimientos.

1 Observa

a. ¿Dónde transcurren las escenas? Justifica tu respuesta.

b. Presenta a los diferentes protagonistas que aparecen en la secuencia.

2 Exprésate

c. Di cómo se llama el nuevo alumno y cómo entra en clase.

d. Describe y comenta la actitud de un alumno del fondo.

e. Fíjate en el aula y deduce a qué clase asisten los alumnos.

f. ¿Qué tipo de plano utiliza el cineasta cuando el nuevo alumno mira la papeleta? Explica por qué.

g. Comenta la actitud del nuevo alumno en el recreo y la reacción del grupo de chicos.

3 Imagina

h. Imagina lo que está escrito en la papeleta.

PALABRAS PARA DECIRLO

- el aula: *la salle de cours*
- el director: *le principal, le réalisateur*
- colocar por listo: *cataloguer comme un petit malin*
- enviar: *envoyer*
- un(a) jilipollas (fam.) = un(a) imbécil
- una papeleta: *un petit papier*
- la pizarra = el encerado: *le tableau*
- tenso, a: *tendu(e)*

Lengua y práctica

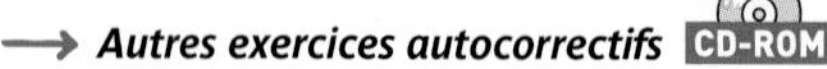

→ Autres exercices autocorrectifs CD-ROM

Le présent de l'indicatif des verbes réguliers

→ Conjugaisons p.162

- Les verbes espagnols sont classés en 3 groupes, suivant la terminaison de leur infinitif : *-ar / -er / -ir.*
- Les pronoms personnels sujets ne sont utilisés que pour insister ou lorsqu'il peut y avoir confusion entre certains sujets, sinon on ne les utilise pas.

› *Me llamo Alejandro.* › ***Yo** me llamo Paula.*

pronoms sujets	ESCUCHAR	APRENDER	VIVIR
(yo)	escucho	aprendo	vivo
(tú)	escuchas	aprendes	vives
(él/ella/usted)	escucha	aprende	vive
(nosotros/nosotras)	escuchamos	aprendemos	vivimos
(vosotros/vosotras)	escucháis	aprendéis	vivís
(ellos/ellas/ustedes)	escuchan	aprenden	viven

1 Relève les verbes, indique leur terminaison *(-ar / -er / -ir)* et précise la personne.

a. Mis padres escuchan la radio y mi hermano lee un libro. **b.** Cuando llego del cole, hablamos y cenamos. **c.** Después, estudio mis lecciones y mis hermanos escriben una carta. **d.** Si comparo lo que estudio con mi hermano mayor, descubro muchas diferencias. **e.** Los fines de semana escribimos a nuestros amigos de vacaciones y les contamos nuestras actividades. **f.** Con los nuevos alumnos intercambiamos recuerdos.

2 Mets les verbes entre parenthèses au présent de l'indicatif.

a. ¿Dónde (vivir) vosotros? ¿Cómo os (llamar) vosotras?

b. Nosotros (llegar) a casa a las 6 y vosotros (aprender) vuestras lecciones.

c. Ellos me (considerar) como una buena persona y me (hablar).

d. Tú (estudiar) en este instituto y yo (estudiar) en el otro.

e. Vosotras (prometernos) venir por las vacaciones.

Le présent de l'indicatif de quelques verbes irréguliers

→ Conjugaisons p.162-165

SER	ESTAR	CONOCER	TENER
soy	estoy	conozco	tengo
eres	estás	conoces	tienes
es	está	conoce	tiene
somos	estamos	conocemos	tenemos
sois	estáis	conocéis	tenéis
son	están	conocen	tienen

Les verbes irréguliers appartiennent généralement à des familles qui comportent les mêmes irrégularités : ***dar*** et ***ir*** se conjuguent comme ***estar***. ***Pertenecer*** comme ***conocer*** et ***venir*** comme ***tener***.

› ***dar*** (donner) *: doy, das, da, damos, dais, dan*
› ***ir*** *: voy, vas, va, vamos, vais, van*
› ***pertenecer*** (appartenir)*: pertenezco, perteneces, pertenece, pertenecemos, pertenecéis, pertenecen*
› ***venir*** *: vengo, vienes, viene, venimos, venís, vienen*

3 Mets les verbes entre parenthèses au présent de l'indicatif.

a. Yo me llamo Marta, (ser) una alumna española y (conocer) a Juan. **b.** Te llamas Pedro, (ser) peruano y (tener) una amiga que (ir) al mismo colegio que tú. **c.** Vosotros (tener) hermanos y yo sólo (tener) una hermana. **d.** Nosotras (estar) contentas porque (ir) al cole que (estar) cerca de casa.

4 En te servant de l'exercice précédent, mets les verbes à la 3e personne du singulier ou du pluriel.

a. Ella se … Marta, … una alumna española, y … a Juan. **b.** Él se … Pedro, … peruano y … una amiga que … al mismo colegio que él. **c.** Ellos … hermanos y ella sólo … una hermana. **d.** Ellas …. contentas porque … al cole que … cerca de casa.

Ser et estar

→ Précis 28

- Le verbe ***ser*** s'emploie pour définir, caractériser.

› *No **soy** tan tonta.*
› ***Son** historias reales.*

- Le verbe ***estar*** sert à localiser dans l'espace et dans le temps.

› *La ciudad donde **está** mi barrio.*

5 Complète les phrases avec *ser* ou *estar*.

a. El nuevo alumno … madrileño.
b. Mi colegio … cerca de casa.
c. Mi hermano … en Barcelona y … estudiante.
d. ¿Quiénes … estas dos chicas que … con Isabel?

Le verbe *gustar*

→ Précis 34

Le verbe *gustar* peut être utilisé pour exprimer une préférence ou un sentiment. Il se construit à la 3e personne du singulier ou du pluriel selon l'élément qui le suit et qui est, en fait, le sujet réel.

› ***Me gusta leer** (leer me gusta). **Nos gustan los libros** (los libros nos gustan).*

6 Mets la terminaison qui convient au verbe.

a. Me gust... las vacaciones. **b.** Os gust... volver al colegio. **c.** Los veranos les gust... navegar. **d.** Te gust... las conchas y las piedras. **e.** Nos gust... la playa y la piscina. **f.** Le gust... el mes de febrero.

Le passé composé

→ Conjugaison p. 163, Précis 18C

Le passé composé est formé avec l' auxiliaire ***haber*** suivi du participe passé (*-ar* > ***ado***, *-er/-ir* > ***ido***).
Attention : l'espagnol n'a qu'un seul auxiliaire : ***haber***.

LLEGAR	SER	IR
he llegado	he sido	he ido
has llegado	has sido	has ido
ha llegado	ha sido	ha ido
hemos llegado	hemos sido	hemos ido
habéis llegado	habéis sido	habéis ido
han llegado	han sido	han ido

7 Emploie le passé composé.

a. Nosotras (pasarlo bien) durante las vacaciones. **b.** Yo (comprender) las primeras lecciones. **c.** Los profesores (presentar) sus objetivos. **d.** Los amigos (ir) en bici al cole. **e.** Yo (levantarme) temprano para ir al cole. **f.** Vosotros (estar) contentos cuando (reuniros). **g.** Los nuevos alumnos (darse cuenta) de que (empezar) una nueva vida.

TALLER DE LÉXICO

→ Autre exercice autocorrectif 

¿Qué haces y cuándo lo haces?

Haz frases asociando la actividad con el mes o la estación que le corresponde.

1. Actividades

Ir al cole

Viajar

Crecer (la vegetación)

Bañarse en el mar

Esquiar

Celebrar las Navidades

2. Estaciones y meses

- el invierno
- la primavera
- el verano
- el otoño

- enero
- febrero
- marzo
- abril
- mayo
- junio
- julio
- agosto
- septiembre
- octubre
- noviembre
- diciembre

muy INTERESANTE

Estudiar en España y Latinoamérica

CD classe

Están apareciendo nuevos sistemas educativos tanto en España como en Latinoamérica.

En España, el sistema educativo se organiza en etapas, ciclos, grados, cursos y niveles de enseñanza definidos por la nueva Ley Orgánica de Educación (LOE).

En Latinoamérica, los Ministerios de Educación quieren, como en Chile por ejemplo, que todos los niños y jóvenes tengan igualdad de oportunidades con un acceso gratuito a la educación, para un futuro mejor.

Alumnos de ESO y bachillerato en Madrid

Teresa, chilena

Pedro, madrileño

a Estudiar en España

Tengo 14 años y soy alumno de la ESO, que significa Educación Secundaria Obligatoria. En España, después de primaria, los alumnos cursan ESO durante cuatro años. Después hacen el bachillerato durante dos años para obtener el título de bachiller y tener la posibilidad de entrar en universidades o en escuelas.

Educación primaria						Educación Secundaria Obligatoria E.S.O.			
1°	2°	3°	4°	5°	6°	1°	2°	3°	4°
6 años					12 años				16 años
									Título Graduado E.S.O.

b Vuelta al colegio en Latinoamérica

Como soy chilena no tengo las mismas vacaciones que Elena, mi mejor amiga, que es venezolana, ya que en Chile, igual que en Perú, las clases se inician el 3 de marzo y en Venezuela, el 17 de septiembre. De todas formas estas fechas son "flexibles", porque pueden variar según los diferentes países latinoamericanos e incluso las diferentes regiones de un mismo país.

Amigas de un colegio de Chile

Alumnos de una escuela de Nicaragua

Cristiano, nicaragüense

C El orgullo del uniforme

En mi país, como en el resto de Latinoamérica, el uniforme representa algo positivo y se vive muy a menudo con el orgullo de ir a la escuela con ropa limpia. Yo sé por mi amiga española Elena que en España se critica el uniforme escolar...

Elena, sevillana

d Llevar o no llevar uniforme

A mí me gusta llevar un uniforme porque evita disputas por las marcas en la ropa. En mi colegio, donde estudian jóvenes con más o menos dinero, es un modo de hacer ver que todos somos iguales ante el derecho[1] a la educación y a la cultura. En España no se lleva el uniforme tanto como en Latinoamérica.

| 1. *face au droit*

Bailando en una escuela de Sevilla

¿A ver si lo sabes?

1. ¿Qué significa la sigla ESO? (a)
2. ¿Qué permite el bachillerato? (a)
3. Precisa las fechas de la vuelta al colegio en Chile y en Venezuela. (b)
4. Di cómo ven el uniforme escolar los alumnos latinoamericanos y la alumna sevillana, Elena. (c) (d)

Proyecto final

Por parejas, imaginad que sois dos alumnos, uno(a) chileno(a) y otro(a) español(a) con posibilidad de "chatear".

→ Primero os saludáis ("Hola..."), os presentáis ("soy...").

→ Luego habláis de la vuelta a vuestro colegio (fecha, encuentros, profesores, uniforme...).

→ Comentáis la diferencia entre las vacaciones y el colegio ("en cambio", *en revanche*, "mientras que...", *tandis que*).

→ Por último os despedís ("Hasta luego, hasta pronto...").

Páginas Web que puedes consultar

http://www.mepsyd.es/educacion/ensenanzas.html
http://www.oei.es/quipu/chile

1 En diciembre en la playa

Objectif : Comprendre quelqu'un qui parle de ses goûts, qui évoque les dates, les mois.
Outil : Le verbe *gustar.*

Escucha y contesta.

A1
1. Busca el intruso. El chico habla de las vacaciones en: **a.** Madrid **b.** el Perú **c.** la montaña.
2. Indica la respuesta correcta. Sus vacaciones empiezan en el mes de: **a.** julio **b.** septiembre **c.** octubre **d.** diciembre.

A2
3. Indica tres cosas que les gustan a los limeños (habitantes de Lima) cuando están de vacaciones.
4. ¿Verdad o mentira? **a.** En diciembre duermen en la playa. **b.** En diciembre van a la montaña a esquiar. **c.** En agosto vuelven de vacaciones.

2 Rosa y Maribel

Objectif : Comprendre un texte court et simple sur la vie de deux collégiennes.
Outils : Vocabulaire des mois et des saisons, présent de l'indicatif de *estar,* verbes à diphtongue.

Mañana vuelve al colegio, después de unas vacaciones larguísimas en las que ha escrito muchas cartas. Su mejor amiga, su compañera en la clase, la niña con la que intercambia[1] el nombre, la merienda[2], la ropa y los deberes, se ha ido a vivir fuera, a otra ciudad, nada menos que a París.

Maribel está triste porque Rosa se ha ido, pero también está deseando que pase el tiempo[3], que pasen septiembre, octubre y noviembre, porque sus padres le han prometido llevarla a París.

Luis García Montero,
Lecciones de poesía para niños inquietos, 2000

1. *échange*
2. *le goûter*
3. *elle souhaite que le temps passe vite*

A1
1. ¿Verdad o mentira? **a.** Maribel vuelve al colegio. **b.** Rosa no vuelve al colegio.
2. Di quiénes son Rosa y Maribel indicando dos elementos del texto.

A2
3. Precisa cuándo transcurre la acción del texto.
4. Explica dónde vive Rosa ahora y cómo se siente Maribel.
5. Di qué momento del año espera Maribel y por qué.

3 Presentar a un campeón

Objectifs : Parler d'un sportif et de son sport.
Outils : Lexique du sport, des goûts. Verbes *ser*, *estar* et *gustar*.

Observa la foto y la ficha de identidad del chico y habla.

A1
1. Presenta a este chico (nombre, apellidos, edad, profesión).
2. Descríbelo.
3. Enumera lo que le gusta.

A2
4. Y a ti ¿te gusta el deporte? Di por qué.

- PRIMER APELLIDO: CASILLAS
- SEGUNDO APELLIDO: FERNÁNDEZ
- NOMBRE: IKER
- FECHA DE NACIMIENTO: 20 de mayo de 1981
- LUGAR DE NACIMIENTO: Móstoles (Madrid)
- PROFESIÓN: portero, capitán de la selección española campeona de la Eurocopa 2008
- APODO: San Iker, El Santo
- CLUB: Real Madrid
- ESTATURA: 1,85 m
- GUSTOS: el fútbol, los viajes, la música, ir de marcha

4 Retrato de un famoso

Objectifs : Indiquer en quelques phrases une identité, une activité, des goûts. Faire le portrait d'un sportif, d'une célébrité.
Outils : *Ser, gustar, tener*. Vocabulaire de l'identité.

Observa la foto y la ficha de identidad y escribe.

A2
Escribe un breve artículo sobre Iker Casillas y explica cómo lo han llamado los hinchas (*les fans*).

Unidad

2

Vida cotidiana

A disfrutar (cafetería en Chile)

Je vais apprendre à... A1/A2

- Reconnaître des activités propres à la vie en ville.
- Comprendre le programme d'une journée.
- Comprendre les différents moments d'une journée de travail ou de repos.
- Comprendre des activités quotidiennes (itinéraire, courses, rencontres, etc.).

- Parler des loisirs et des moyens de transport.
- Localiser des personnes et des objets.

- Faire connaissance avec un voisin.
- Se donner rendez-vous pour sortir.

- Rédiger un message pour organiser une sortie.

Je vais utiliser...

- L'obligation personnelle
- L'apocope
- *Usted, ustedes*
- L'imparfait de l'indicatif
- Les prépositions de lieu
- Les verbes pronominaux
- L'enclise

Mon projet final

→ Imaginer que l'on passe un week-end avec un ami espagnol ou latino-américain et raconter ce que l'on fait.

¿Pueblo o ciudad?

En un pueblo de Andalucía

1 Prepárate

a. Describe el pueblo. ¿Te parece animado? Di por qué.

2 Escucha

b. Enumera las tres actividades que se pueden hacer en la ciudad según la chica.

c. Para la chica, lo malo del campo o del pueblo es que...

d. A la chica le gusta su instituto porque dice...

e. Di dónde viven la chica y su familia.

→ *Cahier p. 11*

3 Exprésate

f. ¿A quién echa de menos la chica cuando va al pueblo? ¿Por qué?

¿Cómo se pronuncia?

Le son [x]

▶ **La prononciation [x] du « j » *(la jota)* et du « g » suivi des voyelles « e » et « i » est propre à l'espagnol.**

› *jugar, joven, junto a, trabajo, general, gitano, Argentina*

▶ **Escucha y repite.**

› *lejos, mejores, me quejo, gente*

→ ***Autre exercice autocorrectif*** CD-ROM

PALABRAS PARA DECIRLO

- el barrio: *le quartier*
- el campo: *la campagne*
- cenar: *dîner*
- la ciudad: *la ville*
- echar de menos: *regretter*
- guay: *super, génial*
- el pueblo: *la petite ville, le village*

Programa del día

Haciendo la cama en el campamento

PALABRAS PARA DECIRLO

- asearse = lavarse
- bañarse: *se baigner, prendre un bain*
- la cama: *le lit*
- dar un paseo: *faire une promenade*
- descansar: *se reposer*
- despertarse (ie): *se réveiller*
- jugar (ue): *jouer*
- las mantas: *les couvertures*
- nadar: *nager*
- pasarlo bien = divertirse (ie, i) = disfrutar

1 Prepárate

a. Observa la foto. ¿Qué representa? ¿Qué están haciendo los jóvenes?

2 Escucha

b. Fíjate en las voces e identifica a las personas que están hablando.

c. Las chicas se levantan a...

d. Di lo que suelen hacer las chicas después de levantarse.

e. Todos están acostumbrados a... en casa.

f. Di cuándo se duchan los jóvenes.

→ *Cahier p. 12*

3 Exprésate

g. Imagina las actividades que los jóvenes pueden practicar en este tipo de campamento por la tarde.

Memoriza

→ Précis 5, 29. C

1 L'expression de l'heure

Pour dire l'heure, on emploie l'article défini *la(s)* car le mot *hora(s)* est sous-entendu.

› *Se levantan a* ***las ocho y media.***

2 L'expression de l'habitude

Pour exprimer l'habitude, on emploie l'expression ***estar acostumbrado(a) a*** ou le verbe ***soler (ue)*** + infinitif.

› ***Estás acostumbrada a*** *hacerte la cama.*

› ***Sueles*** *hacerte la cama.*

Practica

1. Traduce.

a. Je suis en classe à 9h.

b. Ma mère arrive à 1h.

2. Utiliza el verbo *soler*.

a. Los chicos están acostumbrados a ducharse los jueves.

b. Estamos acostumbradas a bañarnos.

¡Y AHORA TÚ!

En la ciudad y en el campo

1. ¿Qué echas de menos cuando estás en la ciudad? ¿Y cuando estás en el campo?

Antes del cole

2. Di lo que sueles hacer por la mañana antes de llegar al colegio. Indica la hora.

Rutina

Son las 8h00 y, como cada mañana, bajo aprisa las escaleras del metro. No llego tarde, tampoco tengo prisa[1], pero es mi manera de hacerme saber que no puedo demorarme[2]. 5 Después de un mes ya lo tengo todo calculado. Sé a qué hora debo salir de casa, a qué hora sale exactamente mi metro, lo rápido que tengo que andar para hacer trasbordo[3] en Passeig de Gracia y no perder el metro de la 10 línea 4, a qué hora salgo a la calle… Siempre llego antes al trabajo pero siempre voy como si llegara tarde[4].

Las 8h02 y el metro justo está entrando en la estación. […]

15 Se acerca. ¡Vaya! el conductor no debe de ser el mismo de siempre, porque la puerta no ha quedado a la altura que debería[5]. La chica que abre la puerta estaba sentada en el banquillo de piedra. Se apresura[6] a entrar en el vagón y se sienta en mi asiento. Hasta este momento no había reparado en ella[7]. Me siento enfrente de ella, confuso. Eso no puede ser una buena señal...

Aida Sánchez Navas (escritora española), *Rutina*, 2008

Esperando el metro

1. *je ne suis pas pressé non plus*
2. tardar
3. *faire un changement*
4. *comme si j'étais en retard*
5. *là où elle aurait dû*
6. *elle se dépêche*
7. *je ne l'avais pas remarquée*

1 Lee y comenta

a. Identifica el medio de transporte que utiliza el narrador y di a qué hora lo hace (l. 5-14).

b. Describe el recorrido que tiene que hacer para llegar al trabajo (l. 6-12).

c. Es una persona un poco maniática, lo sé porque... (l. 5-12, 15-16)

d. Pero, para el narrador, es un día diferente porque... y también porque... Comenta su reacción. (l. 17-19)

→ *Cahier p. 13*

2 Imagina

e. Imagina lo que le dice a la chica para no tener que cambiar su rutina.

f. "No puede ser una buena señal". Di lo que le puede pasar al narrador.

¿Lo sabías?

En Cataluña hay dos lenguas oficiales: el catalán y el castellano. "Passeig de Gracia" significa "Paseo de Gracia" y es una avenida importante del centro de Barcelona.

Memoriza

→ Lengua p. 38

L'obligation personnelle

- ***Deber* + infinitif ou *tener que* + infinitif**

› ***Debo*** *salir de casa.*
› ***Tengo que*** *andar.*

- Attention à ne pas confondre avec l'expression ***deber de*** qui exprime un doute: *El conductor no* ***debe de*** *ser el mismo de siempre.* (Le conducteur n'est certainement pas le même que les autres jours.)

Practica

Expresa la obligación de dos maneras.

a. Voy al instituto.

b. La chica se apresura a entrar.

→ Exercices p. 39

PALABRAS PARA DECIRLO

- un accidente: *un accident*
- cambiar: *changer*
- llegar a la hora ≠ llegar tarde
- maniático, a: *maniaque*
- el recorrido: *le parcours*
- supersticioso, a: *superstitieux, -euse*

Los Príncipes también trabajan

A las siete suena el despertador en casa de los Príncipes de Asturias. Los ventanales del primer piso se iluminan. En el horizonte, la nevada sierra de Madrid. [...]. Poco después de las ocho, la pareja[1] deja a Leonor, su primogénita, de dos años, en la escuela infantil de la Guardia Real, tras los muros del *Cuartel El Rey*, en El Pardo. Tardan 10 minutos. [...]

El Príncipe conduce un todoterreno [...]. Comienza la jornada laboral de los herederos[2] de la Corona. Después cubren el kilómetro que separa su residencia del Palacio de la Zarzuela. Allí tienen sus despachos[3]. En la planta baja. [...]

Se lee la prensa[4].[...] Llega la correspondencia. Se rastrea[5] Internet. Empiezan las reuniones. Qué invitaciones aceptar. Qué viajes efectuar. A qué personas recibir. Hay miles de peticiones. En los pasillos se cruzan uniformes militares, trajes oscuros y ordenanzas de chaquetilla blanca. El ambiente es frío y pausado; la luz tenue; se habla a media voz. Empieza un día de trabajo en la Casa del Rey.

Jesús Rodríguez, *El País Semanal*, 18 de mayo de 2008

1. *le couple*
2. *la journée de travail des héritiers*
3. *leurs bureaux*
4. *la presse*
5. se consulta

Los Príncipes y sus hijas

1 Lee y comenta

a. Di quiénes son los protagonistas de este documento.

b. ¿A qué hora se levantan?

c. Según el texto, precisa dónde están los Príncipes a las: 7h00... 8h10... 9h00...

d. Es evidente que tienen una jornada laboral muy intensa. Lo digo porque... , además... y también... (último párrafo).

→ *Cahier p. 13*

2 Imagina

e. Di por qué esta familia también tiene una vida normal y rutinaria.

f. Después de la jornada laboral, los Príncipes...

PALABRAS PARA DECIRLO

- decidir: *décider*
- desayunar: *prendre le petit déjeuner*
- elegir (i): *choisir*
- la infanta Leonor
- la infanta Sofía
- la princesa Letizia
- recibir: *recevoir*
- recoger a uno: *aller chercher qqn*

Memoriza

→ Lengua p. 38

L'apocope de certains adjectifs

Devant un mot masculin singulier, certains adjectifs comme ***primero***, ***tercero***, ***bueno***, ***malo*** etc. perdent leur voyelle finale.

› *el **primer** piso*

Practica

Haz la apócope y justifícala.

a. Cuando suena el despertador, el (primero) minuto es difícil.

b. El despacho es un (bueno) sitio para trabajar.

→ Exercices p. 39

¡Y AHORA TÚ!

Mi trayecto

1. **Di qué medio de transporte utilizas para ir al colegio y por dónde tienes que pasar.**

Mi jornada

2. **Cuenta lo que tienes que hacer durante tu jornada.**

Mi vecino

Mi vecino, que no sabe en qué piso vive, es un señor regordete[1]. Su barriga[2] es evidente. De unos cuarenta y pocos años de edad. Siempre lleva una camisa de cuadros. [...] Su cara es redonda como una naranja [...]. Es amable, es cariñoso[3] y no le cuesta trabajo[4] sonreír.
Cuando te lo encuentras en el ascensor es el primero en saludar y preguntar a qué piso[5] va usted (siempre nos trata de usted), para pulsar el botón correspondiente. Entonces pulsa el número que le dices y otro que tendría que ser el suyo, el del piso en el que vive. Pero no es así, pulsa un botón al azar. Entonces hay que decirle:
–Señor Mariano, que usted no vive en el cuarto piso (si por ejemplo ha pulsado el número cuatro), que usted vive en el decimoquinto.
–Claro. ¡Ay qué tonto! He llevado tal día de trabajo que no sé ni dónde vivo –dice, disculpándose. Y mira al techo.
Mi vecino es soltero[6], pero vive con un perro. Un pastor alemán con los ojos más chispeantes[7] que he visto en mi vida. El perro es muy listo, y muy inteligente. El animal, a diferencia de su dueño, sabe de sobra que vive en el decimoquinto, en la puerta "B".

Daniel Nesquens (escritor español), *Días de clase*, 2004

1. gordo
2. *son ventre*
3. *affectueux*
4. *il n'a pas de mal à*
5. *étage*
6. *célibataire*
7. *pétillants*

Vecinos en la escalera

¿Lo sabías?

En España para mostrar el respeto hacia una persona se suele decir: don + nombre (don Pedro) o señor + nombre o apellido (señor García).

1 Lee y comenta

a. El vecino se llama... Describe su aspecto físico. (l. 1-4, l.12)
b. Al narrador su vecino le parece simpático porque... (l. 4-5)
c. Muestra que este vecino es una persona bien educada. (l. 8-14)
d. ¿Cuál es el problema del señor Mariano? (l. 9-14)
e. Vemos que su perro es muy listo porque... (l. 19-20)

→ *Cahier p. 14*

2 Imagina

f. Imagina qué le puede pasar al señor Mariano cuando coge solo el ascensor con su perro.

Memoriza

→ Lengua p. 39

Le vouvoiement avec *usted, ustedes*

- Pour vouvoyer une ou plusieurs personnes qu'on ne connaît pas ou pour exprimer le respect, on emploie en espagnol la forme de politesse ***usted(es)*** + 3e personne du singulier ou du pluriel.
  › *¿A qué piso **va** usted?*
  › *Usted **no vive** en el cuarto piso.*
- Attention à bien employer les possessifs et les pronoms correspondants : *Usted se **levanta** de su silla.* (Vous vous levez de votre chaise.)

Practica

Conjuga los verbos.

a. Señora, usted (tener) razón cuando (decir) esto. **b.** No sé si usted (darse cuenta de) su situación.

→ Exercices p. 39

PALABRAS PARA DECIRLO

- bajar: *descendre*
- bien educado, a = cortés: *poli(e)*
- coger: *prendre*
- despistado, a: *distrait(e)*
- en vez de: *au lieu de*
- equivocarse: *se tromper*
- ladrar: *aboyer*
- subir: *monter*

Parquesur

Mirando escaparates

Parquesur era la alternativa más fácil, un centro comercial gigantesco lleno de tiendas, pizzerías, juegos recreativos y hasta un parque de atracciones en miniatura. Los sábados por la tarde se pone insoportable de gente[1], pero cuando no sabes qué hacer, coger el autobús hasta Parquesur es lo más indicado. Puedes jugar al flipper, mirar discos, comer pollo frito o probarte[2] ropa. Y si te aburres demasiado[3] o hay más gente de la que cabe, te metes en el cine o paseas por el parque de atracciones.

A nuestros padres no les gustaba especialmente que fuéramos[4] solas hasta allí, porque Parquesur está en Leganés y aquello de ir a otro municipio [...] les costaba asimilarlo[5]. Ya habíamos cumplido los quince, pero para ellos seguíamos siendo unas niñas.

Lorenzo Silva (escritor español), *El cazador del desierto*, 1998

1. *il y a un monde fou*
2. *essayer*
3. *si tu t'ennuies trop*
4. *que nous allions*
5. *ils avaient du mal à l'accepter*

1 Lee y comenta

a. Parquesur es el nombre de...
b. Cita cinco establecimientos de Parquesur.
c. Di cuándo solía ir la narradora a Parquesur y qué hacía allí.
d. A los padres no les gustaba que sus hijas fueran solas a Parquesur porque... y además...

→ *Cahier p. 15*

2 Imagina

e. Imagina qué les decía la narradora a sus padres para poder ir a Parquesur.

PALABRAS PARA DECIRLO

- comprar: *acheter*
- divertirse (ie): *s'amuser*
- ir de tiendas: *faire les magasins*
- mirar los escaparates: *regarder les vitrines*
- peligroso, a: *dangereux, -euse*
- preocuparse por: *s'inquiéter*
- recordar (ue): *se souvenir*

Memoriza

→ Lengua p. 38

L'imparfait de l'indicatif

COSTAR	HACER	SEGUIR
costaba	hacía	seguía
costabas	hacías	seguías
costaba	hacía	seguía
costábamos	hacíamos	seguíamos
costabais	hacíais	seguíais
costaban	hacían	seguían

- Pour les verbes en *-ar* : → radical + ***aba***
- Pour les verbes en *-er* et *-ir* : → radical + ***ía***
- Trois verbes ont un imparfait irrégulier.

ser (être): era, eras, era, éramos, erais, eran
ir (aller): iba, ibas, iba, íbamos, ibais, iban
ver (voir): veía, veías, veía, veíamos, veíais, veían

Practica

Formula las frases en imperfecto.

a. Los sábados la gente va de compras y se pasea.
b. Cogen el autobús: es lo más indicado.

→ Exercices p. 38

¡Y AHORA TÚ!

Le hago preguntas a mi vecino

1. **Te encuentras en el ascensor con un nuevo vecino. Le haces preguntas tratándole de usted para conocerle mejor. Un(a) compañero(a) es el/la vecino(a) y te contesta.**

Me voy de compras

2. **Recuerda una tarde de tiendas en un centro comercial. Cuenta lo que hacías.**

Ahora Madrid

1 Mira

a. Este documento es..., lo patrocina... y trata de...

b. Indica los lugares que aparecen en las fotos.

2 Exprésate

c. Precisa lo que hace la gente en las fotos indicando la hora.

d. ¿Qué tienen en común las cinco fotos? El objetivo de esta campaña es...

e. Ahora, di si te apetece ir a Madrid. Justifica tu respuesta.

3 Conversa

f. Los dos chicos de la foto quieren quedar para ir al concierto. Imagina el diálogo con tu compañero(a).

¿Lo sabías?

En España **la Plaza Mayor** es el corazón, el centro histórico de la ciudad. La gente suele quedar allí para verse y tomar algo.

Memoriza

→ Lengua p. 38

Les verbes pronominaux

PASEARSE
me paseo
te paseas
se pasea
nos paseamos
os paseáis
se pasean

Practica

Conjuga los verbos en presente.

a. Nosotros (divertirse) cuando (reunirse).

b. Yo (levantarse) a las ocho y tú ya (pasearse).

→ Exercices p. 38

PALABRAS PARA DECIRLO

- apetecer *(même construction que gustar): donner/avoir envie*
- atraer: *attirer*
- una cita: *un rendez-vous*
- un concierto: *un concert*
- un estadio: *un stade*
- un partido de fútbol: *un match de football*
- pasear(se): *se promener*
- quedar: *se donner rendez-vous*
- tener (ie) ganas: *avoir envie*

La familia Thuault

Herman Braun-Vega (pintor peruano), *La familia Thuault*, 1980

1 Mira

a. Este documento es..., pintado por... y representa a...

b. Di dónde está la familia Thuault.

2 Exprésate

c. Sitúa a los personajes en el cuadro y di qué ropa visten.

d. Haz una frase para decir lo que está haciendo cada uno.

e. En cuanto a la situación económica de la familia supongo que... ya que...

3 Conversa

f. Vas a pintar este cuadro. Los miembros de la familia te preguntan dónde tienen que colocarse. Sitúalos.

PALABRAS PARA DECIRLO

- acomodado, a = adinerado, a: *aisé(e)*
- un espejo: *un miroir*
- estar de pie: *être debout*
- estar sentado, a: *être assis(e)*
- un florero: *un vase*
- posar: *poser*
- un traje: *un costume, un tailleur*
- un vestido: *une robe*

Memoriza

→ Précis 32

Les prépositions de lieu

delante de : *devant*
detrás de : *derrière*
encima de : *sur/au-dessus de*
debajo de : *sous/au-dessous de*
al lado de : *à côté de*
cerca de : *près de*
junto a : *près de*
Ces prépositions s'emploient avec le verbe ***estar***.

Practica

Traduce.

a. Les parents sont devant le miroir.

b. Le frère est à côté de sa sœur.

¡Y AHORA TÚ!

Planes de fin de semana

1. **Vas a Madrid con tus amigos, di adónde vais y a qué hora.**

Comparando salones

2. **Le preguntas a un(a) compañero(a) dónde están los objetos en el salón de su casa y lo comparas con el tuyo.**

¿Quedamos?

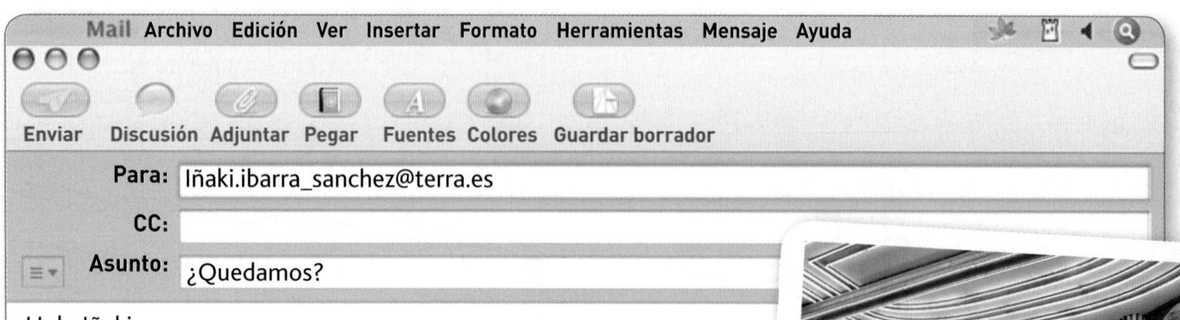

Para: Iñaki.ibarra_sanchez@terra.es

CC:

Asunto: ¿Quedamos?

Hola Iñaki:

Tengo una buena noticia[1]. Mi hermana acaba de[2] decirme que la película que querías ver va a estar en cartelera[3] a partir de mañana viernes. Lo que pasa es que no podemos ir a nuestro cine de la calle Fuencarral porque están reformándolo. Si quieres quedamos mañana por la tarde en la Plaza Mayor a eso de las 17h30 y desde allí vamos juntos en metro hasta el multicine del centro comercial. Los viernes hay dos sesiones por la tarde, una a las 18h00 y otra a las 20h30. ¿Te apetece?

Contéstame rápido.
Borja

1. *une bonne nouvelle* 2. *vient de* 3. *à l'affiche*

1 Lee el modelo

a. Identifica el tipo de documento. Di quiénes son el autor y el destinatario.
b. Fíjate en el título y di cuál es el motivo del mensaje.
c. Precisa cuándo y dónde van a quedar.
d. ¿Cómo se despide Borja?

2 Contesta al correo electrónico de Borja

e. Saluda al destinatario para empezar.
f. Dile que no puedes aceptar y explica por qué.
g. Propón otro día y otra hora.
h. Despídete para terminar.

Memoriza

→ Lengua p. 38

1 L'enclise

L'espagnol fait l'enclise : il met les pronoms derrière le verbe et les soude à lui à l'infinitif, au gérondif et à l'impératif.
› *Acaba de **decirme**…*
› *Están **reformándolo**.*
› ***Contéstame**.*

2 *Acabar de* + infinitif

Acabar de + infinitif = action qui vient de se terminer.
› ***Acaba de** decirme…* (Il vient de me dire…)

Practica

1. Imita el modelo: *Juan le habla* → *Juan puede hablarle.*

a. Los chicos se encuentran y se saludan. **b.** Me despido de Borja y le mando un mensaje.

2. Traduce.

a. Mon ami vient de m'envoyer un message. **b.** Je viens de lui répondre.

→ Exercice p. 38

PALABRAS PARA DECIRLO

- una cita: *un rendez-vous*
- darse cita = quedar: *se donner rendez-vous*
- despedirse (i): *prendre congé*
- proponer: *proposer*
- reunirse

Esperando el autobús

→ Vídeo DVD
Qué tan lejos

Ⓐ ¿A qué hora sale el bus?

Ⓑ Piojo, ven acá.

Fotogramas del vídeo

Fíjate bien

Mira los fotogramas Ⓐ y Ⓑ.
Indica el nombre de los planos.
Justifica tu respuesta.

PALABRAS DE CINE

- **El plano americano**: encuadra a los protagonistas a nivel de las rodillas.
- **El plano de conjunto**: permite identificar a los personajes, objetos, edificios.

1 Observa

a. Di quiénes son los personajes y dónde están.

b. ¿Qué suelen hacer en este lugar?

2 Exprésate

c. La niña le propone... y la joven le compra...

d. Completa: **1.** La niña llama al "Piojo" porque...
2. "El Piojo" se va para...

e. Cuando la niña llama al Piojo el cineasta utiliza un plano de conjunto para...

f. Para ti, ¿por qué no lee bien la niña?

g. Di adónde va la joven y a qué hora sale el bus.

h. En esta escena el cineasta utiliza el plano americano para...

i. Al final la joven decide... y cuando ve que la niña tiene suelto comprende que...

3 Imagina

j. Imagina todo lo que tienen que hacer estos niños en su vida cotidiana.

PALABRAS PARA DECIRLO

- cambiar: *(ici) faire de la monnaie*
- comprar: *acheter*
- el chicle: *le chewing-gum*
- la estación de autobuses: *la gare routière*
- un limpiabotas: *un cireur de chaussures*
- el mono: *le singe*
- quedarse con: *garder*
- salir: *partir*
- ser cómplices: *être complices, être de mèche*
- tener (ie) suelto: *avoir de la monnaie*
- ya no quiero: *je ne veux plus*

→ *Autres exercices autocorrectifs* 

L'imparfait

→ *Précis 18.D*

LLEVAR	HACER	VIVIR
llevaba	hacía	vivía
llevabas	hacías	vivías
llevaba	hacía	vivía
llevábamos	hacíamos	vivíamos
llevabais	hacíais	vivíais
llevaban	hacían	vivían

- Pour les verbes en *-ar* : → radical + ***aba, abas, ...***
- Pour les verbes en *-er* et *– ir* : → radical + ***ía, ías, ...***
- Trois verbes ont un imparfait irrégulier.

ser (être): era, eras, era, éramos, erais, eran
ir (aller): iba, ibas, iba, íbamos, ibais, iban
ver (voir): veía, veías, veía, veíamos, veíais, veían

1 Pon las frases en pretérito imperfecto.

a. Los niños van a la escuela donde tienen muchos amigos.
b. Nosotros cogemos el metro a las 8h y llegamos juntos al colegio.
c. En este inmueble viven muchas personas que se conocen.
d. Estoy contento cuando quedo con mis mejores amigos.
e. El padre lee cuando los hijos duermen.

Les verbes pronominaux

→ *Précis 15.B, 25*

SENTARSE
me siento
te sientas
se sienta
nos sentamos
os sentáis
se sientan

- Rappel des pronoms compléments : ***me, te, se, nos, os, se***

› ***Se*** *acerca.* ***Se*** *sienta en mi asiento.*
Me *siento enfrente de ella.*

L'enclise

→ *Précis 25*

- La soudure du pronom complément au verbe est obligatoire à l'infinitif, au gérondif, à l'impératif.

› *Acaba de* ***decirme****…*
› *¡Ay qué tonto! dice,* ***disculpándose****.*
› *El día acaba* ***torciéndose****.*
› ***Contéstame****.*

2 Conjuga los verbos pronominales como conviene.

a. Tú (irse) rápido para no (encontrarse) con este chico.
b. Los vecinos (levantarse) tarde porque no trabajan.
c. Yo (apresurarse) a entrar en el vagón del metro y (sentarse).
d. Ustedes (pasearse) los domingos y (divertirse) como pueden.

3 Pon el pronombre como conviene.

a. (Nos vamos) a (te/buscar) a la salida del colegio.
b. En tu barrio la gente quiere (se/conocer).
c. La gente lo (pasa) bien (se/paseando) por las calles.
d. Por la mañana, es difícil (se/levantar).

L'obligation personnelle

→ *Précis 35*

- L'obligation personnelle est rendue principalement en espagnol par les verbes ***tener que*** + infinitif et ***deber*** + infinitif.

› ***tengo que*** *andar,* ***debo*** *salir de casa*

L'apocope

→ *Précis 14*

- L'apocope est la chute de la dernière voyelle ou de la dernière syllabe devant un nom masculin singulier de certains mots comme ***uno, primero, tercero, bueno, malo, grande, alguno, ninguno, cualquiera*** (« n'importe quel/quelle »), etc.

› *el* ***primer*** *piso* › *un* ***gran*** *silencio*

Attention à employer la forme entière dans les autres cas : *es el primero en saludar.*

4 Traduce y di la obligación personal de dos maneras.

a. Le prince doit travailler beaucoup.
b. Je dois saluer mon voisin.
c. Pour aller au centre commercial, nous devons prendre le métro.
d. Les enfants doivent partir à 8h pour aller au collège.

5 Haz la apócope de los adjetivos como es debido.

a. El (primero) trabajo del Príncipe consiste en leer la prensa.
b. Mi vecino hace un (grande) esfuerzo para recordar dónde vive.
c. No hay (uno) parque de atracciones en (cualquiera) centro comercial.
d. El (tercero) día de la semana, llega un (bueno) amigo mío.

Le vouvoiement avec *usted, ustedes* → Précis 16

■ L'espagnol traduit de plusieurs façons le « vous » français.

- S'il vouvoie une personne, il utilise le pronom personnel sujet ***usted***.
› *Señor Mariano,* ***usted*** *no* ***vive*** *en el cuarto piso,* ***usted vive*** *en el decimoquinto.*

- S'il utilise un « vous » collectif pour des personnes qu'il vouvoie, il utilise la même forme au pluriel : ***ustedes.***
› *¿Dónde* ***viven ustedes?***

■ Ces formes de 3$^{e(s)}$ personne(s) se retrouvent pour les pronoms compléments et les possessifs qui accompagnent ***usted, ustedes***.

Attention : ne pas confondre avec le pronom sujet de 2e personne du pluriel : *vosotros, vosotras* qui est un « vous » collectif à destination de personnes que l'on tutoie individuellement.

6 Completa con los pronombres sujeto *usted, ustedes*, el pronombre *se*, los posesivos *su, sus*.

a. Señor, … conduce … coche para llevar a … hijas a la escuela.
b. Señora, … vive en el cuarto piso con … marido.
c. Señor, … entra en el metro y … sienta en un banco.
d. Señoras, … … van de compras al centro comercial con … amigas.

TALLER DE LÉXICO

→ Autre exercice autocorrectif 

¿Qué hora es y qué suelen hacer a esta hora?

Para cada dibujo di:
a. ¿Qué hora es?
b. ¿Qué suele hacer el/la chico(a)?
c. ¿Dónde se desarrolla la escena?

7h55

11h15

20h00

17h30

muy INTERESANTE

CD classe

¿Cómo pasar un buen fin de semana?

En España como en Latinoamérica el fin de semana suele ser un momento muy importante. Estos cuatro jóvenes te presentan cuatro maneras diferentes de pasártelo bien en su compañía.

Ritual azteca en el Zócalo, México

Cristina, 14 años, México

a

¡Tienes que ver el Zócalo!

"En mi ciudad existe una de las plazas más grandes del mundo, el Zócalo. Es un lugar muy antiguo porque en tiempo de los aztecas era el centro de la capital Tenochtitlán, y aquí se encontraba el Templo Mayor. En esta plaza, puedes asistir a actos oficiales, ritos y ceremonias aztecas.
Solemos quedar aquí para disfrutar de mercados, conciertos, obras de teatro... y la mayoría de las veces, gratis. El Zócalo es el corazón de la ciudad y de nuestra cultura."

Jordi, 13 años, Barcelona

b

Acabo de ver a un mimo

"Los sábados por la mañana, a eso de las ocho, mi padre y yo solemos dar un paseo por la avenida más conocida de Barcelona: las Ramblas.
Allí el enorme mercado de la Boquería, los numerosos puestos de prensa, de flores y de pájaros crean un ambiente muy animado. Luego, sobre las diez de la mañana, nos paramos en una de las muchas terrazas para ver a los mimos que actúan en la calle. Es muy divertido. Sobre las doce acabamos nuestro paseo en la Plaza Colón y vamos al puerto."

Un paseo por las Ramblas

Pedro, 15 años, Buenos Aires

C

¡Estábamos todos en el partido!

Algo muy importante para un argentino es el fútbol. Desde muy pequeños empezamos a practicarlo en los clubes de barrio o incluso en la misma calle. Aquí las estrellas del fútbol se convierten en verdaderos ídolos, como Diego Armando Maradona.
El partido entre los dos principales equipos de Buenos Aires : Boca Juniors y River Plate es una gran fiesta, los hinchas[1] animan a sus equipos con banderas, cantos, aplausos, etc. La rivalidad entre estos dos equipos va más allá del deporte."

1. *les supporters*

¡Que gane el mejor!

María, 14 años, Valladolid

d

Quedar con los amigos

En España muchos jóvenes de mi edad suelen ir de marcha[1] a las minidiscotecas. Así, los sábados por la tarde, quedo con mis amigas a las siete cerca de la Plaza Mayor de Valladolid y vamos a una minidiscoteca que está allí cerca. Los jóvenes entre los 13 y los 16 años suelen reunirse en estos locales para bailar, cantar, charlar, beber algo, ligar[2] o divertirse. En las minidiscotecas está prohibido[3] beber alcohol y fumar. La fiesta puede durar hasta las once de la noche."

1. *faire la fête* 2. *draguer* 3. *il est interdit*

De marcha

¿A ver si lo sabes?

a. En el Zócalo se puede asistir a todo tipo de espectáculos. Cita 4 ejemplos. (a)

b. Di lo que suelen hacer Jordi y su padre los sábados por la mañana. Precisa a qué hora. (b)

c. ¿Qué equipos se enfrentan en el Superclásico argentino? ¿Cómo vemos que hay mucho ambiente? (c)

d. ¿Cómo se divierte María los sábados por la noche? (d)

Páginas Web que puedes consultar

http://www.ciudadmexico.com.mx
http://www.site-b.org/es_barcelona_cosas_que_hacer.html
http://www.bocajuniors.com.ar

Proyecto final

Imagina que pasas el fin de semana con un amigo español o latinoamericano en su país. Cuenta lo que haces.

→ Elige uno de los lugares que te proponen estos cuatro jóvenes.

→ Una vez allí, cuenta qué tienes que hacer antes de ver a tu nuevo(a) amigo(a).

→ ¿Dónde y a qué hora quedas con él, con ella?

→ Di a qué lugar vais juntos y qué suele hacer la gente allí.

→ Ahora tu nuevo(a) amigo(a) vive en Francia y recuerda lo que hacía en su país los fines de semana. *Cuando vivía en...*

1 Mi ciudad

Objectif : Comprendre quelqu'un qui parle des avantages de vivre en ville.
Outils : Le présent de l'indicatif, le lexique des déplacements en ville.

Escucha la grabación y contesta.

A1
1. ¿Dónde vive Chavela?
2. Verdadero o falso. Si es falso corrige con la respuesta correcta. **a.** Chavela puede llegar a cualquier parte de la ciudad en 15 minutos. **b.** Chavela tarda 12 minutos andando para llegar a la Puerta del Sol. **c.** Chavela está cerca de todos los metros.
3. Cita dos lugares de la ciudad.

A2
4. Di por qué le gusta vivir en la ciudad.

3 La taza de café

Objectif : Situer dans l'espace.
Outils : Les prépositions de lieu.
Le lexique du mobilier et des couleurs.

Lorenzo Romero Arciaga (pintor cubano), ***La taza de café*****, 1940**

Observa y contesta.

A1
1. Presenta el documento (tipo, título, colores).
2. Di dónde y a qué hora tiene lugar la escena. Justifica tu respuesta.

A2
3. Sitúa a los diferentes personajes y objetos.
4. Imagina la conversación entre la mujer de la taza de café y el hombre de la guitarra.

2 Un día cualquiera

Objectif : Repérer et comprendre les activités quotidiennes.
Outils : L'heure, *soler*, les verbes pronominaux.

Son las ocho de la mañana. Me pongo otra ropa, desayuno leche con galletas y me voy al colegio, aunque[1] es antes de la hora. [...] En el colegio es un día igual que cualquier otro[2], pero más largo. Todo el tiempo tengo ganas de que llegue la tarde[3] para volver a casa.

Mi madre se llama Gema. Mi padre, José Luis.

De vuelta a casa el quiosquero[4] me pregunta qué he aprendido hoy en el colegio.

Rodrigo Muñoz Avia (escritor español),
Julia y Gus visitan el top manta, 2005

1. *bien que*
2. *un jour comme les autres*
3. *que ce soit la fin de la journée*
4. *le marchand de journaux*

Lee el texto y contesta.

A1
1. Di quién es el narrador y a qué hora suele levantarse. ¿Qué suele hacer después de levantarse?
2. ¿Verdadero o falso? Justifica con el texto. **a.** El narrador habla de un día de fiesta. **b.** Llega tarde al colegio. **c.** Prefiere estar en casa. **d.** Conoce al quiosquero.

A2
3. Completa la frase: El quiosquero suele...

4 Cuando yo veraneaba

Objectif : Écrire un e-mail à un ami pour lui raconter les activités réalisées lors des vacances.
Outils : L'heure, l'imparfait et l'obligation personnelle.

Después de las vacaciones, le escribes un correo electrónico a un amigo para contarle lo que hacías.

A2
1. Recuerda el programa de la mañana indicando las horas en letras.
2. Di cuáles eran tus obligaciones después de levantarte. (Cita 3 ejemplos)
3. Cuenta las actividades que hacías por la tarde.

Unidad

3 Relacionarse

Entre amigos en un cibercafé

Je vais apprendre à... A1/A2

- Comprendre le lexique d'Internet.
- Comprendre l'expression des sentiments.
- Comprendre des situations d'échanges.
- Comprendre l'expression des émotions et des sentiments.

- Comprendre un texte informatif sur les jeux vidéo.

- Parler des relations parents/enfants.

- Imaginer un dialogue entre deux ami(e)s.

- Exprimer l'ordre et la défense pour donner des règles.

Je vais utiliser...

- Le présent du subjonctif
- Les impératifs
- L'obligation impersonnelle : *hay que*
- Les indéfinis
- Le verbe *preguntar*
- *Volver a* + infinitif
- Les possessifs

Mon projet final

→ **Trouver sur Internet des informations sur une équipe sportive connue en Amérique latine ou en Espagne.**

Navegando por la red

1 Prepárate

a. En el dibujo vemos...

b. Los tres corazones evocan....

2 Escucha

c. Enumera las palabras relacionadas con Internet y la informática.

d. Di cuáles son los sentimientos de la chica y cómo los expresa.

e. ¿Qué le pregunta el chico cuando la encuentra en el parque?

f. ¿Cómo utiliza Internet para expresar sus sentimientos?

→ *Cahier p. 18*

3 Exprésate

g. Imagina y añade una estrofa más a la canción.

PALABRAS PARA DECIRLO

- la amistad: *l'amitié*
- conectarse: *se connecter*
- enamorarse: *tomber amoureux, -euse*
- enco̲ntrar (ue): *rencontrer*
- mandar un email
- el ordenador: *l'ordinateur*
- recibir un correo electrónico

¿Lo sabías?

El español es el tercer idioma en Internet después del inglés y del chino.

Memoriza

→ Lengua p. 55

Le questionnement avec *preguntar*

Le verbe ***preguntar*** (« demander ») introduit une question directe ou indirecte.

› *Me **preguntó** si era yo su amor.*

Practica

1. Imita el modelo: *¿Soy yo tu amiga?* → *Le pregunta si es su amiga.*

a. ¿Dónde vives? **b.** ¿Qué estás haciendo?

→ Exercices p. 55

Mi hijo con Internet

1 Prepárate

a. La foto representa:
   1. un partido en la tele
   2. una pantalla de videojuego
   3. una foto de una película.

   ¿Cómo lo vemos?

b. Di en qué consiste el juego.

2 Escucha

c. La madre habla de...

d. Enumera las palabras relacionadas con la informática.

e. La señora evoca cosas buenas y cosas malas. Clasifícalas.

⟶ *Cahier p. 19*

3 Exprésate

f. Explica por qué a la madre no le gusta Internet.

g. ¿Qué prefieres: jugar con un videojuego o reunirte con amigos para jugar fuera? ¿Por qué?

PALABRAS PARA DECIRLO

- la camiseta: *le maillot*
- enfadarse: *se fâcher*
- el equipo: *l'équipe*
- el jugador: *le joueur*
- jugar (ue): *jouer*
- el mando: *la manette de jeu*
- marcar un gol
- la pantalla: *l'écran*
- el partido: *le match*
- la pelota: *la balle, le ballon*
- el videojuego: *le jeu vidéo*

¿Cómo se pronuncia?

"ch"

▶ **Le « ch » se prononce comme dans « tchèque ».**

› *mucho, engancha, los chicos, el chat*

▶ **Escucha y repite.**

- *la noche, una chaqueta, muchachos, echar*

⟶ ***Autre exercice autocorrectif*** 

¡Y AHORA TÚ!

Hacer amigos

1. **Escribe 4 preguntas indirectas que le haces a un(a) compañero(a) para saber si Internet es un buen medio para hacer amigos.**

Internet en casa

2. **¿Crees que Internet o los videojuegos son un problema para los estudios?**

Pero entérate si le gusto

CD classe

Amador le pide ayuda a su prima Cira para su primera declaración de amor.

–¿Qué quieres que haga?
–¿Puedes hablar con ella?
–¿Cómo?
–Tantear el terreno. Saber si yo le gusto.
5 –Pero si no la conozco de nada, ¿cómo voy a preguntarle si tú...?
–Dale a entender que ella me gusta a mí. Que estoy loco por ella, lo que tú quieras[1]. Pero entérate[2] si le gusto.
–Ay, primo, ¿por qué te estoy haciendo el trabajo sucio[3]?
10 ¿No podrías averiguar[4] tú mismo esas...?
–Venga, hazlo por mí, Cira, como cuando éramos pequeños, anda. [...] ¿Me harás un último favor?
–Dime. ¿Qué más quieres?
–Dale mi dirección de correo electrónico. Dile que me
15 mande un mensaje.
–¿Ella a ti? ¿No debería ser al revés?
–No sé. A veces darle la vuelta a las cosas[5] resulta divertido, ¿no crees?
–Puede –resopló–. Muy bien, primo, lo haré. Pero no
20 vuelvas a pedirme favores de este tipo.
–No hará falta[6], Cira, ya lo verás. Cris es mi chica ideal.

Care Santos (escritora española), *Laluna.com*, 2003

1. *ce que tu voudras*
2. *tâche de savoir*
3. *le sale boulot*
4. *vérifier, te renseigner*
5. *faire les choses à l'envers*
6. *ça ne sera pas nécessaire*

1. *(ici) je l'aborde*

***¡No me atrevo!*, Quino (dibujante argentino)**

1 Lee y comenta

a. Di cuántos personajes hablan y quiénes son.
b. Amador quiere que Cira... (l. 1-3)
c. ¿Qué le pasa a Amador? (l. 7-8)
d. A Cira no le gusta que... (l. 9-10)
e. Como último favor, ¿qué quiere Amador? (l. 13-18)

→ *Cahier p. 20*

2 Imagina

f. Cira está hablando con la chica que le gusta a Amador. Imagina su reacción.

PALABRAS PARA DECIRLO

- atreverse a: *oser*
- dar vergüenza: *faire honte, gêner*
- estar enamorado, a: *être amoureux, -euse*
- negarse (ie) a: *refuser de*
- tímido, a

Memoriza

→ Lengua p. 54

1 Le présent du subjonctif

- **Verbes réguliers**

HABLAR	ENTENDER	ESCRIBIR
hable	entienda	escriba
hables	entiendas	escribas
hable	entienda	escriba
hablemos	entendamos	escribamos
habléis	entendáis	escribáis
hablen	entiendan	escriban

› *Dile que me* ***mande*** *un mensaje.*

- **Verbes irréguliers**

Les diphtongues, ainsi que les autres irrégularités, sont les mêmes au présent du subjonctif qu'au présent de l'indicatif : **hacer**: hago → **haga**
› *¿Qué quieres que haga?*

2 La défense avec l'impératif négatif

Formation : ***no*** + formes du présent du subjonctif.

Practica

1. Conjuga los verbos.
a. El chico quiere que su prima (ayudarle). **b.** Es posible que la chica (negarse).

2. Transforma según el modelo: ***La chica no quiere que su primo hable. → ¡No hables!***
a. La chica no quiere que escriba un mensaje. **b.** La chica no quiere que le dé su dirección.

→ Exercices p. 54

¿Tienes amigos?

Una chica llega a una isla, una persona viene a buscarla al puerto.

Michelle llegó[1] a Santa Helena junto con los pescadores y las canastas[2] de fruta [...]. Me prometí[3] ser antipática, me prometí no decir una palabra a menos de ser interrogada.
5 –¿Fumas? –dijo con una amabilidad agresiva.
Negué con la cabeza[4].
–¿Por qué? –preguntó, conservando la sonrisa.
–Quiero evitar el cáncer pulmonar.
–¡Qué carácter! Así, seguro que no tienes ningún
10 amigo. [...]
–¿Tú tienes muchos? –pregunté.
–Sí, y también tengo un novio, se llama Philippe, cuando venga te lo presento. [...] ¿Nunca hablas con nadie?, ¿ni en la escuela?
15 –Odio[5] la escuela. En los recreos no salgo del salón[6], a veces saco un libro y vigilo[7] que nadie me interrumpa.
–Y nadie viene, por supuesto –dijo.
–¿Tú cómo sabes?

Guadalupe Nettel (escritora mexicana), *Pétalos y otras historias incómodas*, 2008

1. *arriva*
2. *paniers*
3. *je décidai*
4. *je refusai d'un signe de la tête*
5. *je déteste*
6. *(ici) salle de classe*
7. *(ici) je fais en sorte*

¿Esperas a alguien?

1 Lee y comenta

a. Indica cuántas personas hablan y quiénes son.

b. La chica que se dirige a Michelle ¿es simpática o antipática? ¿Cómo lo sabemos? (l. 2-4)

c. Enumera lo que quiere saber Michelle de la chica. (l. 5-14)

d. Di cómo se porta la chica cuando está en la escuela. (l. 15-19)

→ *Cahier p. 20*

2 Imagina

e. ¿Por qué ha decidido la chica ser antipática con su "amiga"?

PALABRAS PARA DECIRLO

- aislado, a : *isolé(e)*
- burlarse de: *se moquer de*
- dirigirse a: *s'adresser à*
- encontrarse (ue): *se retrouver*
- intentar + inf.: *essayer de*
- portarse bien/mal: *bien/mal se comporter*

Memoriza

→ Lengua p. 55

Les indéfinis

alguien = quelqu'un ≠ **nadie** = personne
ninguno, a = aucun(e)
mucho(s), mucha(s) = beaucoup de
› *ningún amigo*
› *¿Tienes muchos?*
› *Nunca hablas con nadie.*

Practica

Traduce.

a. Quelqu'un veut-il être mon ami ? **b.** Beaucoup de personnes sont sympathiques.

→ Exercices p. 55

¡Y AHORA TÚ!

Quiero que seas mi amigo(a)

1. Explica lo que haces para mostrar a alguien que quieres ser su amigo(a).

Para que me hable, yo...

¿Qué me contestas?

2. Imaginad un diálogo sobre la amistad o el amor.

Teléfono apagado

CD classe

Una gasolinera en España

Julia, una chica joven, intenta llamar a sus padres.

Cuando me quedo sola vuelvo a llamar al teléfono móvil de mi padre, pero está apagado o fuera de cobertura[1]. [...] Entonces cojo las páginas amarillas y busco la gasolinera de Santa María de la Cabeza, donde mi madre estuvo trabajando
5 una temporada[2]. (...)

Encuentro el teléfono de la gasolinera y llamo.
–Perdone, Gema Merino ya no trabaja ahí, ¿verdad?
–¿Quién? ¿Gema qué? –dice una voz de señor.
–Merino. Gema Merino.
10 –¿La cinco? Cuarenta y dos euros –dice entonces el señor.
–Oiga, ¿que si conoce a Gema Merino?
–No, bonita[3], aquí no trabaja nadie con ese nombre.
–¿Y no podría preguntar a sus compañeros si la conocen? Igual[4] alguno sabe dónde trabaja ahora. Es mi madre.
15 –Cuarenta y cinco… y cincuenta. Gracias caballero –dice el señor, y luego añade[5] con otro tono: Lo siento, guapa[6], pero ahora mismo estoy solo aquí y no puedo ayudarte.
–Bueno, gracias, hasta luego.
–Hasta luego.

Rodrigo Muñoz Avia (escritor español), *Julia y Gus visitan el top manta*, 2005

1. *hors réseau*
2. *quelques temps*
3. *mignonne*
4. *peut-être*
5. *il ajoute*
6. *je regrette, ma belle*

1 Lee y comenta

a. Julia llama a su padre: di si puede hablar con él y precisa por qué. (l. 1-2)
b. ¿Por qué está buscando Julia en las "páginas amarillas"? (l. 3-7)
c. El señor no la puede atender porque... (l. 7-17)
d. ¿A qué corresponden los números que dice el señor? (l. 10)

→ *Cahier p. 21*

2 Imagina

e. Imagina los sentimientos de Julia después de la llamada.

PALABRAS PARA DECIRLO

- abandonado, a
- atender (ie) a: *s'occuper de (d'un client)*
- escoger: *choisir*
- la guía: *l'annuaire*
- la soledad: *la solitude*
- la vuelta = el cambio : *la monnaie*

Memoriza

→ Précis 24.A

1 Le verbe *coger* aux présents

Présent de l'indicatif	Présent du subjonctif
cojo →	coja
coges	cojas
coge	coja
cogemos	cojamos
cogéis	cojáis
cogen	cojan

Le présent du subjonctif des verbes comme ***coger*, *escoger*** se forme à partir de la 1re personne du singulier du présent de l'indicatif.
› ***Cojo** las páginas amarillas.*

2 *Volver a* + inf.

Volver a + inf. ou le verbe ***+ de nuevo*** ou encore le verbe + ***otra vez*** expriment la répétition de l'action.
› *Vuelvo a llamar. (Llamo de nuevo.)*
› *Llamo otra vez.*

Practica

1. Conjuga los verbos.
a. Vosotros (coger) el metro.
b. Yo (escoger) una página en la guía.

2. Imita el modelo: *Hablo de nuevo.* → *Vuelvo a hablar.*
a. Cojo un taxi. **b.** Nos preguntamos dónde está ella.

Una nueva forma de ocio familiar

Primero hay que subir las persianas. Dejar que la luz del sol entre por las ventanas abiertas e ilumine una habitación, por ejemplo, el salón. Mirarse mutuamente a la cara. Y empezar[1]. Claudio y Jorge están a punto
5 de echar una partida con una videoconsola. [...]

¿Quieres convertirte[2] en Rafa Nadal? Jorge Tuesta, de 28 años, ama el tenis y rememora su pasado de videojugador sin el menor esfuerzo. "Mi primera consola fue una Atari; después he tenido una Super
10 Nintendo, una Game Boy, y ahora juego con la Wii". Esta última plataforma, lanzada a finales de 2006 por la firma japonesa Nintendo, le permite convertir, con un poco de imaginación, la sala de estar en una cancha[3] de tenis. El mando[4] sustituye a la raqueta, y el sofá a las
15 gradas[5]. "Así paso los domingos. En familia", confiesa. Una nueva forma de ocio[6] familiar ha nacido.

Francesco Manetto, *El País Semanal*, 22 de julio de 2007

1. comenzar
2. *te transformer*
3. *terrain*
4. *télécommande*
5. *gradins*
6. *divertissement*

Nuevas tecnologías en familia

PALABRAS PARA DECIRLO

- el equipo: *l'équipe*
- las diversiones: *les distractions*
- interactivo, a
- el jugador: *le joueur*
- pasarlo bien: *bien s'amuser*
- preferir (ie, i): *préférer*

1 Lee y comenta

a. Precisa dónde se sitúa la escena. Justifica. (l. 1-3)
b. ¿Cómo se llaman los jugadores? (l. 4)
c. Di las videoconsolas que conoces de la lista que da Jorge y explica en qué consisten. (l. 8-10)
d. ¿Qué diferencias existen entre los videojuegos de antes y los de ahora? (l. 11-16)
e. En el texto se habla de Rafa Nadal, ¿por qué? (l. 6)
f. Comenta el título.

→ *Cahier p. 22*

2 Imagina

g. ¿Cómo se divertía cada miembro de la familia antes de la llegada de la Wii y de los videojuegos?

Memoriza

→ **Précis 35, 40**

1 L'obligation impersonnelle

Hay que + inf. ou ***es necesario*** + inf. permettent d'exprimer une obligation impersonnelle.
› ***Hay que subir** las persianas.* = ***Es necesario** subir las persianas.*

2 *Permitir* + infinitif

Certains verbes comme ***permitir, decidir***... ne sont pas suivis d'une préposition comme en français.
› *Le **permite convertir** la sala de estar en una cancha de tenis.*

Practica

1. Imita el modelo: *Es necesario trabajar.* → *Hay que trabajar.*
a. Es necesario mirarse mutuamente. **b.** Es necesario transformar la sala de estar.

2. Traduce.
a. Mon père me permet de jouer. **b.** Les nouveaux jeux permettent de bien s'amuser.

¡Y AHORA TÚ!

Cuando tengo tiempo

Cuenta a la clase qué haces en tu tiempo libre.

Hay que divertirse

Con un compañero, haced la lista por escrito de lo que hay que preparar para una actividad de ocio.
Para jugar... hay que...

¿Cómo son tus padres?

¡QUÉ TIPO DE PADRES TIENES!

Apunta en tu borrador los puntos de cada una de tus respuestas y al final súmalos para saber qué tipo de padres tienes...

Si llego tarde a casa mis padres
- a me castigan. 3
- b me regañan. 2
- c me preguntan por qué. 1

Si salgo con un(a) chico(a)
- a me preguntan cómo se llama. 2
- b se enfurecen. 3
- c no les importa. 1

Si saco malas notas
- a proponen ayudarme. 2
- b critican a los profesores. 1
- c me regañan. 3

Si quiero ir a dormir a casa de un(a) amigo(a)
- a quieren saber quién y para qué. 2
- b dicen que no porque no se fían. 3
- c me dejan. 1

RESULTADO

→ **de 4 a 6 puntos:** COLEGAS[1]
Tus padres y tú tenéis una complicidad especial. ¡Qué guay que les cuentes tus cosas!

→ **de 7 a 10 puntos:** DEMOCRÁTICOS
Vuestro lema[2] en casa es "todo es negociable". Tus padres te ponen límites pero también te dan libertad.

→ **de 11 a 12 puntos:** MANDONES[3]
Las órdenes de tus padres te sacan un poco de quicio[4]. No lo hacen por fastidiarte[5], quieren lo mejor para ti.

1. amigos
2. *devise*
3. autoritarios
4. *te mettent un peu en colère*
5. *t'embêter*

1 Mira

a. Las personas de la foto son...

b. Según la foto, ¿cómo imaginas sus relaciones?

c. Vivir en esta familia debe de ser agradable... ¿Sí o no?

2 Exprésate

d. Cita tres situaciones que representan un problema con los padres.

e. Después de hacer el test, di a qué categoría pertenecen tus padres.

3 Conversa

f. Pregúntale a un compañero cómo reaccionan sus padres en otras situaciones y di a qué categoría pertenecen. Cada uno dice si el resultado corresponde a la realidad.

Memoriza

→ Lengua p. 55

Les adjectifs possessifs

Singulier	Pluriel
mi	mis
tu	tus
su	sus
nuestro, nuestra	nuestros, nuestras
vuestro, vuestra	vuestros, vuestras
su	sus

› ***tus** padres*
› ***vuestro** lema*

Practica

Usa el posesivo correspondiente.

a. Nosotras obedecemos a... padres.

b. Tú y tu hermano no estáis de acuerdo con... padres.

→ Exercices p. 55

PALABRAS PARA DECIRLO

- ayudar: *aider*
- castigar: *punir*
- la confianza
- enfadarse: *se fâcher*
- (no) estar de acuerdo
- modernos ≠ clásicos
- (des)obedecer: *(dés)obéir*

¿Cómo ser padre y no morir en el intento?

1. *désirs*
2. *(amér.)* = tú
3. *(amér.)* = tienes
4. *(amér.)* = no existes

Nik (dibujante argentino)

1 Mira

a. Este documento es: **1.** un anuncio **2.** una foto **3.** un dibujo.

b. Di lo que representa (el sitio, los personajes, los objetos).

2 Exprésate

c. Los personajes son... porque...

d. ¿Qué quiere saber el señor?

e. El chico responde...

f. ¿Qué hace y qué dice el gato?

3 Conversa

g. Con un compañero, preparad un diálogo en el que uno hace de padre y el otro de hijo inspirándoos en el dibujo. El padre hace preguntas y el hijo contesta.

PALABRAS PARA DECIRLO

- la cortina: *le rideau*
- estar de pie: *être debout*
- el gato: *le chat*
- hacer de: *jouer le rôle de*
- la lámpara: *la lampe*
- el ratón: *la souris*
- la silla: *la chaise*
- el sillón: *le fauteuil*

¿Cómo se pronuncia?

"ia", "ía"

▶ **Dans « ía », la voyelle qui porte l'accent écrit doit se prononcer distinctement de l'autre voyelle. Sans accent écrit, « *ia* » correspond à une seule syllabe.**

› *Me gustaría.* › *Tus novias.*

▶ **Escucha y repite.**

la iglesia, hablarías, la victoria, la democracia, autoritaria, la monarquía

¡Y AHORA TÚ!

¿Cómo son vuestros padres?

1. **Por parejas, preparad cinco preguntas a propósito de las reacciones de los padres. Luego las hacéis a vuestros compañeros.**

Hablando de mí

2. **Imagina que has creado un blog que habla de ti y explica lo que cuenta.**

Escribir un reglamento

1. Deja tu móvil en casa cuando vas al colegio.
2. Utilízalo después de las horas de clase, pero controlando el tiempo.
3. Cuando sales del colegio, habla con tus amigos en vez de[1] llamarles por teléfono.
4. No abuses del envío de SMS.
5. No utilices el móvil en situaciones que puedan molestar a los demás[2]. Tampoco utilices[3] el móvil en hospitales, aviones y sitios donde pueden producir interferencias.
6. Cuando vas por la calle no camines hablando con el móvil, es peligroso.
7. No llames a una persona que pueda estar conduciendo un coche.
8. Comunícate con tus padres cara a cara cuando tienes un problema.

Según el Ministerio de Educación y Ciencia (CNICE), 2008

1. *au lieu de*
2. *déranger les autres*
3. *N'utilise pas non plus*

1 Lee el modelo

a. Di a quién se dirige este documento.
b. Di primero lo que debes hacer y después lo que no debes hacer con el móvil.
c. Cita lugares donde no hay que utilizar el móvil.

2 Escribe un reglamento imitando el modelo

d. Escribe cinco reglas de uso del móvil cuando estás en una reunión familiar o en un campamento *(colonie de vacances)* o en un club de deporte.

PALABRAS PARA DECIRLO

- apagar ≠ encender (ie): *éteindre ≠ allumer*
- el código: *le code*
- mandar: *envoyer*
- pesado, a: *pénible*
- el timbre, la melodía: *la sonnerie*
- el vibrador: *le vibreur*

Memoriza

→ Lengua p. 54

L'ordre avec l'impératif

L'impératif exprime l'ordre. Il a une forme particulière.

	MANDAR	COMER	VIVIR
(tú)	manda	come	vive
(usted)	mande	coma	viva
(nosotros, as)	mandemos	comamos	vivamos
(vosotros,as)	mandad	comed	vivid
(ustedes)	manden	coman	vivan

La règle de **l'enclise** s'applique à l'impératif positif, mais pas à l'impératif négatif : ***no te preguntes*** *si es conveniente.*
› ***Deja*** *tu móvil.*
› ***Comunícate*** *con tus padres.*

Practica

Transforma la defensa en orden: ***no hables → habla.***

a. No uses el móvil en la calle.
b. No vivas solo.

→ Exercices p. 54

¿Te vienes al cine?

→ Vídeo DVD
Cobardes

Sacando fotos

A Saliendo del cine

B Por las calles

Fotogramas del vídeo

1 Observa

a. Fíjate en el fotograma principal e imagina qué relación existe entre los jóvenes.

b. ¿Qué están haciendo?

2 Exprésate

c. ¿Qué le pregunta la madre al chico cuando habla por teléfono?
¿Cómo reacciona el chico?

d. Los dos jóvenes van al cine, indica cuatro planos de la película que lo demuestran.

e. La chica conoce el camino. Según las imágenes, completa lo que dice: Para ir al parque hay que... luego...

f. Precisa cuáles son los sentimientos de los dos jóvenes y los planos que lo muestran, califica esos planos (primer plano, plano medio).

g. ¿Para qué usan el móvil y el MP3?

3 Imagina

i. Imagina lo que ha pasado antes de esta secuencia que justifique el diálogo final.

Fíjate bien

Mira los fotogramas A y B y di cuál es el picado y cuál es el travelín lateral. Justifica tu respuesta.

PALABRAS DE CINE

- **El picado:** la imagen o plano aparece visto desde arriba.
- **El travelín lateral:** la cámara acompaña a los actores cuando se desplazan, los filma de lado.

PALABRAS PARA DECIRLO

- la cita: *le rendez-vous*
- cómico, a
- hacer gracia: *amuser, faire rire*
- pasearse: *se promener*
- el permiso: *la permission*
- reír: *rire*
- reproductor MP3: *baladeur mp3*

→ Autres exercices autocorrectifs 

Le présent du subjonctif → Précis 20.A, B

Le présent du subjonctif se forme sur l'alternance des voyelles : pour les verbes en *-ar*, le présent du subjonctif est en *-e*, pour les verbes en *-er* et *-ir*, il est en *-a*.

› *¿Qué quieres que haga? Dile que me mande un mensaje.*

	indicatif	subjonctif
Verbes en *-ar*	a	→ e
Verbes en *-er* et *-ir*	e	→ a

PREGUNTAR	VOLVER	EXISTIR
pregunte	vuelva	exista
preguntes	vuelvas	existas
pregunte	vuelva	exista
preguntemos	volvamos	existamos
preguntéis	volváis	existáis
pregunten	vuelvan	existan

1 Conjuga los verbos.

a. El chico quiere que su prima (ayudarle).

b. Le manda un mensaje para que (existir) una complicidad.

c. Le dice que vosotros (volver) a llamar mañana.

d. Los padres no quieren que sus hijos (pasarse) el tiempo jugando.

2 Traduce.

a. La mère ne veut pas que son fils joue trop avec le téléphone.

b. Il faut que les jeunes aident leurs camarades.

c. Il est important qu'un loisir familial existe.

d. Veux-tu que je demande où il est ?

L'impératif affirmatif et l'impératif négatif → Précis 21

L'ordre avec l'impératif affirmatif

	PERDONAR	VOLVER	PERMITIR
(tú)	perdona	vuelve	permite
(usted)	perdone	vuelva	permita
(nosotros, as)	perdonemos	volvamos	permitamos
(vosotros, as)	perdonad	volved	permitid
(ustedes)	perdonen	vuelvan	permitan

- L'impératif exprime l'ordre. Il a une forme particulière.
- La règle de **l'enclise** s'applique à l'impératif affirmatif (appelé aussi positif). Pour savoir où tombe l'accent, tu dois considérer l'accentuation du verbe avant enclise (cf. règle de l'accent tonique → Précis 2.A): *comunica → comunícate ; da → dale, dámelo*

› *Cultiva la confianza.*

› *Comunícate con tus padres.*

› *Dale a entender.*

La défense avec l'impératif négatif

- **Formation :** formes du présent du subjonctif précédées de *no*.
- **L'enclise :** elle ne se fait pas à l'impératif négatif, contrairement à l'impératif affirmatif.

› *No vuelvas a pedirme favores.*

PERDONAR	VOLVER	PERMITIR
no perdones	no vuelvas	no permitas
no perdone	no vuelva	no permita
no perdonemos	no volvamos	no permitamos
no perdonéis	no volváis	no permitáis
no perdonen	no vuelvan	no permitan

3 Conjuga los verbos entre paréntesis en imperativo.

a. (Hablar/tú) con tu madre y (explicarle/tú) lo que quieres.

b. (Vivir/usted) solo y (quedarse/usted) tranquilo.

c. (Encontrar/nosotros) la gasolinera.

d. (Usar/vosotros) el móvil sin exceso y (proteger/vosotros) el entorno.

4 Imita el modelo: ***La chica no quiere que su primo hable → (tú) ¡No hables!***

a. El chico no quiere que su amigo se vaya. → *(tú)*

b. No quiere que la empleada hable con otros. → *(usted)*

c. Los padres quieren que sus hijos jueguen con ellos. → *(nosotros)*

d. La chica les dice que vengan. → *(ustedes)*

Le questionnement avec *preguntar*

→ *Précis 38*

- Pour introduire une question directe ou une question indirecte, l'espagnol utilise le verbe ***preguntar***.
- Il est suivi des locutions et mots interrogatifs *por qué, para qué, dónde, cómo, cuándo, qué, si, lo que…*

› *Me **preguntó si** era yo su amor.*
› *Si salgo con un chico/una chica, mis padres **me preguntan cómo** se llama.*

Attention à ne pas confondre le verbe ***preguntar*** (demander/poser une question) avec le verbe ***pedir*** + ***que*** + subjonctif (demander/ordonner de).

Les indéfinis

→ *Précis 7*

Quelques adjectifs et pronoms indéfinis :

alguien = quelqu'un ≠ ***nadie*** = personne
alguno(s), alguna(s) = quelque(s) ≠ ***ninguno, a*** = aucun(e)
poco(s), poca(s) = peu de ≠ ***mucho(s), mucha(s)*** = beaucoup de
bastante(s) = assez de
demasiado(s), demasiada(s) = trop de

› ***ningún** amigo*
› *¿Tienes **muchos**?*
› *Nunca hablas con **nadie**.*
› ***Nadie** contesta.*

5 **Imita el modelo:** ***¿Soy yo tu amiga? → Le pregunta si es su amiga.***

a. ¿Quién trabaja aquí? **b.** ¿Qué quieres que haga? **c.** ¿Tenemos tiempo para charlar? **d.** ¿Por qué no estás de acuerdo con tus padres?

6 **Transforma las frases afirmativas en frases negativas.**

a. Alguien habla. **b.** Hay muchos mensajes y muchas llamadas. **c.** Los padres dan mucha libertad pero exigen mucho. **d.** Alguna llamada me interesa.

Les adjectifs possessifs

→ *Précis 8*

Singulier	Pluriel
mi	mis
tu	tus
su	sus
nuestro, nuestra	nuestros, nuestras
vuestro, vuestra	vuestros, vuestras
su	sus

› ***tus** padres*
› ***vuestro** lema*
› ***tu** móvil*
› ***mi** madre*
› ***sus** compañeros*

Attention : selon le contexte, *su padre* peut signifier « son père », « leur père », « votre père ».

7 **Completa con el posesivo adecuado.**

a. Quiero mucho a … padres y a … amigos. **b.** Usted habla de … empleada y no de … hija. **c.** Vosotros preferís … gustos a los de los padres. **d.** Ustedes quieren que … relaciones sean buenas.

TALLER DE LÉXICO

→ *Autre exercice autocorrectif* CD-ROM

Di cómo te relacionas con los demás

Para cada dibujo:

a. Di lo que está(n) haciendo el joven o los jóvenes.
b. Explica cuál es para ti la mejor manera de relacionarse.

muy INTERESANTE

Medioshispánicos.com

«En España, como en la mayoría de los países, casi todos los medios de comunicación (prensa, radio y televisión) tienen su sitio web. En ellos se pueden descubrir noticias de actualidad pero también explicaciones acerca del funcionamiento de las empresas de comunicación, direcciones para mandarles correos, archivos de producciones anteriores, juegos y programas futuros.

http://www.elpais.com/global/

Periodistas de Elp

a Informarse en la red: El diario *El País*, España

El País es un diario español que tiene más de 400.000 lectores pero además tiene una web en la que el lector puede encontrar más noticias y hasta vídeos y sonido. Trata de muchos temas: política, deportes, economía, tecnología, cultura, sociedad, gente.
Los lectores también pueden participar ya que existen blogs en los que cada uno puede añadir sus propios comentarios.

b Jugar en la red: juegos a gogó

Si quieres jugar en línea o simplemente jugar a unos juegos clásicos pero modernizados para la web, puedes encontrar en todos los países de habla hispana sitios que te proponen un montón de ellos. Tienes de todo: juegos de lógica, de enigmas, de aventuras, de sociedad como cartas, ajedrez[1], damas o dominós.
Para saber más: http://www.juegosagogo.com/

Jugando en la red

| 1. *jeu d'échecs*

c Ver la tele y escuchar la radio en la red

Galavisión

En México que es uno de los mayores países de América existe un canal que se llama Galavisión. Ofrece a los televidentes una amplia gama de programas de noticias tanto como de telenovelas[1] o concursos. Los que se han perdido[2] un episodio de su telenovela favorita podrán verlo en su ordenador.

Radios en Argentina

Desde el mundo entero son más de 50 radios argentinas las que se pueden escuchar. Sólo en la capital, Buenos Aires, emiten 20 emisoras.

1. *séries télévisées*
2. *ceux qui ont manqué*

cervantes.es
Centro Virtual Cervantes
19 de enero de 2009
Sobre nosotros | Registro | Mapa
ENSEÑANZA — LITERATURA — LENGUA

Congresos de ASELE
Actas de los congresos I-XVI
Este espacio recoge los trabajos de los miembros de la Asociación para la Enseñanza del Español como Lengua Extranjera (ASELE) publicados en las actas de sus dieciséis primeros congresos. La digitalización de estos volúmenes ha sido posible gracias a la colaboración de ASELE y el Instituto Cervantes; constituyen una amplia colección de trabajos que han marcado las tendencias de los estudios sobre la enseñanza del español como lengua extranjera y segunda lengua.

EXPOSICIÓN Manuel Vilariño
Reportaje en el que Manuel Vilariño, premio Nacional de Fotografía 2007, explica el contenido de su exposición «Donde las ausencias abren sus alas», que se exhibe el Instituto Cervantes de París dentro del «Mois de la photo» de la capital francesa.

Suscripción a novedades por RSS

ENSEÑANZA
Diccionario de términos de ELE
Obra de consulta para profesores, formadores y estudiantes de posgrado. Está constituido por casi setecientos términos, de los cuales casi cuatrocientos cuentan con entrada propia.

ARTES
Mezquita de Córdoba
Espacio en realidad virtual a través del cual puede recorrerse el interior de la Mezquita de Córdoba, tal y como era justo antes de la conquista cristiana de la ciudad por Fernando III, en 1236.

FOROS Cuatro espacios de discusión sobre el español y su cultura.
DEBATES Escenarios virtuales de diálogo e intercambio.
OTEADOR Directorio de páginas web relacionadas con la cultura hispánica.

CADA DÍA...
Rinconete
Revista diaria que se publica desde 1998 en las páginas del Centro Virtual Cervantes. Recoge artículos breves sobre cuestiones de cultura hispánica y ofrece un variado abanico de informaciones y opiniones.

LITERATURA
Calderón y la cultura europea
Dieciséis estudios críticos dedicados a la aportación de Calderón de la Barca a los valores de la cultura europea.
Andersen en España
Textos del *Viaje por España*, de Andersen, ilustrados con imágenes de finales del siglo XIX.

LENGUA
Congresos de la Lengua Española
Portal en el que se recoge toda la información sobre estos grandes encuentros sobre la lengua española.
María Moliner
Monográfico dedicado a la lexicógrafa española María Moliner, autora del *Diccionario de uso del español*.

CADA SEMANA...
DidactiRed
Propuestas de actividades para el aula, de reflexión para el profesor y de técnicas

d Aprender en la red: el Centro Cervantes

Este centro virtual es el mejor que puedes encontrar si quieres estudiar el español o repasar lo que has estudiado. Te propone muchos ejercicios con imágenes y sonidos con los que aprendes el vocabulario. También puedes hacer tests para comprobar si has comprendido y cuáles son tus progresos.

http://cvc.cervantes.es

¿A ver si lo sabes?

1. ¿Tiene muchos lectores *El País?* **(a)**
2. Entre los juegos evocados ¿cuáles se juegan con un tablero *(échiquier)*? **(b)**
3. Di qué pueden hacer los que se han perdido un capítulo de una serie. **(c)**
4. Enumera lo que propone el Centro Cervantes. **(d)**

Páginas Web que puedes consultar

http://www.fcbarcelona.cat/web/castellano/basquet/index.html
http://www.realmadrid.com/cs/Satellite/es/Home
http://www.uar.com.ar

Proyecto final

Lleva a tu compañero hasta la web de un equipo famoso.

- Conéctate a Internet y entra en la web de un equipo famoso español o latinoamericano (fútbol, baloncesto, rugby, etc.). Busca en ella cinco informaciones.
- Después, por parejas, indica a tu compañero(a) la dirección que has visitado y lo que tiene que descubrir: "Vete a la página...", "Haz clic en la palabra..."
- Luego explícale por qué le has guiado hasta allí: "Quiero que veas esta página porque..."

1 Adicción a Internet

Objectifs : Comprendre quelqu'un qui évoque les problèmes liés à l'utilisation abusive de l'ordinateur.

Outils : Lexique de l'informatique et des loisirs.

Escucha la grabación y contesta.

A1
1. Busca el intruso. El chico habla de: **a.** los chicos que se pasan el tiempo en Internet. **b.** la importancia de Internet en los estudios. **c.** las consecuencias del abuso de Internet para las relaciones.
2. Di qué hacen los jóvenes españoles con Internet.

A2
3. Cita una de las consecuencias del abuso de Internet.

2 Mi gente

Objectifs : Parler des relations, des amis et de la façon dont on les contacte.

Outils : Lexique des sentiments, des moyens de communication, l'impératif.

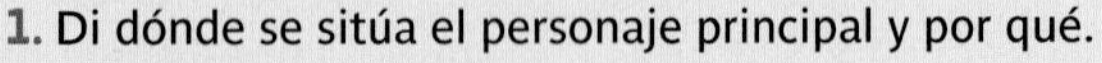

Observa atentamente la publicidad y contesta.

A1
1. Di dónde se sitúa el personaje principal y por qué.
2. ¿Quienes son las personas que rodean al personaje principal?

A2
3. Explica el título de la publicidad "Mi gente".
4. Organizas una fiesta. ¿Qué le dices a cada uno de tus amigos? Utiliza imperativos.

3 ¿Me quieres?

Objectifs : Comprendre un texte court et simple sur les relations sentimentales.

Outils : Lexique des sentiments, impératif et présent du subjonctif.

Louise y Jimmy son novios.

JIMMY: Vale, vale, dime cuál es el problema.
Louise se queda mirándole un momento.
LOUISE: Jimmy, ahora no puedo decírtelo, así que mejor no preguntes.
JIMMY: (casi sin palabras) De acuerdo, de acuerdo, pero dime ¿puedo preguntarte una cosa?
LOUISE: Quizá.
JIMMY: ¿Tiene que ver con otro? ¿Estás enamorada de otro?
LOUISE: No, no es nada de eso.

Lucía Etxebarría (escritora española), *Un milagro en equilibrio*, 2006

A1
1. Precisa quiénes son los personajes.
2. ¿Verdadero o falso? **a.** Jimmy y Louise no se conocen. **b.** Louise no quiere decirle nada a Jimmy. **c.** Louise tiene otro novio.

A2
3. Apunta dos verbos en imperativo que corresponden a una orden y a una prohibición.
4. ¿Por qué duda Jimmy de los sentimientos de Louise?

4 Lo que me conviene y lo que no

Objectifs : Indiquer en quelques phrases les avantages et les inconvénients des moyens de communication.

Outils : Emploi de la première personne et de l'impératif.

A1
1. Explica en presente lo que te gusta de tu MP3 u otro aparato electrónico y para qué lo usas.

A2
2. Escribe cinco recomendaciones a un amigo para el uso de su MP3. (ej.: "no utilices tu MP3 durante las clases").

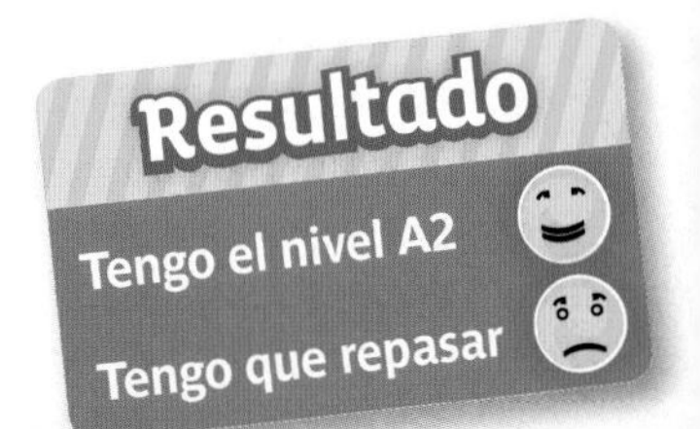

Unidad 4

Historias de mi tierra

El mar en peligro

Je vais apprendre à... A1/A2

- Comprendre le lexique de l'environnement et de la santé.
- Comprendre l'expression de la volonté et de l'engagement pour la planète.

- Comprendre la description d'un environnement naturel typiquement hispanique.
- Comprendre l'état de santé d'une personne, de la planète.
- Comprendre un court récit au passé qui éclaire une situation présente.

- Relayer une campagne de sensibilisation à l'utilisation du vélo en ville.
- Reconnaître dans un tableau l'indignation et la plainte d'une nature qui souffre.

- Échanger sur la façon d'agir pour sauver la planète.
- Échanger sur l'état de l'environnement en Espagne et en Amérique latine.

- Rédiger un courrier des lecteurs pour sensibiliser aux problèmes écologiques.

Je vais utiliser...

- Les passés simples réguliers et irréguliers
- Le subjonctif dans les subordonnées
- Le plus-que-parfait
- Les diminutifs
- Les mots négatifs
- *Ir* + gérondif

Mon projet final

→ Me projeter dans l'Espagne de 2050 pour inventer un dialogue sur l'environnement tel qu'il était en 2000.

Ska de la tierra

CD élève Piste 13

Queremos respirar, queremos salvar la Tierra

1 Prepárate

a. Describe la foto. Habla de tus impresiones.

2 Escucha

b. Di de qué elemento natural trata la canción.
c. Fíjate en los versos que se repiten: ¿qué dicen?
d. Precisa lo que necesita la tierra.
e. Explica lo que piensa la tierra.
f. En la segunda parte, di qué expresión se repite.

→ *Cahier p.25*

3 Exprésate

g. La tierra "tiembla" y "llora": la cantante la compara con... porque...
h. La tierra se dirige a los hombres. Imagina lo que les dice. *Hombres, necesito que..., os pido que..., quiero que...*

¿Cómo se pronuncia?

CD élève Piste 14

"r", "rr"

▶ **Lorsqu'il est en début de mot, le « r » se prononce comme un « rr », avec une vibration plus forte.**
› *fiebre, cure, Tierra, respeto, hermanos*

▶ **Escucha y repite.**
› *doloroso, quieren, cerramos, llora, fronteras, rojo, riqueza*

PALABRAS PARA DECIRLO

- la contaminación: *la pollution*
- dejar de: *arrêter de*
- doler (ue): *avoir mal, faire mal*
- estar enfermo, a: *être malade*
- el estribillo: *le refrain*
- la personificación
- temblar (ie): *trembler*
- tener (ie) miedo a: *avoir peur de*

Plantar árboles

A orillas del río Ebro

¿Lo sabías?

La **Expo Zaragoza 2008** tuvo lugar del 14 de junio al 14 de septiembre de 2008. Se centró en el tema del agua y reunió a muchos países.

1 Prepárate

a. Mira la foto y descríbela.

b. ¿Qué elementos naturales están presentes?

2 Escucha

c. El tema del reportaje es: ¿la deforestación?, ¿la plantación de árboles?, ¿el incendio de árboles?

d. El entorno de la laguna de..., situado a... minutos de... ha sido el lugar elegido por la...

e. Di tres cosas que quieren los estudiantes con esta acción.

→ *Cahier p. 26*

PALABRAS PARA DECIRLO

- actuar: *agir*
- la comarca: *la région*
- elegir (i): *choisir*
- proteger el medio ambiente: *protéger l'environnement*
- el río: *le fleuve*
- el sitio: *l'endroit*

3 Exprésate

f. Explica cuáles son las consecuencias positivas para este pueblo.

Memoriza

→ Lengua p. 70

Le subjonctif dans les propositions subordonnées

Certaines expressions ou certains verbes comme ***pedir*** (demander/ordonner) sont suivis du subjonctif.

› ***Es necesario que se proteja*** *el medio ambiente.*

› *Les* ***piden*** *a los jóvenes* ***que planten*** *árboles.*

Practica

Haz proposiciones completivas con el subjuntivo.

a. Es importante que los jóvenes (interesarse) por la protección del medio ambiente.

b. La sociedad les pide a los responsables que (luchar) contra la contaminación.

Exercices p.70

¡Y AHORA TÚ!

Para proteger mi entorno

Da 4 consejos para la protección del medio ambiente.

Para proteger… es necesario que… es mejor que…

Mi acción ecológica

Por parejas, conversad sobre lo que podéis hacer para mejorar vuestro pueblo, vuestro barrio o vuestra ciudad.

¡Escribe pronto!

San José, 5 de noviembre

Querida Nuria:

Acabo de llegar. Bueno, te cuento de animalitos y de playas [...]. De verdad que estoy encantada y feliz como nunca. Medio país es parque nacional y parece un inmenso jardín que llega hasta la arena blanca de las playas. Y flores por todas partes, de todos los colores, de todos los tamaños[1], de mil variedades. Costa Rica tiene la mayor variedad de especies de mariposas del mundo, como de ranas[2], y de alguna otra especie de bichitos[3] de los que no te gustan na-da. Hay monos y perezosos[4] y ya soy amiga de un mapache[5], que viene a comer de mi mano por las noches en un restaurante de Manuel Antonio[6]. Le encanta el plan.
Como sé cómo te gusta el tema, te envío un magnífico libro sobre las especies de mariposas de Costa Rica. [...]
Me tengo que ir de compras, que me cierran el súper. Son las seis de la tarde y ya es de noche, como todo el año.
Un besote tierno y todo mi cariño.

Ariadna

P.D.[7]: ¡Escribe pronto!

José María Mendiluce (escritor español), *Pura vida*, 1998

1. *tailles*
2. *grenouilles*
3. *petites bêtes*
4. *singes et paresseux*
5. *un carcajou (mammifère ressemblant à un petit ours)*
6. parque nacional
7. Post Data: *post scriptum*

Perezoso de Costa Rica

1 Lee y comenta

a. Fijándote en el principio y el final, di qué tipo de documento es.

b. Presenta a los dos personajes y clasifica los elementos temporales y espaciales.

c. Di lo que le describe Ariadna a su amiga y cómo le parece Costa Rica. (l. 1-8)

d. Enumera los animales que aparecen en el texto.

e. Apunta los adjetivos y los verbos relativos al estado de ánimo de Ariadna (l. 3) y explica por qué se siente así.

→ *Cahier p. 27*

2 Imagina

f. Ariadna quiere que su amiga sepa que Costa Rica...

g. La amiga de Ariadna expresa en voz alta su entusiasmo al leer el libro sobre las mariposas. Di cuatro frases exclamativas utilizando diminutivos.

PALABRAS PARA DECIRLO

- una carta: *une lettre*
- maravilloso, a: *merveilleux, -euse*
- paradisíaco, a: *paradisiaque*
- un paraíso: *un paradis*

Memoriza

→ Lengua p. 71

Les diminutifs

- Mots se terminant par *-a* ou *-o* ou une consonne autre que *-n* ou *-r* → diminutif en *-ito*, *-ita*
  › *los animalitos* › *los bichitos*
- Autres mots terminés par *-e*, *-n* ou *-r* → diminutif en *-cito*, *-cita*: *parque* → *parquecito*, *jardín* → *jardincito*

Practica

Construye los diminutivos de las palabras entre paréntesis.

a. Me gustan mucho las (playas) de Costa Rica con su (arena) blanca. **b.** Los (árboles) que ves en tu (libro) son maravillosos.

→ Exercices p.71

El mal de altura en México D.F.

Isabelle es una periodista francesa que trabaja en Madrid.

En diciembre hubo modificaciones en la dirección de la empresa[1] y se pensó inmediatamente en ella para ascenderla y nombrarla corresponsal[2] en México. [...] Le preocupó algo que leyó sobre el aire de la capital
5 mexicana : "México D.F. es muy fumadora y tiene los pulmones podridos[3], la tos asmática, la respiración entrecortada, los ojos enrojecidos. Las montañas y valles que rodean el valle en el que está la ciudad impiden la renovación normal del oxígeno. La altura tampoco
10 ayuda demasiado."

No le faltaron a Isabelle, por otra parte, los amigos que le asustaron[4] hablándole, sobre todo, del peligro inevitable de beber agua no potable y padecer cinco días seguidos una diarrea atroz. También del mal de altura que, al llegar a México D.F., le paralizaría dejándola prostrada
15 en cama durante dos días como si se tratara de una fortísima resaca de alcohol[5] –la *cruda* la llamaban en México–, muy pero muy espantosa.

Enrique Vila-Matas (escritor español), *Exploradores del abismo*, 2007

Vista panorámica de México D.F.

1. *l'entreprise*
2. *correspondante*
3. *(ici) des poumons malades*
4. dieron miedo
5. *la « gueule de bois »*

1 Lee y comenta

a. Di quién es el personaje principal, dónde trabaja y lo que le proponen.
b. A partir del texto describe la situación geográfica de México D.F. (l. 7-10)
c. Enumera los diferentes elementos que explican que México D.F. "es muy fumadora". (l. 5-7) ¿Qué te parecen estas expresiones para evocar una ciudad?
d. Precisa cuáles son los peligros de la capital mexicana para la salud. (l. 11-13)
e. Apunta las expresiones que describen cómo está Isabelle. Después explica su estado de ánimo. (l. 4, 11, 16)

→ *Cahier p. 28*

2 Imagina

f. Isabelle se fue a México para ser corresponsal. De vuelta a Madrid les cuenta a sus amigos cómo fue su experiencia en la capital mexicana.

PALABRAS PARA DECIRLO

- ahogarse: *s'étouffer*
- estar mareado, a: *avoir la nausée*
- el humo: *la fumée*
- padecer = sufrir de
- un(a) periodista: *un(e) journaliste*
- una personificación
- la salud: *la santé*
- toser: *tousser*
- el vientre, la barriga: *le ventre*

Memoriza

→ Lengua p. 70

Le passé simple *(pretérito indefinido)*

Verbes réguliers

PENSAR	ESCRIBIR
pensé	escribí
pensaste	escribiste
pensó	escribió
pensamos	escribimos
pensasteis	escribisteis
pensaron	escribieron

Practica

Conjuga los verbos en pretérito indefinido.

a. Isabelle (llegar) y (descubrir) México D.F. **b.** Tú (nombrarla) corresponsal y (decidir) mandarla a México. **c.** Todos (salir) cuando (comprender) lo que pasaba.

Exercices p. 70

¡Y AHORA TÚ!

Mi amigo "Tico"

Redacta una carta a un amigo tuyo para decirle lo que sabes de Costa Rica.

Contaminación y salud

Enumera los efectos de la contaminación sobre las personas en un lugar que conoces.

El cerro

CD classe

Paulina vive con su abuela en un barrio marginado de una ciudad.

Siempre que Paulina salía del Polígono M[1] le gustaba volver la cabeza hacia el cerro. Se detenía un instante y lo miraba. No era un cerro de tierra, como la mayoría de los cerros; no tenía árboles, ni matorrales[2], ni hierba verde en las épocas de lluvia… Era un cerro bien distinto. Incluso, como le había contado
5 muchas veces la abuela Paulina, no estaba allí hacía unos años. El cerro se fue formando poco a poco, cada noche crecía unos centímetros.

–¿Es un cerro mágico, abuela?

–¡De mágico no tiene nada! –la abuela sonreía con nostalgia.

– Entonces no llegaban hasta aquí esos ruidosos camiones de la basura. Por eso el
10 cerro crecía y crecía sin parar. En algún sitio había que echar los desperdicios[3].

–Pero… aún no se habían construido las casas –seguía preguntando Paulina. […]

–Ni las casas, ni las calles, ni nada… No había luz eléctrica y, por la noche, todo aquel barrio de cartón y hojalata[4] parecía la boca de un lobo –suspiraba la abuela de Paulina–. Ninguna persona de la ciudad se atrevía ni siquiera[5] a
15 bordearlo. Fíjate[6], tenían miedo de nosotras.

Alfredo Gómez Cerdá (escritor español), *La jefa de la banda*, 1993

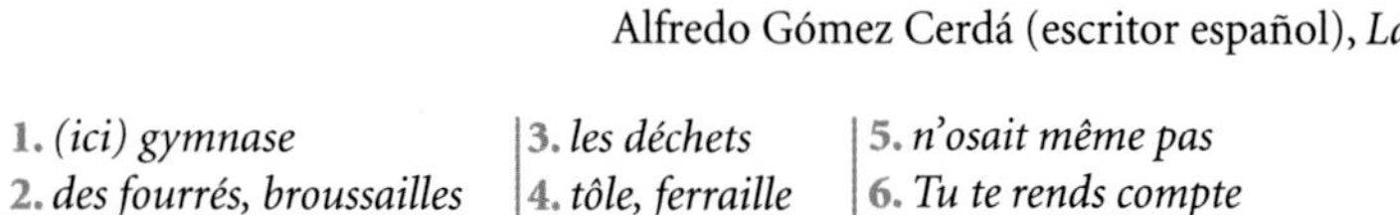

1. *(ici) gymnase*
2. *des fourrés, broussailles*
3. *les déchets*
4. *tôle, ferraille*
5. *n'osait même pas*
6. *Tu te rends compte*

1 Lee y comenta

a. Di quiénes son los protagonistas.
b. Precisa el lugar descrito por el narrador y su particularidad. ¿Qué otros lugares evoca el texto?
c. Explica lo que es un cerro normal para la niña. (l. 2-4)
d. Apunta todas las expresiones relativas al cerro actual. ¿Qué pasó?
e. ¿Qué le había contado la abuela a Paulina? (l. 9-15)

→ *Cahier p. 29*

2 Imagina

f. Parece que a la chica le gusta el cerro. ¿Cómo lo explicas?

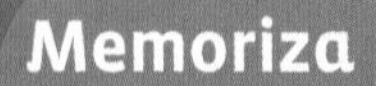

Memoriza

→ Lengua p. 70-71

1 Le plus-que-parfait (*el pluscuamperfecto*)

Formation : auxiliaire ***haber*** à l'imparfait + participe passé (verbes en ***-ar*** > ***-ado***, verbes en ***-er/ir*** > ***-ido***).

› *Le **había contado** la abuela.*
› *Se **habían construido** las casas.*

2 Le passé simple irrégulier de certains verbes

1re et 3e personnes du singulier : accent tonique sur le **radical** (et non sur la dernière syllabe comme dans les conjugaisons régulières).

HACER	ESTAR
hice	estuve
hiciste	estuviste
hizo	estuvo
hicimos	estuvimos
hicisteis	estuvisteis
hicieron	estuvieron

PODER	IR / SER
pude	fui
pudiste	fuiste
pudo	fue
pudimos	fuimos
pudisteis	fuisteis
pudieron	fueron

PALABRAS PARA DECIRLO

- añorar = echar de menos: *regretter*
- la basura: *les ordures*
- el cerro = la colina
- convertirse (ie, i) en: *se transformer en, devenir*
- mejorar: *améliorer*
- un vertedero: *une décharge*
- volverse (ue) + adj.: *devenir + adj.*

Practica

1. Conjuga los verbos en pluscuamperfecto.
a. La gente (tirar) las botellas al suelo. b. Nosotros no (dejar) los desperdicios en los bosques.

2. Conjuga los verbos en pretérito indefinido.
a. Paulina (ir) al cerro. b. La abuela y su nieta (estar) hablando del cerro.

→ Exercices p. 70-71

Tellagorri amaba la Naturaleza

Tellagorri era un sabio: nadie conocía la comarca como él; nadie dominaba la geografía del río Ibaya[1], la fauna y la flora de sus orillas y de sus aguas como este viejo cínico.

5 Guardaba, en los agujeros del puente romano, su red[2]. Sabía pescar al martillo, procedimiento que se reduce a golpear algunas losas[3] del fondo del río y luego a levantarlas, con lo que quedan las truchas immóviles; ponía lazos a las nutrias[4]

10 en la cueva de Amaviturrieta, que se hunde en el suelo y está a medias llena de agua [...]; pero no empleaba nunca la dinamita, porque Tellagorri amaba la Naturaleza y no quería empobrecerla.

Le gustaba también a este viejo embromar[5]

15 a la gente: contaba historias extraordinarias de la inteligencia de los salmones y de otros peces. Para Tellagorri, los perros, si no hablaban, era porque no querían, pero él los consideraba con tanta inteligencia como una persona.

Pío Baroja (escritor español), *Zalacaín el aventurero*, 1909

1. río del País Vasco
2. *filet de pêche*
3. *taper sur quelques pierres*
4. *des pièges à loutres*
5. *faire des blagues*

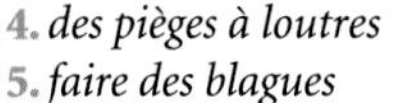

Pescando en los ríos del País Vasco

1 Lee y comenta

a. Precisa quién es el protagonista de esta historia y dónde tiene lugar la escena. (l. 1-3)

b. Di todo lo que sabes sobre este hombre.

c. Describe lo que hacía, lo que le gustaba. (l. 6-17)

d. ¿Qué nombre se le daría hoy en día? Justifica tu respuesta.

→ *Cahier p. 29*

2 Imagina

e. Di cómo imaginas el País Vasco.

f. En su libro de recuerdos, Tellagorri cuenta una experiencia suya que empieza así: "Cuando era joven...". Continúa su historia a partir de los elementos del texto.

PALABRAS PARA DECIRLO

- un anciano: *un vieil homme*
- dañar: *abîmer*
- destrozar: *détruire*
- un ecologista
- el entorno: *l'environnement*
- matar: *tuer*
- respetar

Memoriza

→ Lengua p. 71

La négation

Les mots négatifs comme ***nunca*** (jamais), ***nada*** (rien), ***nadie*** (personne) placés devant le verbe, suffisent à exprimer la négation. En revanche, lorsqu'ils sont placés derrière, le verbe doit être précédé de la négation ***no***.

› ***Nadie conocía*** *la comarca como él.*

› ***Nadie dominaba*** *la geografía.*

› ***No empleaba nunca*** *la dinamita.*

Practica

Imita el modelo: *Nadie conocía la comarca.* → *No conocía nadie la comarca.*

a. Nadie apreciaba a este hombre. **b.** Nunca pescaba con dinamita.

→ Exercice p. 71

¡Y AHORA TÚ!

Ayer y hoy

Por parejas: Estás hablando con un anciano de las transformaciones que fueron realizadas en tu pueblo o en tu barrio. Imagina la conversación.

Amamos la naturaleza

Escribe 4 frases parar decir lo que nunca haces en contra de la naturaleza.

Mejor con bici

1 Mira

a. Describe la foto: primero, los diferentes lugares, los edificios y otros elementos presentes, después a los personajes.

b. ¿Qué aparece a la izquierda?

2 Exprésate

c. Di lo que está haciendo la chica.

d. ¿A quién se dirige la campaña? ¿Qué promueve? ¿Quién la patrocina?

e. Precisa lo que le permite hacer bici a la chica.

f. Fíjate en el eslogan. Explica en qué es contemporánea la chica.

3 Conversa

g. La chica de la foto quiere convencerte de que utilices la bici como modo de transporte. Interpretad el diálogo por parejas.

PALABRAS PARA DECIRLO

- actuar: *agir*
- los atascos: *les embouteillages*
- el ayuntamiento: *la mairie*
- barato, a: *pas cher*
- cómodo, a: *pratique*
- contaminar: *polluer*
- es bueno para: *c'est bon pour...*
- montar en bici
- sucio, a ≠ limpio, a
- una zona peatonal: *une zone piétonne*

¿Cómo se pronuncia?

"c" et "z"

▶ **Devant « e » et « i », le « c » se prononce comme le « z ».**
› *necesario, realizar, izquierda, promoción, patrocinar*

▶ **Escucha y repite.**
› *ciudad, bici, aparece, publicidad, utilizar, silencio, plaza*

El suplicio

1 Mira

a. Este cuadro es... y lo pintó...

b. Di lo que representa.

2 Exprésate

c. Describe el bosque y fíjate en el color que domina. Di qué sensación o qué impresión te da.

d. Cuando me fijo en el hombre, me parece...

e. Justifica el título del cuadro.

f. Busca otros títulos que te parezcan ilustrar el cuadro, en el mismo sentido o en otro.

3 Conversa

g. Imagina la queja del hombre y la de la naturaleza que le responde. Exprésalas con cuatro frases exclamativas : *¡Qué duro es.. !*

José Asunción Arteaga (pintor peruano), *El suplicio*, 2005

PALABRAS PARA DECIRLO

- la barbilla: *le menton*
- la cara: *le visage*
- extraño, a: *étrange*
- gritar: *crier*
- el infierno: *l'enfer*
- la luz: *la lumière*
- la nariz: *le nez*
- la queja: *la plainte*
- quejarse: *se plaindre*
- las ramas: *les branches*

¡Y AHORA TÚ!

Mi campaña

Redacta 4 consejos de promoción de la bici.

Para... hay que... Es necesario que... Es mejor que...

Día Mundial del medio ambiente

En tu colegio realizáis una videoconferencia sobre la protección de la naturaleza con los responsables de una ONG peruana. Interpretad la conversación.

Memoriza

→ Précis 4

La phrase exclamative

¡Qué + nom...*!*
¡Qué + adjectif...*!*
¡Qué + adverbe...*!*
› *¡**Qué extraño** es este cuadro!* *(Que ce tableau est bizarre !)*

Practica

Escribe frases exclamativas.

a. La selva es fantástica.

b. El bosque parece mágico.

Carta del lector

Les escribimos porque nosotros, los jóvenes, nos hacemos muchas preguntas. Somos alumnos de un colegio de Sevilla. El otro día, en clase, vimos un documental terrible sobre la Tierra y nos asustó. Quisiéramos preguntarles a Ustedes los grandes de este mundo: ¿por qué los hombres van contaminando el planeta a pesar de[1] todas las alertas y las señales de alerta? ¿Por qué las fábricas van echando humo al aire? ¿Por qué vamos deforestando las tierras del planeta? ¿Por qué seguimos utilizando coches sucios[2]? ¿Por qué siguen tan sordos? Por favor, ¡que los hombres se despierten! Queda poco tiempo. Gracias por leer nuestra carta.

Marta y sus compañeros del cole, Sevilla

1. *malgré*
2. *(ici)* que contaminan

Sergio Salma (dibujante español), *Músicas del mundo*, 2002

1 Lee el modelo

a. Identifica a los autores y al destinatario.
b. Precisa cuáles son el tema y el motivo de la carta.
c. Enumera los diferentes problemas que evocan.
d. ¿Cómo se despide Marta?

2 Escribe una "carta del lector"

e. Acabas de leer esta carta de Marta en el periódico y le contestas porque te parece útil y quieres hacerles otras preguntas a los grandes de este mundo.
f. Redacta tu carta siguiendo el modelo.
g. Despídete, firma y pon el nombre del destinatario.

PALABRAS PARA DECIRLO

- acabar de + inf.: *venir de*
- yo le agradezco por: *je vous remercie pour/de*
- (no) estar de acuerdo con: *(ne pas) être d'accord avec*
- reaccionar: *réagir*
- ser imprescindible = ser indispensable

Memoriza

→ **Précis 29.A**

La forme progressive avec *ir* + gérondif

- ***Ir*** + gérondif met l'accent sur la notion d'évolution de l'action
  › ***Van*** *contamin**ando**.*
  › ***Van*** *ech**ando** humo.*
  › ***Vamos*** *deforest**ando**.*

Practica

Imita el modelo: *contaminan* → *van contaminando*

a. Ahora el director lee nuestras cartas.
b. Después del documental, hacemos preguntas.

Marea negra

Fotogramas del vídeo

Fíjate bien

Mira los fotogramas A y B. Descríbelos y después di cuál es el picado, cuál es el contrapicado y dónde se encuentra un plano general. Justifica tus respuestas.

PALABRAS DE CINE

- **El picado** es la imagen o el plano que aparece visto desde arriba.
- **El contrapicado** es la imagen que aparece vista desde abajo.
- En **el plano general** se ven las cosas de una manera global.

1 Observa

a. Fíjate en el cartel y describelo. ¿De qué tipo de película se trata?

b. Enumera los distintos protagonistas y lugares que aparecen en las secuencias.

2 Exprésate

c. Cuenta lo que pasó insistiendo en los tres momentos importantes. Al principio... De repente... Luego...

d. Describe la actitud de las gaviotas.

e. Para las gaviotas ¿qué representó la marea negra?

3 Imagina

f. Después de esta escena, el gato volvió con sus amigos y les contó lo que le ocurrió. Imagina la conversación.

PALABRAS PARA DECIRLO

→ Autres exercices autocorrectifs CD-ROM 

Le passé simple (pretérito indefinido)

→ Conjugaisons p. 162-165, Précis 18.E

Le passé simple espagnol est employé dès lors qu'une action (même récente) est terminée, ce qui explique qu'il est beaucoup plus employé que le passé simple français.

› ***Salí*** *del avión hace una hora.*

Le passé simple régulier

LLAMAR	CRECER	SALIR
llamé	crecí	salí
llamaste	creciste	saliste
llamó	creció	salió
llamamos	crecimos	salimos
llamasteis	crecisteis	salisteis
llamaron	crecieron	salieron

› *Se* ***pensó*** *inmediatamente en ella.*

› *Los amigos le* ***asustaron.***

La 1re personne du pluriel des verbes en **-ar** et en **-ir** est identique au présent de l'indicatif et au passé simple.
On reconnaît le temps grâce au contexte, aux indicateurs temporels et aux autres verbes qui sont au présent ou au passé.

› ***Ayer llamamos*** *a mi padre y le* ***contamos*** *lo que* ***dijimos*** *al abuelo.*

› ***Hoy*** *te* ***llamamos*** *y te* ***decimos*** *que te* ***esperamos.***

Quelques verbes irréguliers au passé simple

DAR	QUERER	DECIR	IR / SER	ESTAR
di	quise	dije	fui	estuve
diste	quisiste	dijiste	fuiste	estuviste
dio	quiso	dijo	fue	estuvo
dimos	quisimos	dijimos	fuimos	estuvimos
disteis	quisisteis	dijisteis	fuisteis	estuvisteis
dieron	quisieron	dijeron	fueron	estuvieron

Il existe plusieurs types d'irrégularités : par exemple le verbe ***dar*** qui a un passé simple comme un verbe régulier en ***-er*** ou en ***-ir.*** Les verbes ***querer***, ***decir*** obéissent à d'autres irrégularités.

1 Conjuga los verbos en pretérito indefinido.

a. Ayer mi amigo (contar) una historia que (parecernos) fantástica.

b. Nosotros (ver) y (descubrir) muchas mariposas.

c. Ellos no (beber) agua no potable y (quedarse) tranquilos.

d. Vosotros (construir) las casas y (participar) en la formación del barrio.

2 Pon los verbos en pretérito indefinido.

a. La chica quiere escribir a su amiga.

b. Los jóvenes dan sus opiniones.

c. Le doy noticias a mi madre y le digo lo que veo.

d. Queréis venir a Costa Rica para ver los parques naturales.

Le subjonctif dans les propositions subordonnées

→ Précis 20

En espagnol, les propositions complétives au subjonctif s'emploient beaucoup plus fréquemment qu'en français.

› *Es necesario* ***que vengas.*** (Il faut venir. / Il faut que tu viennes.)

› *Los padres nos piden* ***que les contemos*** *el viaje.* (Nos parents nous demandent de raconter notre voyage.)

3 Completa las frases.

a. Es necesario (preparar nuestro viaje). **b.** Es interesante (conocer vuestro país). **c.** La chica le pide a su amiga (mandarle una carta). **d.** La abuela les dice a los niños (escuchar su relato).

Le plus-que-parfait (el pluscuamperfecto)

→ *Conjugaisons p. 162-165, Précis 18.F*

Formation : ***haber*** à l'imparfait + participe passé

› *Le **había contado** la abuela.*
› *Se **habían construido** las casas.*

4 Conjuga los verbos en pluscuamperfecto.

a. Su vecino (hablarle) de la flora y de la fauna. **b.** Los turistas (beber) agua no potable. **c.** El barrio (convertirse) en una ciudad. **d.** Los residuos (contaminar) el cerro.

Les diminutifs

→ *Précis 13*

■ Les diminutifs permettent de nuancer les mots auxquels ils se rattachent.

■ Formes :

- La forme la plus courante est le suffixe diminutif *-ito,-ita*. L'espagnol ajoute *-ito, -ita* aux mots se terminant par ***-a*** ou ***-o*** ou par une consonne autre que ***-n*** ou ***-r***.
  › *los animalitos* › *los bichitos*
- Les autres mots terminés par ***-e***, **-n** ou ***-r*** ont généralement un diminutif en *-cito, -cita*:
  › *el jardin**cito***

5 Da un diminutivo a las palabras entre paréntesis.

a. Tiene los (ojos) enrojecidos.
b. La chica se detenía un (rato).
c. Veíamos el (camión) a lo lejos.
d. La (abuela) suspiraba.
e. Se divisaba el (puente).

Les mots négatifs

→ *Précis 30*

Les mots négatifs comme *nunca* (jamais), *nada* (rien), *nadie* (personne) peuvent être placés devant le verbe ou après : dans ce cas, le verbe doit être précédé de la négation ***no***.

› ***Nadie dominaba*** *la geografía.* (attention à ne pas répéter la négation comme en français)
› ***No empleaba nunca*** *la dinamita.*

6 Traduce.

a. Personne ne venait dans le quartier.
b. Il n'y eut jamais de changements.
c. La grand-mère ne parla jamais du passé et ne dit rien.
d. Jamais vous n'aviez regardé le livre de votre sœur.

TALLER DE LÉXICO

→ *Autres exercices autocorrectifs* 

Las cosas cambiaron

a. Describe cada viñeta.
b. Precisa las diferencias que ves entre las viñetas 1 y 2 y entre la 3 y la 4 y explica lo que pasó.
c. ¿Qué se puede hacer para mejorar la situación?
› *Es necesario que la gente…*

Puedes utilizar las palabras siguientes: **"el oxígeno", "las chimeneas de las fábricas", "el aire puro", "los edificios".**

1

2

3

4

muy INTERESANTE

Cambios climáticos en España

CD classe 21

Es posible que pienses que el deshielo[1] del Polo Norte o las sequías de África te quedan un poco lejos. Pero si no hacemos nada, las consecuencias del cambio climático también pueden perjudicarnos a nosotros[2]. Según los científicos, la zona del Mediterráneo va a ser una de las más afectadas. ¿Cómo? Cada uno de los siguientes testimonios expone alguno de los fenómenos que van a ser más frecuentes en España durante los próximos años.

1. *le dégel*
2. *nous nuire*

La estación tiene poca nieve

Ainara, 17 años

a ¡Ya no hay nieve en los Pirineos!

El otro día mi abuelo me enseñó fotos de cuando él esquiaba. Parecía muy feliz. Yo nunca he ido a esquiar. Cada vez nieva menos[1] y cuando nieva la nieve se deshace enseguida. La estación de esquí en la comarca[2] ha tenido que cerrar.

1. *il neige de moins en moins*
2. la zona

Apagando el incendio forestal en la región de Barcelona

José, 19 años

b ¡Incendios de bosques en el norte de España !

Ayer tuvimos que cerrar todas las ventanas. Hubo un incendio en un bosque cercano y el aire se llenó de ceniza[1] y humo. Este año ha llovido tan poco que los campos están secos y hay incendios casi a diario. Por eso han decidido prohibir el acceso a los bosques.

1. *cendre*

Olas en San Sebastián

Javi, 16 años

c ¡Oleaje en un pueblo pesquero!

Ayer hubo oleaje[1]. El mar se comió casi toda la arena de la playa. Casi ya no queda sitio para poner una toalla. A veces las olas saltan el paseo marítimo e inundan algunas calles. Un día tuvieron que venir a rescatarnos los bomberos[2].

1. *de la houle*
2. *les pompiers*

Sequía en Contreras Bustamante en el sur de España

Rocío, 16 años

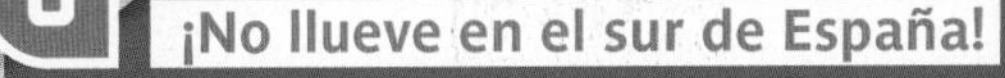

d ¡No llueve en el sur de España!

Mi papá está muy preocupado. Hace tiempo que no llueve y la cosecha se estropea[1]. Algunos pozos[2] de los que sacábamos agua para el ganado[3] se han secado. El otro día oí en la tele que España se parece cada vez más al norte de África.

1. *la récolte se gâte*
2. *puits*
3. *le bétail*

¿A ver si lo sabes?

1. Di por qué es cada vez más problemático esquiar en los Pirineos. a
2. Explica lo que pasa cuando los campos están secos. b
3. Precisa lo que puede provocar el mar. c
4. ¿A qué se parece cada vez más España? d
5. ¿Qué evocan todos estos testimonios?

Páginas Web que puedes consultar
http://www.greenpeace.org/espana/r-evoluci-n-renovable
http://www.wwf.es

Proyecto final

Imaginad e interpretad la conversación en 2050 de un abuelo con su nieto sobre la España del 2000.

→ Elige un lugar de España evocado en los testimonios de los adolescentes u otro lugar que tiene problemas ecológicos.

→ Determina el cambio climático que sufrió.

→ Apunta los verbos en pretérito que necesitas.

→ Prepara las preguntas que le vas a hacer al abuelo. Otro compañero prepara las respuestas.

→ Con un compañero, interpretad la conversación ante la clase.

1 En nuestra ciudad

Objectif : Comprendre quelqu'un qui parle de la pollution dans sa ville.

Outils : Lexique de la pollution. La forme progressive *ir* + gérondif.

Escucha la grabación y contesta.

A1

1. ¿De qué ciudad habla la locutora?
2. Di cuál es el problema de esta ciudad.
3. ¿Verdadero o falso? **a.** El motivo del problema es la ausencia de aire acondicionado en las empresas. **b.** El motivo es el tráfico de coches por la ciudad. **c.** Por eso el problema va aumentando cada vez más.

A2

4. En verano no... y la... muchísimo.
5. Di qué tipo de personas sufren más y por qué.
6. A veces la gente se va. ¿Adónde va?

2 Erosionada montaña

Objectif : Comprendre le thème d'un poème et être capable d'en repérer les éléments.

Outils : Le passé simple, le lexique de la nature.

Erosionada montaña se queja,
Siendo su queja una verdad:
"¡No son como antaño[1] las montañas!
Desde que llegaron las gentes de la ciudad.
Miles de años estuve limpia,
Ahora está el basural
Y los ríos llenos de fealdad[2].
Incluso[3], el aire sucio está.»

Javier R. Cinacchi (poeta argentino)

1. *jadis, avant*
2. *laideur*
3. *Même*

Lee el poema y contesta.

A1

1. Di de qué elemento natural trata.
2. ¿Quién habla a partir del tercer verso hasta el final?
3. ¿Verdadero o falso? Justifica. **a.** El poeta evoca las actividades que propone la montaña. **b.** El poeta evoca los problemas ecológicos de la montaña. **c.** El poeta habla de la gente que protege a la montaña.

A2

4. ¿Quiénes fueron los responsables del cambio? ¿Por qué?
5. Explica lo que le pasó a la montaña dando tres elementos diferentes.

3 Yo cambio el clima

Objectifs : Parler des changements climatiques de la Terre.

Outils : Lexique de l'environnement, de la nature.

A1

1. Observa el documento y describe las diferentes partes que lo componen.

A2

2. Explica las razones por las que tenemos que cambiar el clima. ¿Qué le pasó a la Tierra?
3. Presenta el problema ecológico que te preocupa más y di cómo puedes actuar.

4 Manifiesto para el planeta

Objectif : Rédiger un manifeste pour alerter les dirigeants de ce monde sur les dangers qui menacent notre planète.

Outils : Lexique de l'environnement, le subjonctif, le passé simple, les mots négatifs.

Acabas de ver noticias sobre los cambios climáticos y quieres dirigirte a los grandes de este mundo para que reaccionen. Redacta un mensaje para sensibilizarles.

A2

1. Por escrito describe tres problemas ecológicos que te preocupan y explica por qué.
2. Pídeles a los grandes de este mundo que digan cómo piensan actuar.

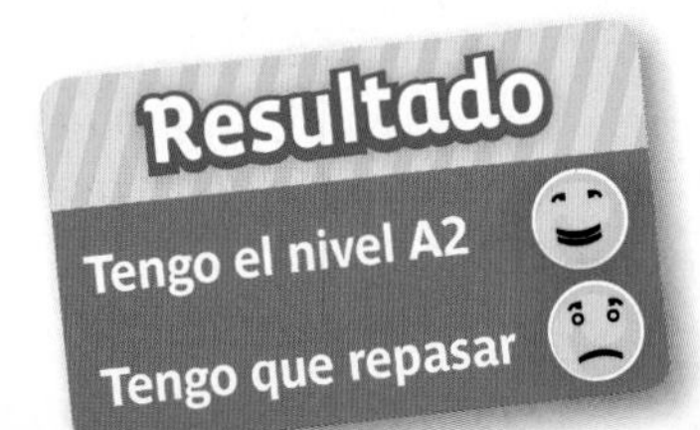

Unidad 5 Destinos y carreras

Mujer torera

Je vais apprendre à... A1/A2

- Repérer l'essentiel d'une conversation téléphonique.
- Comprendre quelqu'un qui parle de son travail.

- Comprendre les projets, les souhaits de quelqu'un.
- Comprendre quelqu'un qui parle de son futur métier.

- Parler des qualités nécessaires pour répondre à une offre d'emploi.
- Parler des études universitaires.

- Obtenir quelques informations par téléphone sur une offre d'emploi.
- Poser des questions sur des études et y répondre.

- Rédiger quelques lignes sur mon projet professionnel et la façon de le réaliser.

Je vais utiliser...

- Le futur
- Le conditionnel
- L'imparfait du subjonctif
- La concordance des temps
- *Cuando* + subjonctif présent
- *Seguir* + gérondif
- *Mientras (que)*

Mon projet final

→ Jeu de rôle parents/enfants : échanger des arguments à propos d'un choix de métier.

Mi primer trabajo

Buscando trabajo

1 Prepárate

a. Explica lo que está haciendo este señor.

2 Escucha

b. Apunta en qué sector y cuánto tiempo (número de días y horas) trabajará el chico.

c. Si acepta ¿le pagarán bien? ¿Qué oportunidad tendrá?

d. Cita el diploma que tiene este chico.

→ *Cahier p. 32*

3 Exprésate

e. Completa la conversación telefónica. El chico quiere saber más: imagina otras preguntas.

PALABRAS PARA DECIRLO

- al día/a la semana: *par jour/par semaine*
- conseguir (i) algo = obtener (ie) algo: *obtenir qqch*
- una empresa: *une entreprise*
- un empresario
- el INEM = Instituto nacional del empleo
- una oportunidad = una ocasión
- las prácticas: *le stage*
- el puesto de trabajo: *un poste de travail*

Memoriza

→ Lengua p. 86

Le futur de l'indicatif

- Verbe à l'infinitif + -*é*, -*ás*, -*á*, -*emos*, -*éis*, -*án*.

TRABAJAR	ASCENDER	PEDIR
trabajaré	ascenderé	pediré
trabajarás	ascenderás	pedirás
trabajará	ascenderá	pedirá
trabajaremos	ascenderemos	pediremos
trabajaréis	ascenderéis	pediréis
trabajarán	ascenderán	pedirán

- Certains verbes subissent une modification du radical :

hacer → *haré...*   *tener* → *tendré...*
decir → *diré...*   *venir* → *vendré...*
poder → *podré...*   *poner* → *pondré...*

Practica

Conjuga los verbos en futuro.

a. Gracias a este diploma, el joven (poder) ascender a ejecutivo y (triunfar).

b. Trabajar en esta empresa (ser) una buena oportunidad.

→ Exercices p. 86

Una pasión por el trabajo 

Bandera española
en la Plaza de Colón en Madrid

¿Lo sabías?

La bandera de España está formada por tres franjas horizontales, roja, amarilla y roja, siendo la amarilla "de doble anchura que cada una de las rojas", según establece la Constitución española de 1978. Lleva escudo.

1 Prepárate

a. Precisa lo que vemos en la foto. Describe la bandera.

2 Escucha

b. Presenta al protagonista (nombre completo, nacionalidad, profesión, edad actual).

c. Comenta lo que hizo a los 21 años y para qué.

d. Apunta el regalo que recibió en el aeropuerto y la frase premonitoria que dijo.

→ *Cahier p. 33*

3 Exprésate

e. Explica su situación actual.

PALABRAS PARA DECIRLO

- abastecer: *fournir, livrer*
- unos ahorros: *des économies*
- despedirse (i): *se dire au revoir*
- fabricar
- salir adelante: *s'en sortir*
- el taller: *l'atelier*

¿Cómo se pronuncia? 

"ll"

▶ La lettre **« ll »** se prononce comme le son « yé » français de « mouiller » ou d'« appuyer ».
› *llegar, taller, Sevilla*

▶ **Escucha y repite.**
› *llamar, la calle, llevar, la belleza*

→ *Autre exercice autocorrectif* 

¡Y AHORA TÚ!

Mis experiencias

Presenta una experiencia profesional: un trabajo de verano o bien un periodo de prácticas.

Mi pasión

Y tú ¿tienes una pasión? ¿Podrás convertirla en tu futuro trabajo? Cuéntalo.

Me iré a Estados Unidos

Dos amigos, Alex y Sonia, están comiendo en el estudio de Sonia.

–Así que aquí planeas tu futuro, ¿eh? –digo para calmar mis nervios, mientras desayunamos.
–Sí –responde Sonia.– Éste es mi mundo. Aquí tengo todo lo que necesito.
–Te has montado un bonito refugio. Muy adecuado para inventar historias...
5 Sólo te falta[1] una máquina de escribir.
–No quiero escribir, a mí lo único que me interesa es rodar. [...]
–¿No quieres escribir tus propios guiones[2]?
–¿Para qué...? Lo que necesito es conocer gente creativa que invente por mí. Yo sólo quiero rodar algo –dijo Sonia.
10 –Pero eso es muy difícil. Todavía eres muy joven para que te den la oportunidad de rodar algo –dijo Alex.
–¿Joven? Oh, claro... Por cierto ¿cuántos años tienes, Alex?
–Dieciocho. ¿Y tú?
–Uno más que tú.
15 –¿Qué estudias?
–Nada. Eso se ha terminado. [...]Ya no puedo dar marcha atrás[3]. Cuando consiga encarrilar mi carrera[4], me iré a Estados Unidos a hacer un máster de dirección cinematográfica.
–Te veo muy segura de ti misma.
20 –Te puedo asegurar que lo estoy. Nadie me impedirá[5] conseguir mi objetivo.

Santiago García Clairac (escritor español), *Primeras prácticas*, 2004

Soñando con rodar películas

1. *il te manque seulement*
2. *scénarios*
3. *faire machine arrière*
4. *quand je réussirai à trouver la bonne filière*
5. *personne ne m'empêchera*

1 Lee y comenta

a. Mientras desayunan, los dos compañeros están hablando de...
b. Di lo que le interesa a Sonia y lo que no le gusta. (l. 6-9)
c. Cita lo que hará. Precisa el momento. (l. 16-18)
d. Pero Alex no está tan seguro. Comenta su reacción. (l. 10-11)
e. Sonia está muy determinada, lo sé porque... (l. 20)

→ *Cahier p. 34*

2 Imagina

f. Imagina lo que hará Sonia cuando vaya a Estados Unidos.

PALABRAS PARA DECIRLO

- **el/la director(a):** *le/la réalisateur, trice de film*
- **dirigir:** *mettre en scène, réaliser*
- **la edad:** *l'âge*
- **estar decidido, a**
- **los proyectos = los planes:** *les projets*
- **rodar (ue) una película:** *tourner un film*
- **soñar (ue) con:** *rêver de*
- **tener (ie) claro algo = saber lo que se quiere**
- **la universidad:** *l'université*

Memoriza

→ Lengua p. 86

1 *Cuando* + idée de futur

Cuando + idée de futur → verbe au **subjonctif** en espagnol
› ***Cuando consiga*** *encarrilar mi carrera,* ***me iré*** *a Estados Unidos.*

2 La simultanéité avec *mientras*

- ***Mientras*** (= pendant que) introduit une notion de **simultanéité temporelle**.
› *"Así que aquí planeas tu futuro", digo* ***mientras*** *desayunamos.*
- Attention ***mientras ≠ mientras que*** (tandis que, alors que) qui introduit une notion **d'opposition**.

Practica

1. Conjuga los verbos.

a. Cuando la chica (descubrir) una oportunidad, se irá a Estados Unidos. **b.** El joven visitará a su amiga cuando (poder).

2. Traduce.

a. Le garçon étudie pendant que la fille rêve. **b.** Nous pensons à l'avenir pendant que nous travaillons.

→ Exercices p. 86

¿Qué te gustaría hacer?

Dos hermanas, Lily y Lucy, le cuentan a un amigo sus proyectos y sueños.

Ir a la Tiendecita Blanca con Lily a tomar un helado y un pedazo de torta era una felicidad casi siempre empañada[1], ay, por la presencia de su hermana Lucy, con la que tenía yo que cargar[2] también en todas las salidas. [...]

5 Como, debido a la presencia de Lucy, resultaba difícil hablar con Lily de lo que me hubiera gustado[3], yo llevaba la conversación hacia temas anodinos: los planes para el futuro. [...] ¿Y a ellas, qué les gustaría ser, hacer, de grandes? Lucy, juiciosa[4], tenía objetivos muy precisos: "Ante todo terminar el colegio.
10 Después conseguir un buen puesto, tal vez en una tienda de discos, debe ser la mar de entretenido[5]". Lily pensaba en una agencia de turismo o una compañía de aviación, como azafata[6], si convencía a sus papás, así viajaría gratis por el mundo entero. O artista de cine, tal vez. Viajar, viajar, conocer todos los países
15 era lo que más le gustaría.

Mario Vargas Llosa (escritor peruano), *Travesuras de la niña mala*, 2007

1. *gâché* 2. *supporter* 3. *de ce que j'aurais aimé* 4. *pleine de bon sens* 5. *très amusant* 6. *hôtesse de l'air*

Tomando un helado

PALABRAS PARA DECIRLO

- atender (ie) a los clientes: *servir les clients*
- cuidar de: *s'occuper de*
- llevarse bien ≠ mal con alguien: *s'entendre bien ≠ mal avec quelqu'un*
- el novio: *le petit ami, le fiancé*

1 Lee y comenta

a. Explica las relaciones entre los tres protagonistas.
b. ¿Qué les gustaba hacer? (l. 1-2)
c. A Lucy le gustaría... mientras que a Lily...
d. Compara sus "planes para el futuro". (l. 7-15)

→ Cahier p. 34

2 Imagina

e. Explica por qué le gustaría a Lucy ser artista de cine. Piensa en otros argumentos.

Memoriza

→ Lengua p. 86

Le conditionnel

- Formation : verbe à l'infinitif + -*ía*, -*ías*, -*ía*, -*íamos*, -*íais*, -*ían*.

VIAJAR	DEBER	CONSEGUIR
viajaría	debería	conseguiría
viajarías	deberías	conseguirías
viajaría	debería	conseguiría
viajaríamos	deberíamos	conseguiríamos
viajaríais	deberíais	conseguiríais
viajarían	deberían	conseguirían

› ***Viajaría*** *gratis por el mundo.*

- Certains verbes subissent une modification du radical comme pour le futur : ***decir*** → *diría*, ***hacer*** → *haría*, ***poder*** → *podría*, ***tener*** → *tendría*, ***venir*** → *vendría*

Practica

Conjuga los verbos en condicional.

a. La joven (pensar) en oficios mientras que el chico (soñar) con cambiar de vida.
b. Los jóvenes (tener) que pensarlo bien.

→ Exercices p. 86

¡Y AHORA TÚ!

Tus planes para el futuro

Escribe tres frases sobre lo que harás en tu futuro.
Cuando termine mis estudios...

Los planes de tus compañeros

Pregunta a otro(a) alumno(a) lo que a él/ella le gustaría ser. Comparad vuestros planes para el futuro.

Comprensión escrita

Aprendiz de marinero

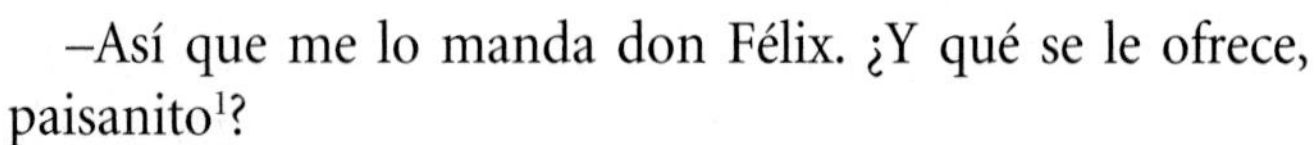

–Así que me lo manda don Félix. ¿Y qué se le ofrece, paisanito[1]?

Esa era la pregunta. Desde antes de salir de Santiago tenía preparado el discurso que pensaba soltarle al primer ballenero[2]
5 que encontrara[3], pero, sentado allí, frente a los dos hombres que comían en silencio, no encontraba la palabra.

–Que me lleven con ustedes. Por un tiempo corto. Por un viaje más.

El Vasco y don Pancho se miraron.

10 –Lo que hacemos no es juego, paisanito. Es trabajo duro. Y más que duro a veces.

–Lo sé. Tengo experiencia en la mar. Bueno. No mucha.

–¿Y cuántos años tiene, si se puede saber?

–Dieciséis. Pero voy para diecisiete.

15 –Mire. ¿Y no va a la escuela?

–Sí. Estoy aprovechando[4] las vacaciones de verano.

–Mire. ¿Y de dónde tiene experiencia?

–Navegué en el ESTRELLA DEL SUR. Bueno. Hice el viaje como pinche de cocina[5] entre Puerto Montt y Punta Arenas. [...]

20 –¿Y qué sabe hacer, paisanito?

–Sé cocinar. Bueno. Un poco. [...]

–Bueno. Vamos.

–¿Yo también? ¿Me llevan?

–Claro paisanito. Zarpamos[6] mañana temprano.

Luis Sepúlveda (escritor chileno), *Mundo del fin del mundo*, 1989

1. *compatriote*
2. *baleinier*
3. *je rencontrerais*
4. *je profite*
5. *commis de cuisine*
6. *On lève l'ancre*

Luis Bargalló Llurba (pintor español), *Pescadores en su barco*

¿Lo sabías?

Puerto Montt y **Punta Arenas** son dos puertos de Chile, uno de los países autorizados a pescar ballenas.

PALABRAS PARA DECIRLO

- contratar a alguien: *embaucher quelqu'un*
- el mareo: *le mal de mer*
- los marineros: *les marins*
- peligroso, a : *dangeureux, euse*

1 Lee y comenta

a. Indica quiénes son el Vasco y don Pancho. ¿Con quién están hablando?

b. ¿Qué les pide el joven? (l. 7-8)

c. Resume la situación personal del chico (edad, estudios, experiencia profesional). (l. 12-21)

d. ¿Cómo termina la conversación? ¿Está contratado? (l. 22-24)

→ *Cahier p. 35*

2 Imagina

e. "Lo que hacemos no es juego". Imagina por qué es duro este trabajo. Te puede ayudar el cuadro.

f. El chico vuelve a su casa y les cuenta a sus padres los momentos importantes de la conversación con los marineros. *Primero me preguntan..., después..., luego... Y continúa el chico: yo les pido que...*

Memoriza

→ Précis 38

***Preguntar* et *pedir* (demander)**

- **Pour poser une question → *preguntar***

› *Le **pregunta cuántos** años tiene.*

- **Pour supplier ou ordonner → *pedir* + *que* + subjonctif**

› *Les **pide que lo lleven**.*

Practica

Emplea el verbo *preguntar* o *pedir*.

a. El capitán le ... si sabe cocinar.

b. El joven le ... al ballenero que le explique el trabajo.

Carta a mi hija Mela

Tengo la mayor admiración por mi Mela. [...] Estoy feliz con su máster en NY. Eso es exactamente lo que le hubiera aconsejado[1]. El cine es su pasión y estoy ciento por ciento con ella en todo; pero ojo[2]: es muy importante que haga su doctorado. En el mundo de hoy, hasta para respirar se necesitan credenciales[3]. [...] Quisiera que mi Mela me prometiera que lo va a hacer, que va a buscar por Internet, que va a meterse en las páginas de Harvard, Stanford, Yale[4], etc. Y va a revisar[5] qué doctorados ofrecen, en lo que se le ocurra[6], lo que más la intrigue[7], historia, filosofía, arqueología, teología, que busque y sueñe y se entusiasme, y lo haga su misión personal. Yo sé que ella quiere trabajar, a todos nos pica el reto[8] de empezar a producir, a saber quiénes somos en realidad.

Ingrid Betancourt (escritora franco-colombiana), *Cartas a mamá desde el infierno*, 2007

1. *je lui aurais conseillé*
2. *attention*
3. *(ici)* diplomas
4. *universités américaines*
5. *(ici) vérifier*
6. *ce qui lui passe par la tête*
7. *(ici) ce qui l'attire le plus*
8. *tout le monde veut relever le défi*

Ingrid Betancourt con su hija

¿Lo sabías?

Ingrid Betancourt, ex candidata a la presidencia de Colombia, fue secuestrada durante 6 años en la selva y liberada en julio del 2008.

1 Lee y comenta

a. Esta carta de Ingrid a... trata...

b. ¿Qué le recomienda y le aconseja la madre a su hija? (l. 4-10)

c. Explica lo que representa el trabajo para Ingrid Betancourt. (l. 12-14)

→ *Cahier p. 36*

2 Imagina

d. Mela le cuenta a una amiga: "Mi madre me dijo que quería que yo..."

PALABRAS PARA DECIRLO

- cursar una carrera: *faire des études supérieures*
- el entusiasmo
- escoger un oficio: *choisir un métier*
- estar orgulloso, a de: *être fier/fière de*

Memoriza

→ Lengua p. 87

L'imparfait du subjonctif

Formation à partir de la 3e personne du pluriel du passé simple.

TRABAJAR	PROMETER	DECIDIR
trabajara	prometiera	decidiera
trabajaras	prometieras	decidieras
trabajara	prometiera	decidiera
trabajáramos	prometiéramos	decidiéramos
trabajarais	prometierais	decidierais
trabajaran	prometieran	decidieran

› *Quisiera que mi Mela me* ***prometiera***

Attention à la concordance des temps

Practica

Conjuga los verbos.

a. La madre le pedía a su hija que (entusiasmarse) y (escoger) una carrera. **b.** Le hablaba para que (buscar) por internet.

→ Exercices p. 87

¡Y AHORA TÚ!

Una entrevista de trabajo

Por parejas, imaginad la entrevista entre un empresario y un joven que busca un trabajo para el verano.

Escoger un oficio

Cuéntales a tus compañeros lo que sería necesario para escoger un oficio: *para mí sería necesario que yo..., que mis padres...*

Por vocación

Para mí, estudiar en la universidad es mucho más que aprender una profesión. Para mí, estudiar en la universidad es el medio de[1] poder realizar mi vocación y ser lo que siempre he querido. Por eso quiero formarme en una universidad diferente. Con profesores que no sólo hablen, sino que escuchen. Donde yo no sea sólo uno más entre la multitud. Donde los mejores recursos tecnológicos estén a mi disposición. En un entorno[2] único, donde la práctica sea tan importante como la teoría. Por eso, por vocación, mi elección[3] es la Universidad SEK.

Convenios para prácticas profesionales con más de 650 empresas.

TÍTULOS OFICIALES: • Arquitectura • Arquitectura Técnica • Biología Molecular y Ambiental • Periodismo • Turismo • Comunicación Audiovisual • Historia del Arte • Psicología • Ingeniería de Telecomunicación • Ingeniería Técnica de Telecomunicación (sonido e imagen)

DOCTORADO: • Cultura y Comunicación para la Sociedad de la Información

TÍTULOS PROPIOS: - Graduado Superior en Ciencias del Patrimonio - Tecnologías de la Informática - Diseño y Multimedia - - Máster en Gestión y Desarrollo de Recursos Humanos - Título Especialista Universitario en Sanidad Ambiental - - Máster en Creación y Gestión de Empresas de Turismo Rural, Deportivo y de Aventura - - Programa Senior de la Universidad SEK

Sede de Salamanca
Pº de Canalejas, 139-159. 37001 SALAMANCA
Teléfono y Fax: 923 215 802
usek.salamanca@sekmail.com

Campus de Santa Cruz la Real
C/ Cardenal Zúñiga, 12. 40003 SEGOVIA
Teléfono: 921 412 410 - Fax: 921 445 593
usek@usek.es

Sede de Palencia
Plaza de Juan XXIII, 6. 34005 PALENCIA
Teléfono y Fax: 979 750 702
usek.palencia@sekmail.com

UNIVERSIDAD SEK

En la práctica somos diferentes

Anuncio de la Universidad SEK

1. *le moyen de*
2. *un environnement*
3. *mon choix*

1 Mira

a. Este documento es... publicado por... y su objetivo es...

b. Describe brevemente las fotos y di a qué oficios corresponden.

2 Exprésate

c. Si ingresas en esta universidad, di qué diplomas prepararás.

d. Imagina cómo explican los estudiantes de las fotos su interés por los estudios.

3 Conversa

e. Un representante de la universidad viene a tu colegio para presentar las diferentes carreras. Imagina lo que dirá y lo que le preguntarán los alumnos.

PALABRAS PARA DECIRLO

- un(a) arquitecto, a: *un(e) architecte*
- una beca: *une bourse d'études*
- la carrera: *les études supérieures*
- hacer prácticas: *faire un stage*
- ingresar en: *entrer à, être inscrit(e) à*
- un(a) investigador(a): *un(e) chercheur, -euse*
- obras de arte: *des œuvres d'art*
- un(a) periodista: *un(e) journaliste*
- un(a) técnico, a: *un(e) technicien, -enne*

Memoriza

→ Précis 32

Les prépositions *por* et *para*

- ***Por*** **exprime la cause ou le motif, le déplacement ou le moyen, la manière.** ***Para*** **exprime la finalité, le point de vue.**

› ***Por*** *eso quiero formarme.*
› ***Por*** *vocación*
› ***Para*** *mí*

- **Attention : « c'est pour cela que... » =** ***es por eso por lo que...***

Practica

Traduce.

a. Pour eux, les jeunes font cette expérience par intérêt professionnel.

b. Je veux entrer dans cette école : c'est pour cela que je travaille beaucoup.

Se busca aficionado(a)

OFERTA DE EMPLEO

→ **Rafael Nadal-Tenista**
Busca aficionado(a) profesional para realizar tareas de comunicación entre Rafael y su afición[1].

Se requiere[2]:
- ser auténtico(a) fan de Rafael Nadal y del tenis,
- aptitudes comunicativas y de relación, carismático(a),
- disponibilidad para viajar con el equipo por todo el mundo.

Se ofrece:
- salario: 3.000€ brutos/mes
- viajes, hoteles, gastos pagados[3]

Interesados dirigirse a:
http://www.aficionadoprofesional.com

1. *ses fans*
2. *sont exigés*
3. *(ici) tous frais payés*

¿Lo sabías?

Rafael Nadal fue galardonado con el Premio Príncipe de Asturias 2008 de los Deportes.

1 Mira

a. Este documento es...

b. Rafael Nadal busca... y ofrece ...

2 Exprésate

c. Precisa cómo tienen que ser los candidatos a este puesto.

d. Enumera lo que tendrá que hacer la persona seleccionada.

e. Di cuánto ganará y lo que le resultará gratis.

3 Conversa

f. Llamas por teléfono para obtener más información sobre el puesto. Por parejas, imaginad la conversación telefónica.

PALABRAS PARA DECIRLO

- un(a) aficionado, a: *un(e) fan*
- el deporte: *le sport*
- ¡diga!, ¡dígame!: *allô !*
- estar dispuesto(a) a: *être prêt(e) pour/à*
- ganarse la vida + ger.: *gagner sa vie en*
- una oferta de empleo: *une offre d'emploi*
- ¡oiga!: *allô ! (qui est à l'appareil ?)*
- seleccionar: *recruter*
- ser capaz de: *être capable de*

¿Cómo se pronuncia?

L'accentuation

▶ Dans les mots se terminant par une consonne autre que ***n*** ou ***s***, l'accent tonique porte sur la voyelle de la **dernière syllabe**.

› *profesio**nal**, reali**zar**, disponibili**dad**, alrede**dor***

▶ **Escucha y repite.**

› *mun**dial**, apti**tud**, Rafa**el** Na**dal**, via**jar**, oportuni**dad**, espa**ñol***

¡Y AHORA TÚ!

Mi futuro profesional

Y a ti ¿qué diploma te interesaría preparar? ¿Dónde te gustaría estudiar?

Respondo a una oferta de empleo

Para responder a la oferta p.83 enumera tus aptitudes. Después precisa: *es por eso por lo que ...*

Rellenar una ficha de tutoría

Ficha de tutoría[1]

I ¿Qué profesión te gustaría tener?

En esta lista, señala los motivos que te corresponden:
- Es la profesión de mi padre o de alguien al que aprecio mucho.
- Para ganar mucho dinero.
- Mis padres dicen que es una profesión excelente.
- Creo que tengo las aptitudes que se requieren para esa profesión.

¿Por qué?

Me gustaría ser pianista por vocación y para ganar dinero, viajar, poder reunirme con famosos. La música es mi pasión y disfruto mucho con ella. Desde pequeño me gustaba y me sigue gustando.

¿Está de acuerdo con tus aptitudes y tu personalidad?

Creo que sí, ya que estudio el piano desde los 5 años; además toco el piano en la orquesta del colegio. Corresponde a mi personalidad porque soy muy abierto y me gusta mucho compartir sentimientos y emociones con los demás.

II Plan de acción

Para conseguirla, tendré que dar los siguientes pasos[2]:

- primero, el año que viene en el instituto:

Escogeré el bachillerato de artes y seguiré estudiando el piano. Para ser pianista, hay que ensayar mucho.

- luego, cuando termine el bachillerato:

Me gustaría cursar una carrera de Ingeniería en sonido, por ejemplo. Una formación técnica me resultaría útil. Por último, soñaría con pedir una beca para hacer un máster en una universidad muy famosa.

1. *fiche d'orientation*
2. *franchir les différentes étapes*

1 Lee el modelo

a. Di qué es este documento y para qué sirve.

b. A este chico ¿qué le gustaría ser de mayor? ¿Por qué?

c. Explica por qué le corresponde a él esta profesión.

d. Apunta lo que seguirá haciendo y lo que tendrá que hacer para triunfar.

2 Redacta tus propias respuestas a esta ficha

e. Indica una profesión que te gustaría.

f. Escoge en la lista las motivaciones de tu proyecto profesional.

g. Di si el proyecto corresponde a tu personalidad. Da ejemplos.

h. Acaba enumerando lo que necesitas para conseguir tu objetivo y las etapas que te quedan por realizar.

PALABRAS PARA DECIRLO

- aprobar (ue) un examen, oposiciones: *réussir un examen, un concours*
- cursar una carrera: *suivre des études universitaires*
- las optativas: *les options*
- resultar útil: *être utile*
- ser imprescindible = ser indispensable
- quedar por +inf.: *rester à + inf.*
- triunfar: *réussir*

Memoriza

→ Précis 29.A

***Seguir* + gérondif**

La forme progressive ***seguir*** + gérondif donne une idée de continuité à l'action.

› ***Seguiré estudiando*** *piano.* (Je continuerai d'apprendre le piano.)

› *Me* ***sigue gustando****.* (J'aime toujours.)

Practica

Pon los verbos en futuro empleando "seguir" + gerundio.

a. Yo (ensayar) todas las tardes.

b. Mis padres (apoyarme) sin criticarme.

Una niña con futuro

Fotogramas del vídeo

Fíjate bien

Di qué fotograma corresponde al campo y al contracampo. Explica lo que permiten ver estos planos.

PALABRAS DE CINE

- El **campo/contracampo** presenta dos planos opuestos de una misma escena.

1 Observa

a Presenta a los dos protagonistas.

b. Di dónde están al principio y al final.

2 Exprésate

c. En la primera secuencia, el hombre decide parar el ensayo. Explica por qué y cómo se siente.

d. Describe la reacción inmediata de la muchacha.

e. La niña decide pararlo para que... El profesor no quiere que la niña...

f. Cita lo que dice cada uno para convencer al otro.

g. Analiza la reacción del hombre al final.

3 Imagina

h. Imagina lo que harán los protagonistas después del concierto.

PALABRAS PARA DECIRLO

- aclarar = explicar
- el clarinete: *la clarinette*
- el director de orquesta: *le chef d'orchestre*
- (estar) emocionado, a: *(être) ému(e)*
- (estar) enfadado, a: *(être) fâché(e)*
- ensayar: *répéter*
- el ensayo: *la répétition*
- el éxito: *le succès*
- (estar) orgulloso, a: *(être) fier, fière*
- parar: *arrêter*
- el pelo largo y rizado: *les cheveux longs et frisés*
- por tu culpa: *par ta faute*

→ Autres exercices autocorrectifs CD-ROM

Le futur de l'indicatif

→ Précis 18.B, Conjugaisons p. 163, 165

- Formation pour la plupart des verbes : infinitif + terminaisons ***-é, -ás, -á, -emos, -éis, -án***. Tous les verbes ont la même terminaison au futur.

TRABAJAR	ASCENDER	PEDIR
trabajaré	ascenderé	pediré
trabajarás	ascenderás	pedirás
trabajará	ascenderá	pedirá
trabajaremos	ascenderemos	pediremos
trabajaréis	ascenderéis	pediréis
trabajarán	ascenderán	pedirán

- **Quelques futurs irréguliers**

Certains verbes subissent une modification du radical à toutes les personnes :

decir → *diré…*
haber → *habré…*
hacer → *haré…*
poder → *podré…*
poner → *pondré…*
querer → *querré…*
saber → *sabré…*
salir → *saldré…*
tener → *tendré…*
valer → *valdré…*
venir → *vendré…*

1 Conjuga los verbos en futuro.

a. Nosotros (desayunar) y (salir) de casa.
b. La chica (conseguir) su objetivo y (acertar).
c. Yo (tomar) un helado y (estar) contento.
d. Tú (hacer) el viaje con los pescadores y (aprender).
e. Vosotras (venir) a visitar la empresa y (hacer) prácticas.
f. Los profesores (aconsejaros) y (deciros) lo que no sabéis.
g. El año próximo, los alumnos (ingresar) en la universidad.

Cuando + subjonctif

→ Précis 26.A

Quand ***cuando*** introduit une subordonnée temporelle avec une idée de futur, le verbe se met au **subjonctif** en espagnol. Le verbe de la principale reste au futur.

futur dans la principale → ***cuando*** + **subjonctif** dans la subordonnée

Me iré *a Estados Unidos…* ***cuando consiga*** *encarrilar mi carrera.*

2 Conjuga los verbos en presente (indicativo o subjuntivo).

a. El joven ganará dinero cuando (trabajar).
b. Cuando (hacer) prácticas, la chica triunfará.
c. Vosotros aprendéis mucho cuando (hablar) de proyectos con otros jóvenes.
d. Ellos se entusiasmarán cuando (saberlo).
e. Tú estarás con tus amigos cuando (tener) tiempo.

Le conditionnel

→ Précis 19, Conjugaisons p. 163, 165

- Formation pour la plupart des verbes : **infinitif** + terminaisons ***ía, -ías, -ía, -íamos, -íais, -ían.*** Tous les verbes ont la même terminaison au conditionnel.

VIAJAR	DEBER	CONSEGUIR
viajaría	debería	conseguiría
viajarías	deberías	conseguirías
viajaría	debería	conseguiría
viajaríamos	deberíamos	conseguiríamos
viajaríais	deberíais	conseguiríais
viajarían	deberían	conseguirían

- Comme au futur, certains verbes subissent une modification du radical à toutes les personnes :

decir → *diría…*
haber → *habría…*
hacer → *haría…*
poder → *podría…*
poner → *pondría…*
saber → *sabría…*
salir → *saldría…*
tener → *tendría…*
valer → *valdría…*
venir → *vendría…*

- **Attention**, le conditionnel du verbe ***querer*** : *querría* est inusité. À la place, on utilise l'imparfait du subjonctif : ***quisiera***.

3 Conjuga los verbos en condicional.

a. Sabía que el hombre (decirle) que no tenía la edad para embarcarse.
b. Los chicos (hacer) el viaje durante las vacaciones.
c. Nosotros (tener) que buscar por internet.
d. Yo no (poder) contestarte y no (saber) qué decirte.
e. Vosotros (trabajar) con gusto en esta empresa.
f. Ellos no lo (obtener) fácilmente.

9 L'imparfait du subjonctif et la concordance des temps

→ *Précis 27, Conjugaisons p. 162-165*

L'imparfait du subjonctif

- L'imparfait du subjonctif se forme à partir de la 3e personne du pluriel du passé simple :

Passé simple	Imp. du subj.	Passé simple	Imp. du subj.	Passé simple	Imp. du subj.
EMPEZAR		OFRECER		ESCRIBIR	
empezaron ⟶	empezara empezaras empezara empezáramos empezarais empezaran	ofrecieron ⟶	ofreciera ofrecieras ofreciera ofreciéramos ofrecierais ofrecieran	escribieron ⟶	escribiera escribieras escribiera escribiéramos escribierais escribieran

- Il en va de même pour les **verbes irréguliers** au passé simple :
  estar → estuvieron → estuviera... **haber** → hubieron → hubiera... **hacer** → hicieron → hiciera...
  ir/ser → fueron → fuera... **tener** → tuvieron → tuviera... **poder** → pudieron → pudiera...

La concordance des temps

L'imparfait du subjonctif est d'un emploi courant car l'espagnol obéit à la règle de la **concordance des temps**.

Principale à l'indicatif		Subordonnée au subjonctif
présent futur passé composé	⟶	présent du subjonctif
imparfait plus-que-parfait passé simple conditionnel	⟶	imparfait/plus-que-parfait du sujonctif

4 Conjuga los verbos.

a. El estudiante quería que sus estudios (permitirle) conseguir una carrera. **b.** Para la madre, era importante que sus hijos (viajar) y (estudiar). **c.** Le pediste al capitán que (llevarte) para que (poder) aprender. **d.** Es normal que los padres (preocuparse) por el futuro de sus hijos. **e.** Me gustaría que vosotros (venir) conmigo. **f.** Quisiéramos que la gente (estar) de acuerdo. **g.** Mis profesores me decían que (estudiar) para que mis padres (estar) orgullosos.

TALLER DE LÉXICO

→ *Autre exercice autocorrectif* 

Cuando sea mayor...

a. Continúa la frase del título. Con la ayuda de los dibujos, escoge un oficio para ti y otro para tu mejor amigo(a).
b. Explica por qué te gustaría la profesión que has escogido para ti.
c. Explica por qué le gustaría a tu amigo(a) la profesión que has elegido para él/ella.

Periodista

Mecánico

Científica

Profesor

muy INTERESANTE

Carreras de excepción

Daniela Cott, de cartonera a modelo

Daniela tenía 15 años cuando una tarde, en una avenida de Buenos Aires, un busca talentos de la agencia de modelos[1] Haru Models, fascinado con sus grandes ojos verdes, le propuso formar parte de su agencia. Daniela era una de estos argentinos pobres – llamados cartoneros – que cada noche recorren[2] la capital en busca de cartón[3], papel y botellas, que luego reciclan y venden para ganarse la vida. Un año más tarde, Daniela ya ha hecho campañas publicitarias y ha debutado en las pasarelas[4]. Ahora sus planes son aprender su nuevo trabajo, viajar y ganar dinero suficiente para poder comprar una casa para su familia.

1. *agence de mannequins*
2. *parcourent*
3. *ramasser des cartons*
4. *les podiums (de défilé)*

La modelo, ex cartonera

¡A por el balón!

Messi, de pequeño a grande del fútbol

A los 11 años, el joven futbolista se sometió a un control médico rutinario para ingresar en el club de fútbol Atlético River Plate en Argentina, su país natal y se le diagnosticó un retraso en el crecimiento[1] pero, su humilde familia no podía pagar el tratamiento médico. Poco después, el padre de Lionel decidió emigrar a España. En septiembre de 2000, a los 13 años, visitó las instalaciones del FC Barcelona para hacer una prueba[2]. El entonces director técnico[3] quedó maravillado por el potencial del muchacho y decidió firmar un acuerdo por el cual el club azulgrana se comprometía a pagarle la totalidad de su tratamiento médico. Actualmente es una de las estrellas del FC Barcelona.

1. *retard de croissance*
2. *un test*
3. *le directeur technique de l'époque*

Para saber más: http://www.lionelmessi.org

Samira Brigüech, una mujer de valía

c Samira Brigüech, empresaria en un mundo de hombres

A sus 21 años esta chica de origen bereber[1], con sus papeles que por fin reconocían su nacionalidad española, dejó a su familia para emprender una nueva vida en Madrid. Montó su negocio de marketing y tuvo que luchar mucho. Hoy emplea a 35 personas y su nuevo proyecto es su Fundación Adelias para ayudar a los niños que padecen meningitis por no disponer de un simple antibiótico.

Para saber más:
http://www.samira.com

1. *berbère (Afrique du nord)*

d David Bisbal, de *Operación Triunfo* a triunfo internacional

Con cifras de ventas millonarias, fans en todo el mundo, David Bisbal, con sólo 30 años, es uno de los artistas latinos más famosos y más premiados[1] de su generación. Se dedica[2] profesionalmente a la música desde los 18 años. Su primer éxito fue llegar a ser finalista de la primera edición de *Operación Triunfo*[3] en España, lo que le permitió grabar su primer disco a los 23 años. Con la canción *Soldado de papel*, compuesta por él en su tercer álbum, ha mostrado su cara más humana y comprometida denunciando la utilización de niños soldados.

1. *primés*
2. *Il se consacre*
3. programa de televisión parecido a la *Star Academy*

Para saber más:
http://www.bisbalfanclub.com

David Bisbal en concierto

¿A ver si lo sabes?

1. Cita lo que le pasó a Daniela a los 15 años y lo que hace ahora. a
2. Di en qué es particular la carrera de Messi. b
3. Cuenta lo que hizo Samira a los 21 años y lo que planea para el futuro. c
4. Explica por qué David Bisbal es uno de los artistas latinos más famosos. d

Proyecto final

Juego de roles: dar argumentos a favor de una profesión para convencer a padres que están en contra.

→ Les anuncias a tus padres tu intención de ser cantante, jugador(a) de fútbol, modelo o empresario(a). Ellos no están de acuerdo. Interpretad la escena.

→ Primero, el/la hijo(a) expone sus planes a sus padres: dónde estudiaría, lo que haría.

→ Después, los padres preparan argumentos para intentar convencer al otro: *Quisiéramos que tú...*

→ El/la hijo(a) busca argumentos a favor de la profesión elegida: *Para mí...*

→ Los padres buscan argumentos en contra de estos planes: *Cuando seas cantante/jugador de fútbol....*

1 Mis planes

Objectif : Comprendre quelqu'un qui parle de ses projets.
Outils : Le futur, lexique des études et des métiers.

Escucha la grabación y contesta.

A1
1. Precisa de qué están hablando las dos chicas.
2. ¿Adónde irá una de las dos chicas el año que viene? ¿Y después?

A2
3. Di exactamente lo que hará para su formación.
4. Precisa cuál será su trabajo.

2 Lo que seré

Objectif : Comprendre un texte qui évoque des projets futurs.
Outils : Le futur, le verbe *preguntar, cuando* + subjonctif, le verbe *pedir,* la concordance des temps, lexique des métiers.

Aunque está en clase, la mente de Luisón está en otra parte. Luisón piensa: "Si al menos supiese lo que voy a hacer de mayor. Elvira quiere ser general. Miguel quiere ser cantante de rock." Le costó[1] toda una clase de matemáticas decidirlo. Aprovechando las aperturas de la puerta del pabellón que comunica con el patio, Luisón le dice a Jaime:
–De mayor seré jugador de fútbol americano.
–¿De qué? –Jaime no parece haber entendido bien.
–De fútbol americano –repite Luisón en voz alta para que todos le oigan.
–Para mi cumpleaños les voy a decir a mis padres que me regalen un casco protector. Es un juego muy duro. La cabeza tiene que estar bien protegida.
–¿De verdad? –le pregunta Jaime lleno de asombro.
Salen al patio. Jaime quiere saber más cosas, quiere que su amigo Luisón le cuente más cosas.

Alfredo Gómez Cerdá, *Luisón*, 1990

1. *(ici) Cela lui a pris*

Lee el texto y comenta.

A1
1. Di dónde está el protagonista y lo que está haciendo en realidad.
2. Cita los proyectos profesionales de sus amigos.

A2
3. Su decisión: ¿qué será Luisón de mayor?
4. Entonces, les pedirá a sus padres que...
5. Comenta las reacciones de su amigo Jaime.

3 Cuando yo pueda...

Objectif : Parler de son futur métier.
Outils : Le futur, le vocabulaire des métiers, *cuando* + subjonctif.

© Casterman

Sergio Salma, *Natalia ¡Todo el mundo al puente!*, 1997

A1
1. Presenta el documento (tipo, autor, título).
2. Di en qué trabajará esta niña cuando sea mayor.

A2
3. Explica para qué lo hará.
4. Por lo visto, a ella le preocupa...

4 Mis proyectos

Objectif : Rédiger quelques lignes sur ses projets professionnels.
Outils: Le futur, *cuando* + subjonctif, lexique des métiers, *se* (« on »).

Cuando sea mayor, seré fontanero[1] como Riky, el novio de Sabrina. Él me ha dicho que cuando cumpla dieciséis años me enseñará el oficio. Se gana mucho dinero de fontanero. Riky se ha comprado una moto fenomenal.

Alfredo Gómez Cerdá, *Apareció en mi ventana*, 2006

1. *plombier*

Escribe tus proyectos imitando el texto.

A2
1. Di lo que serás cuando seas mayor.
2. Precisa a qué edad empezarás tu formación.
3. Explica lo que se puede hacer con este oficio.

Unidad 6

Gentes por descubrir

Indios ecuatorianos

Je vais apprendre à... A1/A2

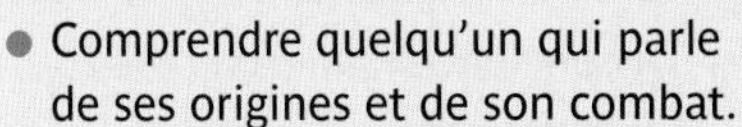

- Comprendre quelqu'un qui parle de ses origines et de son combat.

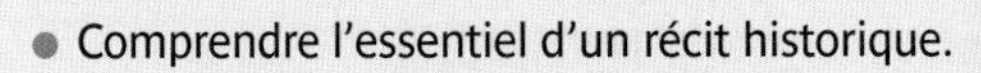

- Comprendre l'essentiel d'un récit historique.

- Comprendre des différences de cultures.
- Comprendre un texte évoquant des traditions.

- Repérer les informations d'une publicité pour en comprendre le message.
- Analyser la composition d'une peinture murale.

- Imaginer un dialogue entre personnes de cultures différentes.

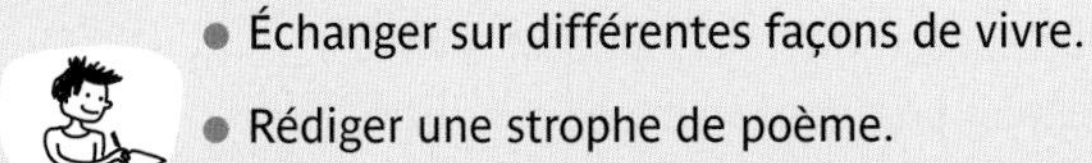

- Échanger sur différentes façons de vivre.
- Rédiger une strophe de poème.

Je vais utiliser...

- Le subjonctif dans les subordonnées
- Le futur d'hypothèse
- La cause avec *por* + infinitif
- Le gérondif
- Les comparatifs
- Les pronoms personnels compléments
- Les prépositions *a, de, con*

Mon projet final

→ Imaginer un vidéoclip à partir d'une chanson espagnole ou latino-américaine.

Rigoberta Menchú, maya y mujer

Rigoberta Menchú

¿Lo sabías?

Rigoberta Menchú recibió el premio Nobel de la Paz en 1992 por su lucha en defensa de los derechos de los indígenas por medios pacíficos.

1 Prepárate

a. Describe a la mujer de la foto.

2 Escucha

b. Precisa si se oye música **1.** de salsa **2.** de rock **3.** andina.

c. Apunta el origen de esta mujer.

d. Di lo que sufrió.

e. Ahora estas mujeres llegan a ser...

f. Indica por qué motivo se hizo este mensaje. Cita su objetivo.

g. Explica en qué consiste la discriminación de las mujeres indias. Da ejemplos.

→ *Cahier p. 39*

3 Exprésate

h. Escribe un eslogan a favor de la defensa de los derechos de la mujer india.

PALABRAS PARA DECIRLO

- el/la ciudadano, a : *le/la citoyen, -enne*
- concienciar: *faire prendre conscience*
- despreciar: *mépriser*
- el desprecio: *le mépris*
- un(a) diputado, a : *un(e) député(e)*
- ser iguales: *être égaux*
- luchar por/contra: *lutter pour/contre*
- la marginación: *la marginalisation*
- los mismos derechos: *les mêmes droits*

Memoriza

→ **Lengua p. 102**

L'expression de la cause

- La cause est introduite par la préposition ***por*** et par les locutions conjonctives ***porque*** et ***como***.
- ***Por*** + infinitif correspond à ***porque*** suivi d'un verbe conjugué.

› ***Por ser*** *maya y mujer (=* ***porque soy*** *maya y mujer.)*
› ***Por ser*** *mujeres (=* ***porque somos*** *mujeres.)*

Practica

Imita el modelo: *Soy hija de la miseria por ser mujer → ... porque soy mujer.*

a. Mis abuelos son diferentes por ser mayas.

b. Los blancos nos desprecian por considerarnos inferiores.

→ Exercices p. 102

Lo que debemos a Al-Ándalus

Contemplando la Alhambra de Granada

PALABRAS PARA DECIRLO

- la agricultura
- la arquitectura
- la convivencia: *la cohabitation*
- dejar huellas: *laisser des traces*
- la gastronomía
- heredar: *hériter*
- la herencia: *l'héritage*
- el mestizaje: *le métissage*
- un testimonio: *un témoignage*

1 Prepárate

a. Observa la foto. ¿Dónde fue sacada? ¿Qué representa?
b. Di qué cultura evoca la foto para ti.

2 Escucha

c. El tema de la entrevista es: **1.** la geografía de Andalucía
2. las huellas de Al-Ándalus en la España de hoy
3. la desaparición de Al-Ándalus.
d. Precisa cuánto tiempo duró Al-Ándalus en España.
e. Al-Ándalus fue un escenario de... y dejó un rico...
f. Apunta un monumento importante y tres ciudades que evoca la entrevista. Sitúalos en el mapa (p. II).
g. Cita cinco sectores en los que las huellas de Al-Ándalus siguen presentes hoy.

→ *Cahier p. 40*

3 Exprésate

h. El documento insiste en la importancia de la herencia de Al-Ándalus en España. ¿Conocías ese periodo histórico? ¿Qué has aprendido?

¿Lo sabías?

Los árabes invadieron España en 711 y fueron expulsados en 1492 por los Reyes Católicos. Terminó **la Reconquista** con la toma de Granada.

¿Cómo se pronuncia?

Les diphtongues

▶ C'est la voyelle forte (***a, e, o***) de la diphtongue qui porte l'accent tonique.
› *Realizaciones, huellas, cotidiana*

▶ **Escucha y repite.**
› *pueblo, oriente, aportaciones*

→ *Autre exercice autocorrectif*

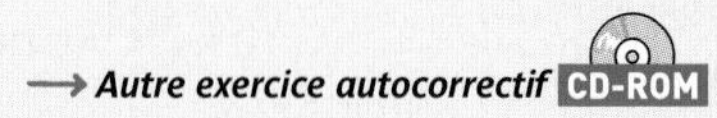

¡Y AHORA TÚ!

Derechos de menores

Escribe un eslogan por la defensa de los derechos de los niños.

Mi país multicultural

Da un ejemplo que ilustre la riqueza de culturas diferentes en tu país.

Balada gitana

CD classe

Llegó la niña gitana
Llegó la niña morena
La vi bailando descalza
Y fue cambiando mi vida entera.

5 Oí cantar a la luna
Y vi bailar a una estrella
Con un sonar[1] de guitarras
Con un repique de castañuelas[2].

Gitana de Andalucía
10 De labios color de amapola[3]
Me embrujas[4] con tu alegría
Y tu gracia española.

Se fue la niña gitana
Se fue la niña morena
15 Y yo la sigo buscando pues ya no puedo
Vivir sin ella.

Antonio Guijarro Campoy (autor español),
Letra de una canción, 1962

1. *des accords*
2. *un roulement de castagnettes*
3. *de coquelicot*
4. *Tu m'ensorcelles*

Bailaora gitana

1 Lee y comenta

a. Identifica el tipo de documento precisando su forma. Fíjate en las últimas sílabas de los versos, ¿qué notas?
b. Di quiénes son los dos protagonistas de la balada.
c. Haz el retrato físico del personaje femenino (estrofas 1 y 3) y explica lo que estaba haciendo (estrofas 2 y 4).
d. Precisa el momento de la escena justificando tu respuesta (estrofa 2).
e. Cuando vio a la niña, ¿qué le pasó al poeta? Apunta los versos que lo muestran.
f. ¿Qué pasó al final? (estrofa 4)

→ *Cahier p. 41*

2 Imagina

g. El poeta siguió buscando a la gitana. Por fin la encontró y le declaró su amor. Imagina lo que le dijo: "Yo te fui buscando y..."

PALABRAS PARA DECIRLO

- enamorarse: *tomber amoureux, -euse*
- estar desesperado, a: *être désespéré(e)*
- estar enamorado, a: *être amoureux, -euse*
- un flechazo: *un coup de foudre*
- tocar la guitarra: *jouer de la guitare*
- tocar las palmas: *taper dans les mains*

Memoriza

→ Lengua p. 103

Formation et valeurs du gérondif

- **Formation**
- pour les verbes en **-ar** → **-ando**
- pour les verbes en **-er, -ir** → **-iendo**

Attention :
leer → **leyendo** venir → **viniendo**
ir → **yendo** servir → **sirviendo**

- **Valeurs**
- le gérondif exprime une action.
› ***La vi bailando.***
- le gérondif se trouve dans la forme progressive après les verbes ***estar/ir/seguir***.
› ***Fue cambiando*** *mi vida,* ***la sigo buscando.***

Practica

Pon los verbos en la forma progresiva.

a. El gitano tocó la guitarra toda la noche. **b.** Oímos las guitarras y las palmas.

→ Exercices p. 103

Un viaje por el Amazonas

CD classe

Un día, Clever nos llevó en canoa de motor a una aldea[1] de indios boras, en las márgenes del río Nanay. Allí coincidimos con un numeroso grupo de turistas norteamericanos, quizás unos veinte.

5 La aldea la formaban media docena de chozas de paja[2]. Los indios y las indias vestían tejidos con corteza[3] de árbol, adornaban sus mejillas con pinturas de diversos colores y portaban sobre las cabezas vistosos penachos[4] de plumas. Un guía explicaba a los americanos las costumbres de los 10 boras. Luego, los indios comenzaron a cantar y nos invitaron a todos los turistas a danzar con ellos. [...]

Cuando terminó el baile, los indígenas comenzaron a vender artesanías. Sólo aceptaban dólares. [...] Me fijé en que, en la boca de una de las indias, brillaba una prótesis de 15 oro. Un bebé llevaba unos pañales desechables[5] como los que se venden en los supermercados europeos y en las farmacias más modernas de Iquitos[6]. Se lo hicimos notar a Clever.

–Bueno, ya saben... Estos indios viven cerca de la ciudad, pero, ¿por qué no van a tener comodidades como todo el 20 mundo, si tienen dinero para pagárselas? [...]

–O sea, que en Iquitos, de tribus salvajes, nada.

Javier Reverte (escritor español), *El Río de la desolación*, 2004

1. *un village*
2. *des huttes en paille*
3. *écorce*
4. *panaches*
5. *des couches jetables*
6. ciudad peruana

Vendiendo artisanía indígena en Perú

PALABRAS PARA DECIRLO

- el aislamiento: *l'isolement*
- aunque = a pesar de que + ind.: *bien que*
- darse cuenta de que: *se rendre compte que*
- estar aislado, a: *être isolé(e)*
- estar sorprendido, a: *être surpris(e)*
- la sociedad de consumo: *la société de consommation*

1 Lee y comenta

a. Enumera a los diferentes protagonistas del documento.

b. En el texto aparecen diferentes grupos: clasifícalos y descríbelos. ¿Qué deduces? También hay muchos contrastes. ¿Cuáles son? (l. 4-5)

c. Fíjate en los lugares evocados y enuméralos. Di de qué región se trata y localízala en un mapa. (l. 6-11)

d. Precisa lo que hicieron los indios durante la visita. (l. 10-13).

e. Di lo que descubrió Javier Reverte al final de la excursión. (l. 13-21)

→ *Cahier p. 41*

2 Imagina

f. Imagina el diálogo entre Clever y Javier Reverte.

Memoriza

→ Précis 15. B

Les pronoms personnels compléments sans préposition

- Lorsque deux pronoms personnels compléments sans préposition se suivent, c'est toujours le pronom indirect qui précède le pronom direct, avec ou sans enclise.
- Lorsqu'un pronom indirect de 3e personne, ***le*** ou ***les***, se trouve devant un pronom direct de 3e personne, il se change en ***se***.
  › ***Se lo*** *hicimos notar.*
  › *Para pagár**selas**.*

Practica

Traduce.

a. Quand je l'ai vu, je le lui ai dit.

b. Les touristes venaient pour voir la danse : les indiens voulaient la leur montrer.

¡Y AHORA TÚ!

Alguien a quien quieres se fue

Imitando el poema, escribe una estrofa expresando tu desesperación (usa formas progresivas con *estar/ir* o *seguir* + ger.).

Un buen negocio

Interpretad una escena en una tienda. Por parejas, uno hace de vendedor y el otro de comprador.

Contrastes en Bolivia

CD classe

Querida Bea:

La Paz es una ciudad horrible donde todo anda mezclado[1], hasta el clima. Pasas calor al sol y frío a la sombra. Ves un edificio lujoso junto a otro casi en ruinas, un autobús desvencijado junto a una Toyota todo terreno resplandeciente, una señora fina junto a un pobre, y todo así. Es un jaleo de ruidos[2], olores, colores, gentes y coches, que aquí ni siquiera se llaman coches , sino movilidades. ¡Qué palabra más boba[3]!

Hay gente que no es como nosotros. Tienen otro color, la cara hecha de otra forma[...], visten diferente, miran distinto[4], hablan distinto... Son los indios aymaras y quechuas, la gente que estaba aquí antes de que llegaran los españoles.[...]

En Bolivia la mitad de la población es indígena, figúrate el plan[5]. Y la mayoría de los indígenas son pobres.[...] ¡Y qué pobres! Aquí, como está tan alto, por lo visto el aire es más ligero y lleva menos oxígeno. Por eso, cuando subes cuestas, te cansas mogollón[6] y el corazón te late como loco.[...]

Bueno, ya me despido. Cuéntame cosas de la clase.[...]

María

Paloma Bordons (escritora española), *La tierra de las papas*, 1996

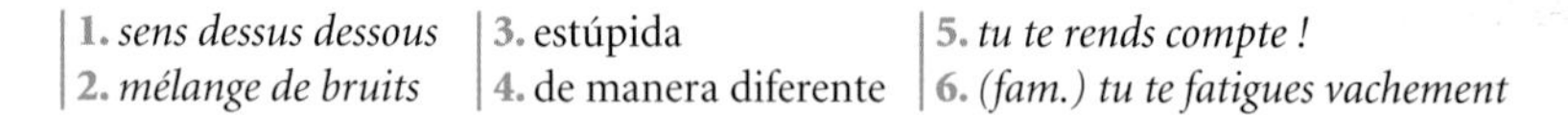

1. *sens dessus dessous*
2. *mélange de bruits*
3. estúpida
4. de manera diferente
5. *tu te rends compte !*
6. *(fam.) tu te fatigues vachement*

En una plaza de La Paz

PALABRAS PARA DECIRLO

- el barrio: *le quartier*
- las diferencias sociales, raciales
- distinto, a = diferente
- en cambio: *en revanche*
- la mezcla: *le mélange*
- la piel: *la peau*
- la pobreza ≠ la riqueza

1 Lee y comenta

a. Precisa el tipo de documento.
b. Di en qué país está La Paz.
c. Clasifica todos los contrastes de La Paz. (l. 1-10)
d. Explica quiénes son los aymaras y los quechuas. (l. 13-15)
e. Di cómo es el aire en La Paz y qué provoca.

→ *Cahier p. 42*

2 Imagina

f. María termina su carta con "cuéntame cosas de la clase". Imagina lo que quiere saber.
g. ¿A María le gusta La Paz? Da tu opinión argumentando.

Memoriza

→ Précis 30

1 *Ni siquiera* (même pas)

La locution négative ***ni siquiera*** permet d'accentuer la négation.
› ***Ni siquiera*** *se llaman coches.*

2 L'emploi de *sino* (mais)

Dans une phrase négative commençant par ***no, ni, ni siquiera, nada, nunca, nadie, ninguno, jamás*** on traduit « mais » par ***sino***.
› ***Ni siquiera*** *se llaman coches* ***sino*** *movilidades.*

Practica

1. Traduce.

a. La ville n'est même pas jolie.
b. Tu ne peux même pas respirer.

2. Emplea *pero* o *sino*.

a. Los indios son numerosos… son pobres.
b. No es un clima agradable … un clima difícil de soportar.

Balada de los dos abuelos

Sombras[1] que sólo yo veo,
me escoltan[2] mis dos abuelos.

Lanza con punta de hueso[3],
tambor de cuero y madera[4]:
5 mi abuelo negro.
Gorguera en el cuello ancho[5],
gris armadura guerrera:
mi abuelo blanco.

África de selvas húmedas
10 Y de gordos gongos[6] sonoros...
–¡Me muero!
(Dice mi abuelo negro.)
Aguaprieta[7] de caimanes,
Verdes mañanas de cocos...
15 –¡Me canso!
(Dice mi abuelo blanco.)

Nicolás Guillén (poeta cubano),
Sóngoro cosongo, 1952

1. *Des ombres*
2. *m'escortent*
3. *pointe d'os*
4. *tambour en cuir et bois*
5. *une fraise (collerette en dentelle) autour du cou*
6. *tambours*
7. *Eaux remplies de*

Cubanos en bici por La Habana

¿Lo sabías?

Los mestizos y mulatos representan la cuarta parte de la población cubana.

1 Lee y comenta

a. Di de qué tipo de documento se trata.
b. En la primera estrofa el poeta habla de... (v. 1-2)
c. Cita les elementos característicos de cada uno de sus abuelos. (2ª estrofa)
d. Lee en voz alta el verso 10 ¿Qué notas?
e. Muestra cómo explica el poeta el mestizaje en Cuba.

→ *Cahier p. 43*

PALABRAS PARA DECIRLO

- los antepasados: *les ancêtres*
- los conquistadores/la Conquista
- los esclavos: *les esclaves*
- mestizo, a: *métis(-se)*
- mezclar: *mélanger*
- las raíces (la raíz): *les racines*
- los ruidos: *les bruits*

2 Imagina

f. Imagina otro contraste u oposición entre los dos abuelos.
g. También sus abuelos tenían puntos comunes. Imagina algunos.

Memoriza

→ **Précis 32.B, C**

Les prépositions *de* et *con*

- La préposition ***de***, qui caractérise, peut ne pas être répétée en espagnol.
  › *Tambor* ***de cuero y madera***
  › *África* ***de selvas húmedas y de gordos gongos sonoros***
- La préposition ***con*** est employée lorsque cette caractérisation ne présente pas un caractère systématique.
  › *Lanza* ***con punta de hueso***

Practica

Emplea *de* o *con*.

a. Las armaduras ... acero daban miedo.
b. Descubrieron ríos ... caimanes.

¡Y AHORA TÚ!

Los contrastes en mi ciudad

Seguro que en tu ciudad también existen contrastes y diferencias. Haz una lista.

Mis raíces

Habla de las raíces de tu familia.

Con los inmigrantes

1 Mira

a. Identifica el documento. ¿Qué organismo lo patrocina? ¿De qué trata?

b. Describe su composición. Di lo que te llama la atención.

2 Exprésate

c. Presenta a las diferentes personas de las fotos.

d. Precisa su identidad, sus relaciones y lo que buscan.

e. Fíjate en el texto informativo. ¿Qué expresiones se repiten? ¿Para qué?

f. Di lo que quiere mostrar esta campaña y de qué manera.

g. Para ti, ¿qué forman todas estas personas juntas?

3 Conversa

h. Mirta entrevista a Carmen para un empleo de canguro. Imagina la conversación con tu compañero(a).

PALABRAS PARA DECIRLO

- una cadena: *une chaîne*
- un(a) canguro, a: *un(e) baby-sitter*
- la diversidad: *la diversité*
- la inmigración
- intercambiar: *échanger*
- un minusválido: *un handicapé*
- necesitar: *avoir besoin de*
- patrocinar: *sponsoriser*
- ser imprescindible = ser indispensable

¿Lo sabías?

Según la OCDE, España es el país de Europa con mayor porcentaje de inmigrantes y el segundo del mundo, después de Estados Unidos. Se trata de una inmigración reciente.

Memoriza

→ Lengua p. 102

1 Le subjonctif dans les propositions subordonnées

On emploie le subjonctif après des verbes qui expriment un sentiment, une volonté, une demande.

› ***Necesita que cuide** a su padre, **que recoja** a su hijo.*

2 L'emploi de la préposition *a*

La préposition ***a*** précède un complément d'objet lorsque celui-ci est une personne. Lorsque le complément d'objet évoque une fonction, la préposition ***a*** n'a pas lieu d'être.

› *Cuide **a** su padre, recoja **a** su hijo.*

› *Necesita un cocinero.*

Practica

1. Completa con el subjuntivo.

a. Necesito que tú (coger) el autobús a las 5.

b. Es necesario que vosotros (cuidar) a vuestros abuelos.

2. Pon la preposición *a* cuando sea necesaria.

a. El ministerio protege ... los inmigrantes.

b. Se busca ... un ayudante.

→ Exercices p. 102

Mural boliviano

Una pirámide humana

¿Lo sabías?

El muralismo es una corriente artística del siglo XX que consiste en valorar lo nacional a través de pinturas gigantescas en los muros y contar la historia de los pueblos latinoamericanos.

1 Mira

a. Este documento es... **b.** Se puede ver en...

2 Exprésate

c. Cita los diferentes orígenes de estas personas.

d. Describe a cada persona pintada (edad, sexo, aspecto...). Abajo... en el centro... arriba...

e. Di qué forma geométrica forman las líneas de este cuadro. ¿Qué significará?

3 Conversa

f. Con la ayuda del mural describe a tus compañeros la ropa tradicional de algunos países de América Latina. Puedes conectarte a www.padreshispanos.com/tag/traje.

PALABRAS PARA DECIRLO

- bordado, a: *brodé(e)*
- con/sin flecos: *avec/sans franges*
- una forma piramidal
- el gorro: *le bonnet*
- la manta/el poncho: *le poncho*
- el origen: *l'origine*
- la ropa tradicional: *les vêtements traditionnels*
- un sombrero hongo: *un chapeau melon*
- las trenzas: *les tresses*

Memoriza

→ Lengua p. 103

Le futur d'hypothèse

Le futur de l'indicatif est aussi utilisé pour exprimer l'hypothèse, la supposition.

› *¿Qué **significará** este cuadro?* (Que peut bien vouloir dire ce tableau ?)

Practica

Imita el modelo. ***Puede que a la señora le guste su pueblo.*** **→ *A la señora le gustará su pueblo.***

a. Puede que este mural represente una acumulación de orígenes diferentes. **b.** Puede que la ropa sea la ropa tradicional de los indígenas.

→ Exercices p. 103

¡Y AHORA TÚ!

Mi cartel publicitario

En grupos de tres alumnos, realizad un cartel publicitario en forma de cadena sobre la tolerancia entre jóvenes de diferentes culturas.

La ropa tradicional de los indios

Describe a tus compañeros la ropa tradicional de un país que conoces.

Escribir una poesía

Estribillo
Guantanamera[1]
Guajira, Guantanamera

Yo soy un hombre sincero
De donde crece la palma[2]
5 Yo soy un hombre sincero
De donde crece la palma
Y antes de morirme quiero
Echar mis versos del alma[3]

Con los pobres de la tierra
10 Quiero yo mi suerte[4] echar
Con los pobres de la tierra
Quiero yo mi suerte echar
El arroyo de la sierra
Me complace más que el mar.

José Martí (escritor cubano),
Versos Sencillos, 1895

1. de la región de Guantánamo, parte oriental de Cuba
2. *là où pousse le palmier*
3. *l'âme*
4. mi destino

Playa en Cuba

PALABRAS PARA DECIRLO

- dedicar: *dédier*
- el entorno: *l'environnement*
- el estribillo: *le refrain*
- un(a) guajiro, a: *un(e) paysan(ne) cubain(e)*
- un octosílabo = verso de ocho sílabas

1 Lee el modelo

a. Di quién es el poeta y a quién se dirige.
b. Comenta la forma del poema (estrofas, versos, rimas).
c. Di cómo se presenta el poeta. (v. 3)
d. ¿Qué elemento caracteriza su entorno? ¿De dónde viene? (v. 4)
e. Explica con quién se une y por qué.

2 Escribe un poema

f. Imagina a quién te diriges o a quién dedicas tu poema. Será el título.
g. Imagina que eres un(a) chico(a) de un barrio/un pueblo/una ciudad, un continente en particular.
h. ¿De dónde eres? Da las características de tu barrio, pueblo, ciudad, continente en la estrofa.
i. ¿Quién eres? Preséntate en una estrofa de 4 octosílabos (rimas en o / a /o / a).

Memoriza

→ Lengua p. 102

Les comparatifs

- Les comparatifs permettent d'établir des rapports :
  - de supériorité avec ***más... que***
  - d'infériorité avec ***menos... que***
  - d'égalité avec ***tanto... como***.
  › *El arroyo de la sierra me complace **más que** el mar.*
- Devant un adjectif, ***tanto*** s'apocope en ***tan***.
  › *Pedro es **tan rápido como** Juan.*

Practica

Completa con el comparativo adecuado.

a. El poeta es ... sensible ... los otros hombres.
b. El estribillo es … importante … el resto del poema.

→ Exercices p. 102

Romería

Una romería en España

Fotogramas del vídeo

Fíjate bien

Observa los fotogramas A y B y apunta las diferencias. Di cómo se llama el dispositivo que permite pasar de la primera a la segunda imagen.

PALABRAS DE CINE

- **El zoom (adelante o atrás)**: la imagen se acerca o se aleja (la cámara no se mueve) gracias a un dispositivo óptico.

1 Observa

a. Fíjate en la foto y describe a las personas.

b. Di dónde estarán y lo que estarán haciendo.

2 Exprésate

c. Cita los diferentes medios de transportes utilizados.

d. El zoom adelante nos permite acercarnos a una de estas personas. Explica quién es y cuál es su papel. También te ayudará lo que dice Paco en la entrevista.

e. Fíjate en la banda sonora y haz la lista de lo que reconoces.

f. Di cómo se termina la procesión.

3 Imagina

g. Una amiga andaluza te invitó a la romería. Cuenta esta experiencia a tus compañeros. Precisa cómo ibas vestido(a) y todo lo que oíste y viste.

PALABRAS PARA DECIRLO

- andando: *à pied*
- las campanillas: *les clochettes*
- una chaquetilla corta: *une veste courte*
- los coches de caballo: *les calèches*
- una ermita: *(ici) une chapelle*
- con lunares o estampado: *à pois ou imprimé*
- el mantón: *le châle*
- una romería: *un pélerinage*
- la pandereta: *le tambourin*
- el traje de gitana o traje de flamenca: *la robe traditionnelle de la femme andalouse*

→ Autres exercices autocorrectifs 

L'emploi du subjonctif dans les propositions complétives → Précis 20

Le présent du subjonctif des verbes *ir, ser, ver*

IR	SER	VER
vaya	sea	vea
vayas	seas	veas
vaya	sea	vea
vayamos	seamos	veamos
vayáis	seáis	veáis
vayan	sean	vean

Le choix du mode subjonctif dans une proposition complétive met en évidence une action qui s'inscrit dans un devenir. C'est ainsi que le verbe de la complétive se met au subjonctif après :
- les verbes de demande comme ***pedir***
- de conseil comme ***aconsejar***
- de prière comme ***rogar***
- d'expression de besoin comme ***necesitar***
- de volonté comme ***querer***
- et des expressions comme ***es normal /interesante /indispensable/...***

› ***Necesita que cuide** a su padre, **que recoja** a su hijo.*
› ***Es normal que** las mujeres **tengan** derechos.*
› *La periodista le **pide** a la experta **que hable** de Al-Ándalus.*

1 Conjuga los verbos entre paréntesis.

a. El chico le ruega a la gitana que (bailar).
b. Los indios quieren que sus hijos (vivir) como en la ciudad.
c. Es indispensable que los museos (conservar) objetos culturales.
d. Los indios necesitan que los turistas (respetar) el entorno.
e. Nosotros pedimos que los otros (respetarnos).
f. No quieres que ellos (disimularse).
g. Es normal que vosotros (tener) derechos.
h. Te aconsejo que (imitarlos).

L'expression de la cause : *por* + infinitif → Précis 32.F

La préposition ***por*** peut introduire une proposition infinitive exprimant la cause. Elle équivaut à une proposition subordonnée de cause.
› *Soy hija de la miseria **por ser maya y mujer**.*
(…porque soy maya y mujer).

2 Forma subordinadas causales.

a. Por ser la gitana muy bella, el joven se enamoró de ella.
b. Acuden muchos turistas por ser la región muy bella.
c. Queremos irnos por ser muy fea la ciudad.
d. Los indios usan pinturas por ser una tradición.

Les comparatifs → Précis 11

- La comparaison peut s'appliquer à des adjectifs, des noms, des propositions. Elle peut établir des rapports :
  - de supériorité avec ***más ... que***
  - d'infériorité avec ***menos ... que***
  - d'égalité avec ***tanto ... como***

  › *El arroyo de la sierra me complace **más que** el mar.*
- Devant un adjectif, ***tanto*** s'apocope en ***tan***. → *Pedro es **tan rápido como** Juan.*

3 Completa cada frase con los tres comparativos.

a. A los turistas les gusta … hablar con los indios … ver sus tradiciones.
b. Juan es ... inteligente ... Pedro.
c. Los guías conocen ... a los indios ... a los turistas.
d. El joven está ... enamorado ... desilusionado.

Les pronoms personnels compléments → Précis 15.B

Les pronoms personnels compléments non introduits par une préposition

COD	COI	Réfléchi
me	me	
te	te	
lo, la	le	se
nos	nos	
os	os	
los, las	les	se

4 Imita el modelo.
Descubro la pintura. → La descubro

a. Los chicos admiran el monumento.
b. Un guía explica las costumbres.
c. Vemos muchos contrastes.
d. Conocen muy bien la selva.

Le futur d'hypothèse
→ Précis 18.B

- Le futur de l'indicatif peut indiquer une action en devenir mais il peut également exprimer l'hypothèse, la supposition.
- Tous les verbes ont la même terminaison au futur. Pour la plupart des verbes, cette terminaison s'ajoute à l'infinitif : verbe à l'infinitif + *-é, -ás, -á, -emos, -éis, -án*.
- Certains verbes subissent une **modification du radical**:
  decir: diré... **poner:** pondré...
  hacer: haré... **tener:** tendré...
  poder: podré... **venir:** vendré...

BAILAR	SER	IR
bailaré	seré	iré
bailarás	serás	irás
bailará	será	irá
bailaremos	seremos	iremos
bailaréis	seréis	iréis
bailarán	serán	irán

› *¿Qué* **significará** *este cuadro?* (Que peut bien vouloir dire ce tableau ?)

5 **Imita el modelo.** ***Puede que este hombre no diga la verdad. → Este hombre no dirá la verdad.***

a. Puede que tengan razón.
b. Puede que sea difícil obtener estos derechos.
c. Puede que los indios estén contentos.
d. Puede que se oiga cantar desde aquí.

Le gérondif
→ Précis 23

Formation du gérondif

Verbes en *-ar* → gérondif en *-ando*
Verbes en *-er, -ir* → gérondif en *-iendo*

- Lorsque le « i » de *-iendo* se trouve entre deux voyelles, c'est-à-dire lorsque le radical se termine par une voyelle, le « i » se change en « y » : **leer** → leyendo.
- Attention également aux gérondifs de certains verbes :
  ir: yendo **poder:** pudiendo **servir:** sirviendo
  pedir: pidiendo **sentir:** sitiendo **venir:** viniendo

Emplois du gérondif

- Le gérondif peut exprimer une action : ***La vi bailando.***
- Il peut se trouver dans la forme progressive après les verbes ***estar/ir/seguir***.
  › ***Fue cambiando*** *mi vida,* ***la sigo buscando.***

6 **Imita el modelo.** ***Le hablo. → Le estoy hablando.*** **(u otra forma progresiva)**

a. La gitana bailaba y yo la miraba.
b. El guía nos explicó las tradiciones de los indios.
c. Subimos las cuestas.
d. Cuidáis a vuestros abuelos porque os necesitan.

TALLER DE LÉXICO
→ *Autre exercice autocorrectif* CD-ROM

Recuerdos de viajes

Di lo que se comprarán estos jóvenes cuando vayan de viaje a los países latinoamericanos indicados.
› *Cuando vaya a ..., me compraré un ...*

México

Bolivia

muy INTERESANTE

Pueblos, gentes y músicas hispanas

CD classe

En el mundo hispánico, los países, la gente, las culturas son muy diferentes y representan la riqueza hispana. También son muy diversos los géneros musicales según la geografía, la historia, los pueblos y sus orígenes. Así tenemos flamenco en España, salsa en Cuba, tango en Argentina que son los más famosos. Hoy vas a descubrirlos con también otros tipos musicales menos conocidos... Lee, escucha y disfruta...

El flamenco andaluz

¡Hola!
Me llamo Paco, soy andaluz y cantaor de flamenco. El flamenco es un arte con música y baile. En la música el cante y la guitarra son fundamentales pero existen también la percusión y las palmas. Los dos estilos que más me gustan son el cante jondo (triste, profundo) con las siguiriyas y las soleás y el cante festero (alegre, festivo) con las sevillanas y las bulerías. Las influencias son muy diversas: griega, romana, judía, musulmana y por supuesto gitana.

CD classe *Bulería*, Al-Ándalus

Un grupo de flamenco ensayando

La música celta

¡Hola!
Soy Ana, de Valladolid, y soy fan de tres grupos españoles de música celta. Son *Celtas Cortos, El Sueño de Morfeo* y *Mägo de Oz*. ¿Conoces la música celta? Llamamos música celta a la música folk tradicional, popular y actual de las poblaciones de lengua celta del oeste de Europa: Irlanda, Escocia, Gales, Bretaña y en España las regiones de Galicia y Asturias. Los instrumentos básicos son la gaita[1], el violín, la flauta travesera irlandesa. Existen muchos festivales (como el de Avilés, en Asturias, o el de Ortigueira, en Galicia).

1. *instrument de musique à vent ressemblant à la cornemuse*

CD classe *Auganova*, Milladoiro

Una gaita

El grupo Mägo de Oz en concierto

Un grupo de salsa en La Habana

La salsa

¡Hola!
Me llamo Celia y soy cubana, de Santiago de Cuba. A mí me gusta la salsa. En los años 70 se denominó por primera vez "salsa" a la música de origen caribeño.
Esa música remonta a la conquista de América cuando los conquistadores trajeron esclavos africanos a Cuba y a las islas del Caribe. Luego con la inmigración de los cubanos y puertorriqueños a Estados Unidos y la aparición del jazz la llamaron "jazz latino" y por fin "salsa".

CD classe *Moliendo café*, Manzo

Un grupo de música andina con algunos instrumentos típicos

La música andina

¡Hola!
Soy Jaime, soy peruano y músico. Con mi grupo cantamos música andina, de nuestro país. Se interpreta con instrumentos muy característicos como la zampoña[1], la quena[2], el charango[3] y el bombo[4]. En otros lugares utilizamos la guitarra, el requinto que es una pequeña guitarra. Algunos grupos, chilenos al principio, conocieron cierto éxito internacional como los Quilapayún, o Inti-Illimani. Seguro que conoces *El Cóndor pasa*.

CD classe *El Cóndor pasa*, Los Koyas

1. *instrument à vent*
2. *flûte des Andes*
3. *instrument à cordes*
4. *sorte de tambour*

¿A ver si lo sabes?

1. Di qué influencias tiene el flamenco. a
2. ¿En qué regiones de España particularmente solemos escuchar música celta? ¿Por qué? b
3. Explica los orígenes de la salsa. c
4. Precisa en qué parte del mundo se suele interpretar la música andina. d

Páginas Web que puedes consultar
http://www.salsaspain.com
http://pacoweb.net/index2.html
http://www.red2000.com/spain/flamenco/1index.html

Proyecto final

Imaginad un videoclip a partir de una música española o latinoamericana.

Trabajad en grupos de 3 ó 4.

- Seleccionad una música de esta página y/o leed la letra de la canción que os dará vuestro profesor.
- Redactad una historia con diferentes etapas describiendo a los personajes, los lugares y los planos. *La escena pasará en... Es posible que los personajes...*
- Imaginad o dibujad los diferentes decorados. *Los decorados servirían para... indicarían...*
- Presentad el *story board* a la clase con la música. *Pues escucharéis..., descubriréis..., veréis...*

1 Artistas gitanos

Objectif : Comprendre un texte qui parle du monde gitan.
Outils : Les pronoms compléments, la complétive au subjonctif, le prétérit.

Escucha y contesta.

A1
1. Precisa dónde están las dos mujeres y la profesión de cada una.
2. Una de las dos acababa de recibir una carta **a.** en español **b.** en francés **c.** en inglés.

A2
3. Di quién le escribía esta carta y para qué.
4. Apunta su reacción al leer la carta.
5. Explica la influencia de su entorno familiar y social en su vida actual.

2 Eso es El Alto

Objectif : Comprendre un texte qui évoque différents types de population.
Outils : Le gérondif, la forme progressive, les comparatifs, le lexique des types humains.

"Eso es El Alto –el padre señaló las casuchas[1]–. En realidad es una ciudad aparte de la Paz, donde vive le gente humilde, indios y mestizos pobres. Allí arriba en muchos sitios no hay calles, ni electricidad, ni agua... Cada día llega a El Alto más gente del campo buscando trabajo. En cuanto pueden, se levantan una casa con sus propias manos.[...] Y El Alto va creciendo[2] a toda pastilla[3]. En cambio La Paz, donde viven los blancos y los mestizos con dinero, va creciendo despacito en su hoyo[4]."

Paloma Bordons, *La tierra de las papas*, 1996

1. *les baraques*
2. *s'agrandit*
3. (fam.) rápido ≠ despacio
4. *son trou*

Lee el texto y comenta.

A1
1. Di lo que le describe el padre a su hija.
2. Sitúa esta ciudad.

A2
3. Haz una descripción de El Alto (población, casas...).
4. Describe La Paz (población, casas...).
5. En conclusión, compara estos lugares insistiendo en los contrastes.

3 Visión de España

Objectif : Décrire un visuel en termes simples.
Outils : Le futur d'hypothèse, le gérondif.

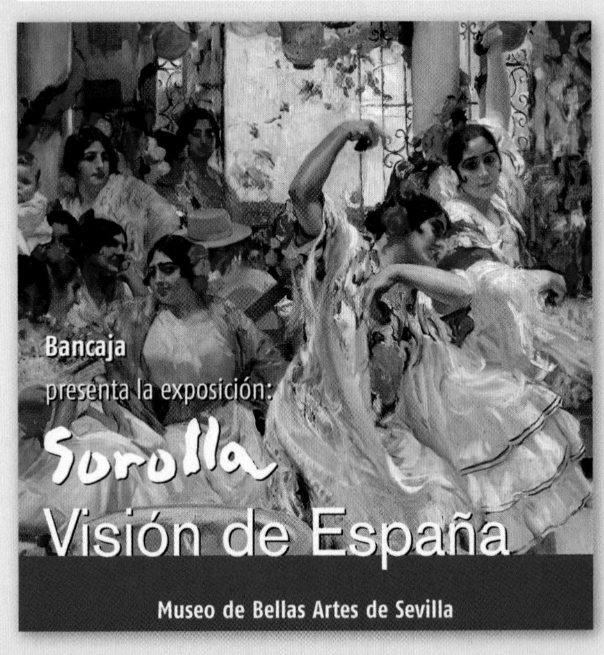

A1
1. Identifica el documento y comenta su composición. ¿De qué se trata?
2. Imagina un título para el cuadro de Sorolla.

A2
3. Presenta la escena insistiendo en los personajes, los lugares.
4. Caracteriza el ambiente.
5. Explica por qué representará esta imagen una "visión de España".

4 ¡Bienvenidos!

Objectif : Présenter un lieu, faire découvrir ses habitants.
Outils: Les complétives au subjonctif, les pronoms compléments, les comparatifs.

A2
En tu colegio vais a recibir a un grupo de alumnos bolivianos/españoles u otros. Después del discurso de bienvenida de tu profesor, te toca a ti redactar la presentación de tu ciudad (o región) y de sus gentes (población actual, personajes famosos que nacieron o vivieron en esta ciudad/región...)

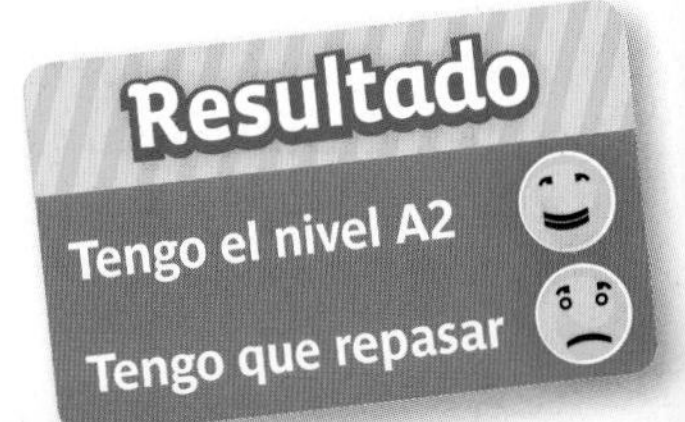

Unidad 7 Relatos de viajes

Navegando por el río Iguazú

Je vais apprendre à... A1/A2

- Comprendre quelqu'un qui parle des avantages et des inconvénients d'un voyage.
- Comprendre quelqu'un qui parle des moyens de transport.

- Comprendre un récit de voyage avec un itinéraire précis.
- Comprendre un texte évoquant des réalités géographiques, climatiques ou culturelles.

- Raconter les voyages que j'ai faits.
- Parler de mon envie de voyager et des voyages que je voudrais faire.

- Donner ses préférences sur des moyens de transport.
- Se renseigner pour effectuer une réservation.

- Rédiger une carte postale pour raconter un voyage.

Je vais utiliser...

- L'imparfait du subjonctif
- *Quisiera*...
- La modification du radical de certains verbes
- Les pronoms personnels compléments
- *Hacer* + élément temporel
- La concession avec *aunque*

Mon projet final

→ Choisir le voyage que j'aimerais faire et le raconter : *Camino de Santiago, Al-Ándalus, Ruta maya* ou *Machu Picchu*.

La Vía de la Plata

La Vía de la Plata

1 Prepárate

a. Di qué representan la foto y el mapa. Anota el nombre de las ciudades y de las autonomías por donde pasa la ruta.

2 Escucha

b. Identifica a las personas que intervienen y di de qué hablan.

c. En esta aventura participan... y viajan en...

d. Di si las siguientes afirmaciones son verdaderas o falsas. Rectifica si es necesario: **1.** Los jóvenes están en Cáparra. **2.** Su recorrido termina en Cáparra.

e. Según el profesor, los objetivos de esta iniciativa eran...

f. Di lo que van a aprender durante el viaje.

g. Llevan poco equipaje. En efecto...

→ *Cahier p. 46*

3 Exprésate

h. Explica por qué es recomendable vivir esta aventura en bici.

PALABRAS PARA DECIRLO

- el chubasquero: *le ciré, le coupe-vent*
- el compañerismo: *la camaraderie*
- la convivencia: *la vie en société, en commun*
- el equipaje: *les bagages*
- imprescindible = indispensable
- un montón = muchos, as
- recorrer: *parcourir*
- sacar: *sortir*

¿Cómo se pronuncia?

"v", "b"

▶ « **v** » et « **b** » se prononcent de la même façon.

› *vía, bicicletas, llovido, actividad, visitar, vivir, convivencia, privilegio, pabellones*

▶ **Escucha y repite.**

› *viaje, describir, aventura, viajero, llevar, autobús, veces, barco, veinte*

→ ***Autre exercice autocorrectif***

¿Lo sabías?

La Vía de la Plata es una antigua calzada (ruta) romana que recorre España de norte a sur, de Astorga (Castilla y León) a Sevilla (Andalucía).

Tahina-Can, llegada a Perú

Llegando al aeropuerto de Lima

¿Lo sabías?

Tahina-Can, "la estrella grande", bajó del cielo para enseñar a un pueblo amazónico cómo cultivar la tierra. Hoy, la expedición rinde homenaje a esta leyenda recuperando su nombre y transmitiendo sus valores.

1 Prepárate

a. Sitúa la escena y di qué están haciendo los jóvenes. ¿Por qué están en este lugar? Describe el ambiente.

2 Escucha

b. La expedición se llama..., en ella participan...
c. Este año durará... y recorrerá...
d. Todos los participantes salieron del aeropuerto de... y llegaron a..., el viaje duró...
e. Para una chica el viaje es...porque..., mientras que para otra...porque...
f. Di cómo pasaron el tiempo durante el viaje.
g. Las chicas quieren vivir esta aventura para...
h. Para otro chico esta experiencia le permitirá...

→ *Cahier p. 47*

3 Exprésate

i. Explica por qué el viaje fue muy pesado.

PALABRAS PARA DECIRLO

- aburrido, a: *ennuyeux, -euse*
- el cansancio = la fatiga
- darse cuenta de que: *se rendre compte que*
- mientras que: *tandis que, alors que*
- pesadísimo, a: *très pénible*
- soportar con ganas: *supporter avec plaisir*
- tener (ie) ganas de: *avoir envie de*
- las ventajas ≠ las desventajas = los inconvenientes

Memoriza

→ Précis 12. A

Les superlatifs relatifs

- Superlatifs relatifs de supériorité : ***el (los)/la (las)* + nom+ *más* + adj.**
- Superlatifs relatifs d'infériorité : ***el(los)/la (las)* + nom + *menos* + adj.**
- Lorsqu'il suit le nom qu'il détermine, le superlatif relatif est employé sans article.

› ***los lugares más interesantes** de Perú*

Practica

Traduce.

a. C'est le voyage le plus ennuyeux de l'année.
b. Ils ont vécu l'aventure la plus belle de leur vie.

¡Y AHORA TÚ!

Ventajas e inconvenientes

Tu clase organiza un viaje, unos quieren viajar en bici y otros en autobús. Decid lo bueno y lo malo de cada posibilidad.

Tengo ganas de viajar

Tengo ganas de descubrir España o América Latina porque..., para...

Viaje de una inmigrante mexicana

Teresa tenía que viajar de nuevo. El contacto, un hombre joven, apresurado[1] y de pocas palabras, con quien se reunió en la cafetería Nebraska de la Gran Vía, no planteaba más que[2] dos opciones: Galicia o el sur de España. [...] Teresa preguntó si en Galicia llovía mucho y el otro sonrió un poco, lo justo –fue la primera vez que lo hizo en toda la conversación– y respondió que sí. Entonces Teresa decidió que iría al sur; y el hombre sacó un teléfono móvil y se fue a otra mesa a hablar un rato[3]. Al poco estaba de vuelta para apuntar en un papel un nombre, un número de teléfono y una ciudad. Tienes vuelos directos desde Madrid [...]. O desde Málaga. Hasta allí, trenes y autobuses. De Málaga y Almería también salen barcos. Y al darse cuenta de que ella lo miraba desconcertada por lo de los barcos y los aviones, sonrió por segunda y última vez antes de explicarle que el lugar al que iba era España pero estaba en el norte de África, a sesenta o setenta kilómetros del litoral andaluz, cerca del Estrecho de Gibraltar. Ceuta y Melilla, explicó, son ciudades españolas en la costa marroquí. Después le deseó buena suerte[4].

Arturo Pérez Reverte (escritor español), *La reina del sur*, 2002

El puerto de Ceuta

Madrid
ANDALUCÍA
Málaga
Almería
Mar Mediterráneo
CEUTA
MELILLA
100 km
MARRUECOS
ARGELIA

1. *pressé*
2. *ne proposait que*
3. un momento
4. *chance*

1 Lee y comenta

a. Presenta a los protagonistas y sitúa la escena. (l. 1-4)

b. Apunta todo lo que hizo el contacto para ayudar a Teresa y deduce cuál era su trabajo. (l. 9-14)

c. Di a qué ciudades iba a viajar Teresa. (l. 18-19)

d. Teresa no conocía bien España ya que... y porque... (l. 5-6; 14-18)

e. Apunta los medios de transporte que podía utilizar Teresa para llegar a su destino.

→ *Cahier p. 48*

2 Imagina

f. Imagina a qué ciudad viajó Teresa y qué medios de transporte utilizó finalmente.

¿Lo sabías?

Ceuta y **Melilla** son dos ciudades autónomas españolas que se sitúan al norte de Marruecos.

Memoriza

→ Lengua p. 119

Les pronoms personnels compléments

Pronom personnel 3e pers.	Singulier	Pluriel
COD	lo/la	los/las
COI	le	les

› ***Lo** hizo en toda la conversación..., ella **lo** miraba.*
› ***Le** dejó un sobre..., **le** deseó buena suerte.*

Practica

Emplea los pronombres *lo, la* o *le*.

a. Cuando ella ... habló, el hombre ... dijo que callara.

b. Cuando llegó la chica, el hombre ... saludó y ... explicó su decisión.

→ Exercices p. 119

PALABRAS PARA DECIRLO

- aterrizar
- coger un avión, un barco: *prendre un avion, un bateau*
- desde... hasta: *de... jusqu'à*
- despegar: *décoller*
- un(a) extranjero, a: *un(e) étranger, -ère*
- un pasador: *un passeur*
- salir de: *partir de*

El soroche

CD classe

Arnauet, el narrador, acaba de llegar con dos amigos al aeropuerto de Lima en Perú y está hablando por teléfono con su abuela.

–¡Dios mío y aún no habéis llegado a La Paz! Acércate ahora mismo a cualquier mostrador[1] y pide oxígeno para los dos –ordenó…
–Pero ¿qué tonterías estás diciendo, abuela?
–¡El soroche, Arnauet, el soroche, que es muy malo! Te lo digo yo que lo
5 he pasado varias veces. Haced el favor de caminar muy despacito[2] y de respirar muy lentamente. Y bebed agua sin parar ¡dos o tres litros…!
¿Cómo no se nos había pasado por la cabeza el maldito soroche? […] Era de sentido común recordar que, cuando se viaja a un país andino, se sufre el desagradable mal de altura por falta de[3] oxígeno en el aire, que es muy
10 pobre. […]
Por fin, cerca de la medianoche en Bolivia, aterrizamos en el aeropuerto de El Alto, en La Paz. El nombre era muy apropiado porque se encontraba a más de cuatro mil metros de altitud, y como consecuencia, el frío era mucho más que insoportable… Hacía casi veinticuatro horas que habíamos
15 salido de Barcelona. […] Pero mientras viajábamos en un radio-taxi hacia el hotel, nuestro estado comenzó a volverse alarmante: nos sentíamos mareados[4], con sudores fríos, dolor de cabeza, zumbidos en los oídos[5] y taquicardia…
–Ahorita mismo sube el doctor a verlos –nos dijo el recepcionista.

Matilde Asensi (escritora española), *El origen perdido*, 2003

La Paz

1. *(ici) guichet*
2. lentamente
3. *par manque de*
4. *nous avions mal au cœur*
5. *bourdonnements d'oreille*

1 Lee y comenta

a. Los protagonistas salieron del aeropuerto de… (l. 15), hicieron escala en… y finalmente llegaron a… (l 11-12) .
b. Di de qué habla la abuela por teléfono y lo que les aconseja a los chicos. (l. 1-6)
c. El soroche es… provocado por…. (l. 9-10)
d. El aeropuerto de La Paz se llama... y su nombre se justifica porque...
e. Cuando llegaron a la Paz, su estado… En efecto, mientras viajaban en el radio-taxi…. y en el hotel…

→ *Cahier p. 48*

PALABRAS PARA DECIRLO

- aconsejar que + subj.: *conseiller de*
- curar: *guérir*
- empeorar: *empirer*
- estar enfermo, a: *être malade*
- las medicinas: *les médicaments*
- sufrir soroche: *souffrir du mal de l'altitude.*
- dar náuseas: *avoir des nausées*

2 Imagina

f. Imagina lo que pasó cuando los protagonistas llegaron y se instalaron en el hotel.

Memoriza

→ Lengua p. 119

***Hacer* + élément temporel**

Le verbe ***hacer*** à la 3e personne du singulier permet d'introduire un élément temporel.
› ***Hacía veinticuatro horas*** *que habíamos salido de Barcelona.*

Practica

Traduce las frases.

a. Il y a deux heures que nous sommes à l'aéroport. **b.** Cela faisait deux jours qu'ils étaient malades.

→ Exercices p. 119

¡Y AHORA TÚ!

Cómo viajé

Cuenta uno de tus viajes y di qué medios de transporte utilizaste.

Enfermo(a) durante un viaje

Durante un viaje estuviste enfermo. Cuenta lo que te pasó.

Rumbo al Coca

CD classe

Volábamos bajo un techo de nubes[1] espesas y grises. El aire caliente de las tormentas se apropió de la cabina. Con cierto alivio[2] vi que la brújula funcionaba: íbamos en dirección noreste. A los
5 veinte minutos vimos la verde línea serpenteante de un río.
–¿Qué se le perdió[3] en el Coca, man?
–Nada. Visito a unos amigos.
–Eso está bien. Nunca hay que olvidar a los amigos.
10 Aunque se encuentren en el mismísimo infierno, hay que ir a verlos. Pensé que era un garimpeiro[4]. No me gustan los garimpeiros. [...]

El plan de vuelo del capitán Palacios era bastante simple: por debajo de las nubes seguía el curso del
15 río Huapuno.
–Usted no es de aquí, man.
–No. Soy chileno. [...]
–Que usted está aquí, o bien porque es un demente, o bien porque no puede vivir en su país. Cualquiera de los dos
20 motivos me resulta simpático. [...]

A la hora de vuelo divisamos un claro de selva[5] pegado a la ribera oeste del río Napo, donde asomaban cuatro o cinco casas de caña y palma. Abajo, varias personas corrieron hasta la playa, quitaron ramas y piedras y, agitando los brazos, nos
25 indicaron que podíamos bajar. Palacios demostró que era capaz de aterrizar en una toalla[6].

Luis Sepúlveda (escritor chileno), *Patagonia Express*, 1995

1. *un plafond de nuages*
2. *soulagement*
3. *Qu'allez-vous faire?*
4. *un chercheur d'or illégal*
5. *une clairière dans la forêt vierge*
6. *(ici) sur un mouchoir de poche*

Perdidos en la selva amazónica

1 Lee y comenta

a. Di qué medio de transporte utilizaba el narrador, a qué zona viajaba y con qué motivo. (l. 1-8)
b. No eran las mejores condiciones para volar porque... pero el narrador se sintió aliviado cuando...
c. Muestra que para Palacios los amigos son muy importantes. (l. 9-11)
d. Describe y sitúa el lugar adonde llegaron los protagonistas. (l. 21-23)
e. ¿Cómo calificarías la pista de aterrizaje? (l. 24-25)
f. Palacios era un buen piloto ya que... aunque... (l. 25-26)

→ *Cahier p. 49*

2 Imagina

g. Imagina por qué era difícil vivir en aquella zona.

¿Lo sabías?

El Coca es una zona de la selva amazónica ecuatoriana en la que también se encuentran el río Coca y la ciudad del mismo nombre.

Memoriza

→ Lengua p. 119

La concession avec *aunque*

La subordonnée de concession est généralement introduite par ***aunque***.
***Aunque* + subj.** = même si → fait hypothétique
***Aunque* + ind.** = bien que → fait réel
› ***Aunque se encuentren*** *en el mismísimo infierno...*

Practica

Emplea el indicativo o el subjuntivo.

a. Aunque los garimpeiros (trabajar) mucho, no son ricos.
b. Aunque (aparecer) monstruos en la selva, los hombres tienen que trabajar.

→ Exercices p. 119

PALABRAS PARA DECIRLO

- aislado, a: *isolé(e)*
- aliviado, a: *soulagé(e)*
- dar miedo: *faire peur*
- las enfermedades: *les maladies*
- los mosquitos: *les moustiques*
- la pista de aterrizaje: *la piste d'atterrissage*
- ser peligroso, a: *être dangereux, -euse*

Un paseo a caballo

El periodista Javier Reverte cuenta uno de sus viajes por Centroamérica.

▲ **Jinetes cabalgando en Nicaragua**

De regreso a Managua, unos días más tarde, Luis me propuso que diésemos un salto[1] a Palacagüina, que no quedaba lejos de la carretera general que bajaba de Ocotal a Estelí. Fue una idea estupenda. Compramos
5 sombreros vaqueros en una tienda, porque según Luis no se podía montar a caballo sin llevar sombrero, y llegamos al rancho de su padre. [...]
Después, Luis le pidió dos "bestias", dos caballos, para dar un paseo por el campo y le insistió en que la mía
10 fuera "bien mansita[2]". [...] Los caballos centroamericanos tienen poca alzada[3], pero son vivarachos y muy bonitos de figura.

Luis resultó ser un consumado jinete. Se le veía feliz. Daba cabalgadas cortas y volvía jubiloso a mi lado. Y yo le seguía a lomos de mi tranquila "bestia". "¿Ves todo esto, brother?
15 –me decía Luis–. En esta tierra me crié y crecí[4]. Es hermosa, ¿no?"

Lo era en verdad: campos verdes, bosques apretados[5], arroyos de aguas muy claras, cielo inmenso y limpio sobre nuestras cabezas y, al fondo, cadenas de montañas azules de perfil mellado[6].

Javier Reverte (escritor español), *La aventura de viajar*, 2006

1. *(ici) il me proposa d'aller*
2. *docile*
3. *sont de petite taille*
4. *j'ai été élevé et j'ai grandi*
5. *des forêts denses*
6. *au relief accidenté*

1 Lee y comenta

a. Sitúa la escena y presenta a los protagonistas.
b. Luis propuso que... y que... porque... (l. 1-7)
c. Cuando llegaron al rancho, Luis pidió... para (que)... e insistió en que... (l. 8-10)
d. Muestra que Luis montaba bien a caballo. (l. 13-14)
e. Luis estaba orgulloso de su tierra. En efecto...
f. Apunta todas las palabras que evocan la belleza del paisaje.

→ *Cahier p. 50*

2 Imagina

g. De regreso al rancho, el narrador le cuenta al padre de Luis su paseo. Imagina lo que le dijo.

PALABRAS PARA DECIRLO

- la belleza: *la beauté*
- disfrutar: *profiter de*
- estar orgulloso, a de: *être fier, -ière de*
- hasta el horizonte: *à perte de vue*
- montar a caballo: *monter à cheval*

Memoriza

→ Lengua p. 118

L'imparfait du subjonctif

DAR	
diese	diera
dieses	dieras
diese	diera
diésemos	diéramos
dieseis	dierais
diesen	dieran

› ***Me propuso que diésemos** un salto.*
› ***Le insistió en que** la mía **fuera** "bien mansita".*

Practica

Conjuga los verbos con dos formas.

a. Mi padre me pidió que (regresar) a Managua.
b. Le propuse a mi amigo que nosotros (dar) una vuelta y (montar) los mejores caballos.

→ Exercices p. 118

Viajo a la selva amazónica

Aunque la selva es un lugar salvaje, ¿a ti te gustaría viajar allí? Di por qué. *Aunque ...*

Mi paisaje preferido

En dos frases, describe un paisaje que te gustó durante uno de tus viajes.

Ven a Puebla

1 Mira

a. Di de qué tipo de documento se trata. Indica su patrocinador y lo que promueve.

b. Localiza y sitúa Puebla y el país en que se encuentra.

c. Fíjate en las fotos y di lo que representan.

2 Exprésate

d. Imagina que fuiste a Puebla. Cuenta tu viaje desde Francia para llegar allí.

e. Inventa un eslogan para cada foto. Ven a Puebla y...

f. Explica el significado del eslogan.

3 Conversa

g. Cuando vuelves de Puebla tus compañeros te hacen preguntas sobre todo lo que hiciste en esta ciudad. Contesta a sus preguntas.

¿Lo sabías?

En Puebla se puede admirar **el volcán Popocatépetl** (¡5.452 metros!) y ruinas aztecas. También se puede probar el mole poblano, un plato a base de pollo y de salsa de chocolate.

Palabras para decirlo

- asistir a
- antiguo, a: *ancien, -ienne*
- asc<u>e</u>nder (ie) = subir
- bailar: *danser*
- la cumbre: *le sommet*
- disfrazarse (de): *se déguiser (en)*
- una pirámide
- pr<u>o</u>bar (ue): *(ici) goûter*
- las ruinas

¿Cómo se pronuncia?

CD élève — Piste 27

"x"

▶ Dans certains mots, notamment dans des noms de villes mexicaines, on prononce le « x » comme un « j ».

› *México*

▶ **Escucha y repite.**

› *México, un mexicano, dijo, Oaxaca, una jaca*

→ *Autre exercice autocorrectif* CD-ROM

Paradores

1 Mira

a. El documento es..., patrocinado por... y promueve....

b. Di lo que evoca la disposición de los dibujos y de las fotos.

2 Exprésate

c. ¿Qué son los paradores? ¿Desde cuándo existen?

d. Las fotos y los dibujos nos permiten decir que hay varios tipos de rutas de paradores. En efecto...

e. Imagina que recorriste una de las rutas y cuenta las actividades que hiciste.

3 Conversa

f. Ahora compara con tus compañeros las diferentes rutas que habéis escogido. Justificad vuestra elección.

PALABRAS PARA DECIRLO

- el castillo: *le château*
- la comodidad: *le confort*
- dar un masaje: *faire un massage*
- la elección: *le choix*
- hacer senderismo: *faire de la randonnée*
- lujoso, a: *luxueux, -euse*
- un patio: *une cour intérieure*
- relajarse: *se détendre*
- sacar fotos: *prendre des photos*

¿Lo sabías?

Los paradores son hoteles de lujo situados en reservas naturales y/o en edificios históricos: castillos, palacios, conventos y monasterios españoles.

Memoriza

→ Lengua p. 118

Quisiera...

Pour rendre le conditionnel du verbe ***querer*** (« je voudrais, tu voudrais... »), on emploie l'imparfait du subjonctif : ***quisiera, quisieras, quisiera, quisiéramos, quisierais, quisieran***.

Practica

Traduce.

a. Je voudrais réserver une chambre.

b. Cet été, nous voudrions faire de la randonnée.

→ Exercices p. 118

¡Y AHORA TÚ!

Promuevo un viaje

Crea un eslogan para promover un viaje. Utiliza imperativos.

Ven a... Visita... Prepárate para...

Reservo en un parador

Un cliente llama al recepcionista de un parador para informarse sobre el precio y las actividades que propone. Imaginad el diálogo.

¡Buenos días! Quisiera saber... y conocer...

Contar un viaje en una postal

La Habana, 20 de diciembre

¿Qué tal, Sofía?

Ayer llegué a Cuba. Despegamos a las 21h40 del aeropuerto de Madrid y llegamos a La Habana a las 00h25, hora cubana. ¡Qué viaje más pesado! Después, una "guagua" (autobús cubano) nos llevó hasta el hotel.
Esta mañana alquilamos un coche para visitar la ciudad, pero lo mejor es recorrerla a pie. Imagino que tu viaje a Machu Picchu fue estupendo también. Aquel sitio debe de ser espectacular. ¿Cómo viajaste? ¿Te adaptaste bien a la altitud de los Andes?

Contéstame pronto.

Un beso, Marisa

Sofía Martínez Campos
c/ Maldonado, 14-2º Izda
30010 MURCIA
ESPAÑA

1 Lee el modelo

a. Completa: Este documento es... de... para... Marisa escribe desde ...

b. Di todo lo que le cuenta Marisa a Sofía.

c. ¿Qué le pregunta Marisa a Sofía? ¿Por qué?

2 Contesta a la postal

Vas a contestar a esta postal respetando las siguientes etapas:

d. Primero vas a indicar el lugar y la fecha. No te olvides de saludar a Marisa.

e. Después dile cómo fue tu viaje de Madrid a Lima.

f. Luego le vas a contar tu excursión a Machu Picchu (el medio de transporte, el paisaje, la altitud y sus consecuencias, el tiempo) (→ ver p.121, d.) .

g. Al final, despídete de Marisa.

Una "guagua" en la Habana

Memoriza

→ Lengua p. 118

La modification du radical de certains verbes

- *llegar* → *llegué* (ajout de « u » pour éviter le son *ge*.)
  › *Ayer llegué a Cuba.*
- Autres exemples de modifications du radical :
  › *aplicar* → *apliqué*
  › *realizar* → *realicé*

Practica

Conjuga los verbos en pretérito indefinido.

a. Ayer yo (comenzar) mi recorrido. **b.** El mes pasado yo (realizar) mi sueño cuando (llegar) a Lima.

→ Exercices p. 118

PALABRAS PARA DECIRLO

- el aeropuerto
- alquilar: *louer*
- aterrizar: *atterrir*
- despegar: *décoller*
- llegar: *arriver*
- recorrer: *parcourir*
- subir: *monter*

Un viaje por la Pampa

→ Vídeo DVD
Diarios de motocicleta

Fotogramas del vídeo

Fíjate bien

Visualiza las escenas correspondientes a los fotogramas Ⓐ y Ⓑ. Di dónde oímos una voz en off. Justifica tu respuesta.

PALABRAS DE CINE

- **La voz en off:** no se puede "ver" de dónde viene la voz.

PALABRAS PARA DECIRLO

- caerse: *tomber*
- conducir: *conduire*
- la cuneta: *le fossé*
- echar una carrera: *faire la course*
- un gaucho: *un gardien de troupeaux*
- herirse (ie, i): *se blesser*
- la pampa: *« la pampa », vastes plaines dédiées à l'élevage*
- salirse de la carretera: *faire une sortie de route*
- vieja (amer. fam.) = madre

1 Observa

a. Fíjate en el cartel e identifica a los protagonistas. Imagina qué tipo de película será *Diarios de motocicleta*.

b. Di dónde están los protagonistas en los fotogramas A y B.

c. Precisa qué medio de transporte utilizan y qué paisaje ven.

2 Exprésate

d. Di dónde (país) comienza la aventura, en qué lugares transcurre y dónde termina.

e. Al principio del viaje, el cineasta utiliza... porque no vemos quién habla. Es la voz de... y se dirige a... para decirle que...

f. Los dos protagonistas parecen... ya que... aunque...

g. Al final los protagonistas... Uno está furioso porque... y el otro porque...

3 Imagina

h. Los dos protagonistas acabaron su viaje y ahora recuerdan este momento de la aventura. Imagina su diálogo.

→ Autres exercices autocorrectifs 

L'imparfait du subjonctif

→ Précis 20. C

BAJAR	COGER	SALIR
bajara / bajase	cogiera / cogiese	saliera / saliese
bajaras / bajases	cogieras / cogieses	salieras / salieses
bajara / bajase	cogiera / cogiese	saliera / saliese
bajáramos / bajásemos	cogiéramos / cogiésemos	saliéramos / saliésemos
bajarais / bajaseis	cogierais / cogieseis	salierais / salieseis
bajaran / bajasen	cogieran / cogiesen	salieran / saliesen

- L'imparfait du subjonctif est formé à partir de la 3e personne du pluriel du passé simple. Il a une forme en *-ra* et une forme en *-se*.
  - Verbes en ***-ar*** : ***-aron*** → ***-ara...***
    → ***-ase...***
  - Verbes en ***-er*** et ***-ir*** : ***-ieron*** → ***-iera...***
    → ***-iese...***

- L'imparfait du subjonctif est très employé en espagnol avec la règle de la concordance des temps.
  › ***Me propuso que diésemos*** *un salto.*
  › ***Le insistió en que*** *la mía* ***fuera*** *«bien mansita».*

Attention : le verbe ***dar*** a un prétérit et un imparfait du subjonctif comme les verbes en ***-er/-ir***.
Dar > dieron > diera ..., diese...

1 Conjuga los verbos en imperfecto de subjuntivo.

a. Sus amigos organizaron el viaje para que los jóvenes (participar) en la expedición.
b. Era difícil imaginar que vosotros (tener) la misma intención.
c. Sus padres no querían que su hija (darse) cuenta de las dificultades.
d. La abuela les decía a los dos que (acercarse) a un mostrador y (exigir) oxígeno.
e. No le gustaba que los garimpeiros (estar) en la selva.

Quisiera...

→ Précis 19

- Pour rendre le conditionnel du verbe *querer* (« je voudrais, tu voudrais... »), on emploie l'imparfait du subjonctif : ***quisiera, quisieras, quisiera, quisiéramos, quisierais, quisieran***.
- Rappel : l'imparfait du subjonctif est formé à partir de la 3e personne du pluriel du passé simple :
  quisieron > ***quisiera...***
  hicieron > ***hiciera...***

2 Traduce.

a. Mes frères voudraient participer à cette expédition.
b. Je voudrais te présenter ma meilleure amie.
c. L'été prochain, nous voudrions aller en Espagne au mois de juillet.
d. Messieurs, vous voudriez voyager.
e. Il était indispensable que tu veuilles accepter ces conditions.

La modification du radical de certains verbes

→ Précis 24. A

- Pour conserver le son initial de l'infinitif de certains verbes, il faut parfois ajouter une voyelle ou changer une consonne devant une terminaison à certains temps :
  llegar → ***llegué*** (ajout de « u » pour éviter le son *ge*.)
  › *Ayer llegué a Cuba.*
- Autres exemples de modifications du radical :
  sacar → ***saque*** (présent subj.) *comenzar* → ***comience*** (présent subj.)
  → ***saqué*** (passé simple) → ***comencé*** (passé simple)

3 Utiliza el tiempo y el modo que convienen.

a. Mis padres me ayudan para que yo (realizar) este viaje.
b. Ayer hice un largo recorrido y (llegar) a Almería.
c. Es muy importante que nosotros (comenzar) a preparar la expedición.
d. El año pasado yo (comprar) y (pagar) mi billete en Internet.
e. Quedaremos en la cafetería de la Plaza Mayor para que Juan (explicarme) lo que vamos a hacer.

Les pronoms personnels compléments

→ Précis 15. B

COD	COI	Réfléchi
me	me	
te	te	
lo	le	se
la	le	se
nos	nos	
os	os	
los	les	se
las	les	se

À la 3e personne, les pronoms personnels compléments directs non introduits par une préposition sont ***lo/la*** au singulier et ***los/las*** au pluriel. Les pronoms compléments indirects sont ***le*** au singulier et ***les*** au pluriel.

› ***Lo*** *hizo en toda la conversación…, ella* ***lo*** *miraba.*
› ***Le*** *dejó un sobre…,* ***le*** *deseó buena suerte.*
› ***Te lo*** *digo yo.*
› ***Acércate.***

Attention à l'enclise à l'infinitif, au gérondif et à l'impératif.

4 Utiliza el pronombre que conviene.

a. Teresa estaba sentada. El hombre … vio y … habló.
b. Hay vuelos directos. Desde Madrid … tenéis a todas las horas.
c. Es necesario beber agua pero no debes beber… fría.
d. El río serpenteaba. Cuando … vi, saqué una foto.
e. A vosotros ... gustan los viajes y a nosotros ... decís lo contrario.

Hacer + élément temporel

→ Précis 36

Le verbe ***hacer*** à la 3e personne du singulier permet d'introduire un élément temporel. Il correspond à la forme impersonnelle « il y a/avait... ». Il peut également être rendu par « cela fait/faisait... »
› ***Hacía veinticuatro horas*** *que habíamos salido de Barcelona.*

La concession avec *aunque* + subj.

→ Précis 26. F

- Lorsque ***aunque*** porte sur un fait hypothétique et correspond au français « même si », ***aunque*** est suivi du subjonctif.
  › ***Aunque se encuentren*** *en el mismísimo infierno…*
- Lorsque ***aunque*** porte sur un fait réel et correspond au français « bien que », ***aunque*** est suivi de l'indicatif :
  › ***Aunque*** *Madrid* ***es*** *la capital de España…*

5 Emplea *hace* o *hay*.

a. En la estación … muchos trenes que están esperando. **b.** En la cafetería ... mucha gente a las 2 de la tarde. **c.** … mucho tiempo que está lloviendo. **d.** La abuela llamó por teléfono ... dos horas. **e.** … tres días que sufren soroche.

6 Conjuga los verbos en indicativo o en subjuntivo.

a. Aunque todos los barcos del mundo (ir) a Almería sólo el mío me interesa. **b.** Me iré de vacaciones a Galicia aunque (llover) todos los días. **c.**Aunque el soroche (ser) el mal de altura, no siempre lo sufrimos en los Andes **d.** Se sigue destruyendo la selva aunque (vivir) los indios en ella. **e.** Aunque el recorrido (resultar) difícil por los malos caminos, no abandonamos la excursión.

TALLER DE LÉXICO

→ Autre exercice autocorrectif 

De viaje

a. Di cómo viajó cada personaje (medio de transporte).
b. Di lo bueno y lo malo de cada medio de transporte.
c. Describe el lugar adonde viajó cada personaje.
d. Adivina a qué país han podido viajar.

Ximena

MUY INTERESANTE

Caminos y rutas hispánicas

Peregrinos en el Camino de Santiago

a El Camino de Santiago

Según la tradición, la tumba del apóstol Santiago[1] se encuentra en Santiago de Compostela y miles de peregrinos caminan hasta allí para rendir homenaje al santo. Se puede ir a pie o en bici desde Roncesvalles o desde el Somport[2] en los Pirineos y seguir una flecha amarilla hasta Santiago. Cuando viajo en bici puedo admirar muchos paisajes como los bosques de Navarra, los viñedos[3] de La Rioja, los campos de Castilla y las colinas de Galicia. Se puede hacer el Camino de Santiago por motivos religiosos aunque sea también una ruta de senderismo[4] para los amantes de la naturaleza.

1. *la tombe de l'apôtre Saint Jacques*
2. el puerto de Somport: *le col de Somport*
3. *les vignes*
4. *un chemin de randonnée*

El palacio de la Alhambra

b Al-Ándalus Expreso

Al-Ándalus es el territorio de la península Ibérica bajo poder musulmán entre 711 y 1492.
En aquella época los musulmanes revolucionaron la agricultura: utilizaron la noria y las acequias[1], introdujeron el limón, la naranja, etc. Destacaron en medicina, astronomía y matemáticas, transmitiéndonos nuestro sistema de numeración. Hoy, el *Al-Ándalus Expreso* es un tren de lujo que permite visitar ciudades históricas y descubrir paisajes de Andalucía como sierras y olivares[2]. En Córdoba vi la Mezquita[3] y en Granada el palacio de la Alhambra. En Sevilla, me paseé por los jardines del Alcázar y subí a la Giralda, un antiguo minarete.

1. *les canaux d'irrigation*
2. *des oliveraies*
3. *la Grande Mosquée*

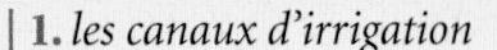

c La ruta maya

La civilización maya conoció su máximo esplendor entre los años 300 y 950 y desapareció con la llegada de los españoles en el siglo XVI. Fueron grandes arquitectos y crearon inmensas pirámides como la de Chichén Itzá en México. Cuando haces esta ruta llegas al aeropuerto de Cancún en México y luego viajas en autobús. Pasas por selvas y puedes bañarte en los cenotes[1] cerca de Palenque. Luego, en Guatemala, lo interesante es navegar por el lago de las Flores y admirar muchos volcanes. Aunque el recorrido sea un poco largo y el calor tropical insoportable, vale la pena[2] ir hasta Honduras para ver las pirámides de Copán.

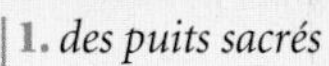

1. *des puits sacrés*
2. *cela vaut la peine de*

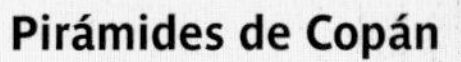

Pirámides de Copán

Machu Picchu

d Machu Picchu: la ciudad perdida de los incas

Construida en el siglo XV por los incas a 2.400 metros de altitud como palacio y refugio de la aristocracia, Machu Picchu se encuentra en el actual Perú en una cordillera de altas montañas con bosques tropicales. Para llegar hasta allí, lo más normal es ir de Lima a Cuzco en autobús y luego coger el tren que va hasta Aguas Calientes. La última parte de la ascensión se hace andando durante 6 km por un camino sinuoso y empinado[1]. Machu Picchu está en la lista del Patrimonio de la Humanidad de la UNESCO y fue elegida como una de las nuevas maravillas del mundo moderno.

1. *escarpé*

¿A ver si lo sabes?

1. ¿Cuál es el itinerario del Camino de Santiago? a
2. Cita tres ciudades del recorrido del Al-Ándalus Expreso y di qué lugares de interés se pueden visitar allí. b
3. ¿En qué países podemos encontrar monumentos mayas? Cita algunos ejemplos. c
4. Indica cómo se va a Machu Picchu desde Cuzco. d

Proyecto final

Mi ruta ideal

- Escoge una de las cuatro rutas.
- Di qué medios de transporte quisieras utilizar durante tu viaje.
- Ahora cuenta tu excursión, los monumentos que viste y los paisajes que descubriste.
- Haz un cartel con fotos y comentarios para presentar el viaje a tus compañeros.

Páginas Web que puedes consultar

http://www.caminosantiago.com/web/index.php
http://www.ciudadesmayas.net
http://www.mp360.com/esp/mp360_intro.php
http://www.todotrenes.com/Fichas/verFichaTurismo.asp?Turismo=3

Actividades de evaluación

1 Transportes

Objectif: Comprendre quelqu'un qui parle de ses voyages, de ses excursions et des moyens de transport qu'il a utilisés. Comprendre les avantages d'un moyen de transport.

Outils : Lexique des moyens de transport, les superlatifs.

Escucha la grabación y contesta.

A1

1. Di de qué habla el chico.
2. Cita los lugares adonde ha viajado el chico.
3. Verdadero o falso. Corrige si es falso: **a.** El chico ha viajado con sus padres en coche y en barco. **b.** Cuando va a ver a sus abuelos viaja en autobús. **c.** Cuando viaja con el instituto utiliza el tren.

A2

4. Indica las ventajas de viajar en tren y el medio más común para una excursión del instituto.

2 Etapa en La Quiaca

Objectif : Comprendre un texte sur les voyages.

Outils : Lexique des transports, les temps du passé, la concordance des temps, *aunque* + subj.

La Quiaca, ciudad argentina cerca de Bolivia.

Llegué a La Quiaca al atardecer, y en cuanto bajé del tren sentí la bofetada[1] del frío andino. Quise abrir la mochila y sacar un pullóver, pero rechacé la idea optando por caminar rápido para entrar en calor. Al trote llegué hasta una boletería[2].

–Mañana quiero viajar a La Paz. ¿Puede decirme a qué hora sale el tren?

El boletero me observó, recorrió mi rostro de oreja a oreja, de la frente al mentón, y enseguida desvió la mirada. Era el miedo; consultaba el afiche con las fotografías de los buscados.

–Eso tenés[3] que preguntárselo a los bolivianos. La frontera está a dos pasos, pero ahora no atienden[4].

Luis Sepúlveda, *Patagonia Express*, 1995

1. *la gifle*
2. *un guichet*
3. (amer.) tienes que
4. no hay nadie

Lee el texto y contesta.

A1

1. Di exactamente dónde se desarrollaba la escena.
2. Indica cómo viajaba el narrador y adónde quería ir.
3. En la boletería ¿qué quería saber el narrador?

A2

4. Explica por qué el boletero observó muy atentamente al narrador.
5. El boletero tenía mucho miedo aunque el narrador no...

3 Tahina-Can

Objectif : Parler d'une excursion, d'un voyage.

Outils : Lexique du paysage, des éléments culturels d'un pays, les démonstratifs, *quisiera*, l'imparfait du subjonctif.

1. *Cela te dit ?*
2. *Cap sur*

Observa atentamente el cartel y contesta.

A1

1. Di cómo se llama la expedición, dónde y cuándo tuvo lugar.
2. Precisa cuál es el objetivo de este cartel.
3. Fíjate en el paisaje y la fauna que aparecen en el cartel: ¿qué reconoces?
4. Determina qué civilización evoca este cartel.

A2

5. Sabemos que esta aventura se repite cada año porque...
6. Los organizadores de la expedición quisieran favorecer...

4 Escribir un mensaje

Objectif : Évoquer un problème de santé lors d'un voyage.

Outils : Le vocabulaire de la maladie, le passé simple, *hace* + élément temporel.

Estás de viaje por Bolivia, pero hace dos días que estás enfermo y les mandas un mensaje a tus padres para decirles que sufres soroche.

A2

1. Diles cuándo comenzaste a sentirte mal.
2. Explícales la causa de tu enfermedad.
3. Precisa cuáles fueron tus síntomas.
4. Cuéntales lo que tuviste que hacer para curarte.

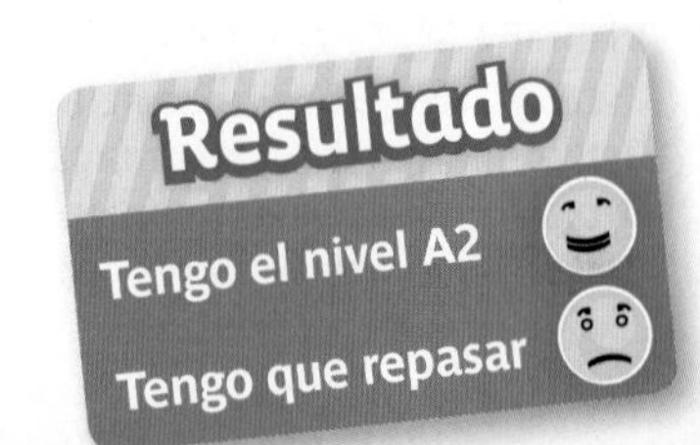

Unidad 8

Cuentos y leyendas

El dios Quetzalcóatl comiéndose a un hombre (códice)

Je vais apprendre à... A1/A2

- Comprendre quelqu'un qui raconte une légende.
- Suivre les différentes étapes d'une légende.

- Comprendre quelques spécificités des civilisations précolombiennes.
- Comprendre un récit fantastique.

- Parler de la découverte de l'Amérique.
- Parler des fêtes qui rappellent le passé historique de l'Espagne.

- Imaginer une discussion au passé entre une mère et sa fille.
- Échanger sur les avantages des fêtes historiques aujourd'hui.

- Écrire la fin d'une légende.

Je vais utiliser...

- La concordance des temps
- *Como si* + imparfait du subjonctif
- *Si* + imparfait du subjonctif
- Les pronoms relatifs
- Les démonstratifs

Mon projet final

→ Imaginer une légende racontant le début ou la fin d'une civilisation.

La leyenda del lago Titicaca

Balsas en el lago Titicaca

¿Lo sabías?

El Apu es una divinidad inca que habita en las cumbres de las montañas, es el espíritu de la montaña.

1 Prepárate

a. Observa la foto. Sitúa la escena y di lo que representa.

2 Escucha

b. El abuelo le cuenta a su nieta... Titicaca es el nombre de un... y es una palabra de origen...

c. Cuando el Apu Qullana Awki terminó de crear el mundo... Su único mandamiento fue... pero los hombres... porque...

d. Explica cómo castigó el Apu a los hombres.

e. Al ver aquella catástrofe, el padre Sol..., sus lágrimas formaron... y los pumas...

f. Ahora di lo que significa la palabra Titicaca.

⟶ *Cahier p. 53*

3 Exprésate

g. Imagina lo que les dijo el Apu a los hombres y a los pumas para justificar su castigo.

Memoriza

Mientras que

- ***Mientras que*** (tandis que, alors que) permet d'opposer le contenu d'une phrase à une autre phrase de façon plus marquée qu'avec *pero* (mais).
  › *El aymara es una lengua* ***mientras que*** *el Apu es una divinidad.*
- L'espagnol emploie également ***en cambio*** (alors que, en revanche).

Practica

Imita el modelo.

› *Conozco una historia pero ella sabe muchas leyendas.* ➜ *Conozco una historia mientras que ella sabe muchas leyendas.*

a. Este lago es azul pero esta tierra es ocre. **b.** El Sol es un dios pero los hombres no son dioses.

PALABRAS PARA DECIRLO

- ahogarse: *se noyer*
- antiguo, a: *ancien(-ienne)*
- castigar: *punir*
- el cerro = la colina
- la cueva: *la grotte*
- el diluvio: *le déluge*
- el mandamiento = la orden
- poderoso, a: *puissant(e)*
- sagrado, a: *sacré(e)*
- salvarse: *se sauver, échapper à la mort*

La leyenda del acueducto de Segovia

El acueducto de Segovia

¿Lo sabías?

El acueducto de Segovia fue construido por los romanos en el primer siglo después de Cristo, en tiempos del emperador Augusto. Mide 728 metros de largo y 28,5 metros de alto en su parte central.

1 Prepárate

a. Di lo que representa la fotografía.
b. Precisa para qué sirve este monumento.

2 Escucha

c. ¿Cuántas voces has oído? Identifícalas.
d. Los ruidos que se oyen evocan...
e. El trabajo de la sirvienta consiste en... por eso acepta...
f. La leyenda evoca un momento particular en la historia del acueducto ¿Cuál?
g. La chica se da cuenta de algo anormal. ¿En qué momento?
h. Cuando el gallo canta ...

⟶ *Cahier p. 54*

3 Exprésate

i. Este relato es una leyenda: da elementos que lo muestran.

PALABRAS PARA DECIRLO

- abastecer: *fournir, approvisionner en (ici, en eau)*
- cansado, a: *fatigant(e)*
- construir
- el gallo: *le coq*
- me suena: *cela me dit quelque chose*
- un pacto con el diablo: *un pacte avec le diable*
- la risa: *le rire*
- una sirvienta: *une servante*
- el trato = el pacto

¿Cómo se pronuncia?

"c" et "q"

▸ « **c** » se prononce comme « **q** » lorsqu'il est suivi de ***a, o, u***. La prononciation change devant ***i*** et ***e*** et le « **c** » se prononce alors comme « **z** ».
› *a**c**ueducto, **cu**al**qui**er, **qui**en, ha**ci**éndole desapare**ce**r*

▸ **Escucha y repite.**
› *ciudad, casa, corazón, cuando, particular, cemento, calle, cubrir, cifra*

⟶ ***Autre exercice autocorrectif*** CD-ROM

¡Y AHORA TÚ!

Esta leyenda me suena

La leyenda de la p. 124 te recuerda otra que tú conoces, ¿cuál es? Compáralas, di las similitudes y las diferencias.

Describiendo monumentos

Describe un monumento de España o América latina (o de otra región del mundo) que te parece extraordinario. ¿Por qué es particular este monumento?

El barrio del Alcázar

CD classe

Me acuerdo de una casa judía[1] en un barrio de mi ciudad natal que se llama del Alcázar, porque ocupa el espacio, todavía parcialmente amurallado, donde estuvo el alcázar medieval, la ciudadela fortificada que perteneció a los musulmanes y desde el siglo XIII a los cristianos, desde 1234 para ser exactos, cuando el rey Fernando III de Castilla, al que llamaban el Santo en mis libros escolares, tomó posesión de la ciudad recién conquistada[2]. Para que nos aprendiéramos la fecha con facilidad, a los niños nos decían que recordáramos los primeros cuatro números consecutivos: uno, dos, tres, cuatro, y repetíamos a coro la cantinela como si fuera una de las tablas de multiplicar, Fernando III el Santo conquistó nuestra ciudad a los moros en mil, doscientos, treinta, y cuatro.
En el recinto[3] elevado del alcázar, casi inaccesible desde las laderas del sur y del este, estuvo primero la mezquita[4] mayor y luego, sobre su mismo solar[5], la iglesia de Santa María, que aún existe.

Antonio Muñoz Molina (escritor español), *Sefarad*, 2001

1. *juive*
2. *récemment conquise*
3. *l'enceinte*
4. *la mosquée*
5. *à ce même emplacement*

El Alcázar de Sevilla

1 Lee y comenta

a. El autor evoca sus recuerdos de infancia. ¿Cómo lo vemos?
b. Enumera los diferentes elementos que componen la ciudad y explícalos. (l. 1-5, 18-19)
c. Cita las tres palabras que evocan tres culturas y religiones diferentes. (l. 1-6)
d. Precisa la técnica utilizada para memorizar la fecha de la conquista. (l. 9-12)
e. Di lo que sigue existiendo en el recinto del Alcázar y lo que desapareció. ¿Cómo lo explicas? (l. 16-19)

→ Cahier p. 55

2 Imagina

f. Imagina por qué le llamaban El Santo a Fernando III.

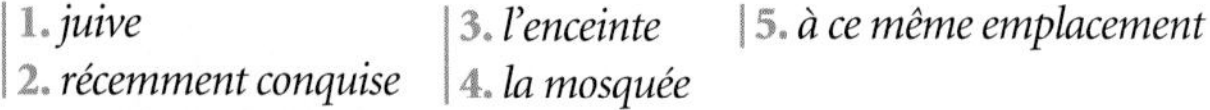

¿Lo sabías?

En muchas ciudades españolas como Toledo o Córdoba existen **mezquitas y alcázares musulmanes, sinagogas judías e iglesias cristianas** que datan de la época medieval, época de la convivencia de estas tres culturas.

Memoriza

→ Lengua p. 134

1 *Como si* + imparfait ou plus-que-parfait du subjonctif

Como si est toujours suivi de l'imparfait ou du plus-que-parfait du subjonctif.
› ***Como si fuera*** *una de las tablas de multiplicar.*

2 Les adverbes

- Certains adverbes se forment à partir des adjectifs au féminin auxquels s'ajoute la terminaison ***-mente***.
  › ***Parcialmente*** *amurallado*
- L'adverbe ***recientemente*** s'apocope devant un adjectif ou un participe passé.
  › *La ciudad* ***recién conquistada***

Practica

1. Conjuga los verbos entre paréntesis.
a. El profesor nos da las fechas como si nosotros (conocerlas) todas. **b.** Es como si el Alcázar (vigilar) y (defender) la ciudad.

2. Transforma los adjetivos en adverbios.
a. Es una ciudad (reciente) renovada y muy visitada (actual). **b.** (General) los monumentos históricos fascinan.

→ Exercices p. 134

PALABRAS PARA DECIRLO

- la batalla: *la bataille*
- conquistar: *conquérir*
- cristiano, a: *chrétien, -ienne*
- las huellas: *les traces, les vestiges*
- el procedimiento: *le procédé, la technique*
- recordar (ue) algo = acordarse (ue) de una cosa
- saber de memoria: *savoir par cœur*
- el soldado: *le soldat*

La fuente de Zulema

CD classe

Cuando los moros[1] de Abderramán dominaban las tierras de Aracena, su ejército[2] vivía en el castillo [...]. Y dicen que el alcaide de la fortaleza[3] tenía una hija muy querida llamada Zulema. Un caballero cristiano se enamoró de ella y Zulema de él, pero como sus religiones eran distintas y los bandos a que pertenecían enemigos, sólo podían verse a escondidas[4].

El padre sospechaba ya algo, y mandó a un soldado que siguiera a la joven. El soldado vio a los dos amantes besándose. Después, el alcaide hizo que le trajeran[5] a su hija y dispuso que la enterraran hasta el cuello [...]. Esperaba el moro que el caballero viniera a liberarla, pero eso nunca ocurrió, porque en la misma noche, uno y otra se habían despedido hasta que el cristiano regresara de la guerra: una guerra de la que ya no volvió jamás. También se habían prometido los enamorados vivir unidos para siempre. [...]

El padre aguardaría[6] en vano, y la muchacha estuvo llorando días y noches. Cuando murió de hambre y pena, de sus lágrimas brotó una fuente[7]: la fuente de Zulema.

Luis Díaz Viana (escritor español), *Leyendas populares de España*, 2008

1. los musulmanes
2. *son armée*
3. *le gouverneur de la forteresse*
4. *en cachette*
5. *il fit venir*
6. esperaría
7. *jaillit une source*

Una fuente en Mérida

¿Lo sabías?

La Reconquista fue el período durante el cual los cristianos fueron recuperando los territorios ocupados por los musulmanes a partir de 711.

1 Lee y comenta

a. Di quiénes eran Zulema y su padre.

b. ¿De quién se enamoró Zulema? Explica por qué se veían a escondidas. (l. 3-6)

c. El padre sospechaba que... por eso...

d. Comenta la reacción del padre: El padre decidió... porque el soldado... (l. 8-10) Así esperaba que... pero... (l. 10-13)

e. Esta leyenda tiene un final trágico porque... y al mismo tiempo fantástico ya que...

→ *Cahier p. 55*

PALABRAS PARA DECIRLO

- a pesar de: *malgré*
- arrepentirse (ie, i): *regretter*
- casarse: *se marier*
- castigar: *punir*
- pedir (i) perdón: *demander pardon*
- prohibir (que + subj.): *interdire (de)*

2 Imagina

f. Imagina un final feliz para esta leyenda.

Memoriza

→ Lengua p. 134

Les complétives au subjonctif

- Les verbes de demande exprimant une prière, un conseil, une recommandation ou un ordre, sont généralement suivis d'une complétive au subjonctif.
- **Attention** à la concordance des temps.
  - › ***Mandó*** *a un soldado* ***que siguiera*** *a la joven.*
  - › ***Esperaba*** *el moro* ***que*** *el caballero* ***viniera****.*

Practica

Conjuga los verbos.

a. El padre no quería que su hija (enamorarse) de este joven.

b. El padre le prohibió a su hija que (casarse) con un cristiano.

→ Exercices p. 134

¡Y AHORA TÚ!

Un monumento culturalmente activo

Recuerda algunos monumentos antiguos restaurados y di para qué sirven hoy en día.

Recuerdo una prohibición

Explica precisamente lo que te prohibieron y lo que te pidieron también.

Un día mis padres me prohibieron que... me pidieron que....

Quetzalcóatl

CD classe

El dios más celebrado de las antiguas cosmogonías[1] mexicanas fue Quetzalcóatl, la Serpiente Emplumada, dios creador de la agricultura, la educación, la poesía, las artes y los oficios. Envidiosos de él, los demonios menores, encabezados[2] por el dios de la noche Tezcatlipoca, cuyo nombre significa "espejo de humo"[3], se dirigieron al palacio de Quetzalcóatl para ofrecerle un regalo envuelto en algodones[4].

¿Qué es?, se preguntó el dios bienhechor.

Era un espejo.

Cuando Quetzalcóatl lo desenvolvió, vio su rostro[5] reflejado por primera vez.

Siendo un dios, creía que no tenía rostro. Era eterno. Ahora, al descubrir sus facciones[6] humanas en el reflejo del cristal, temió tener, también, un destino humano, mortal. […]

Al día siguiente, abandonó México en una balsa de serpientes y partió rumbo al levante, prometiendo regresar un día a ver si los hombres y las mujeres habían cumplido la obligación de cuidar la tierra. Prometió regresar en una fecha precisa durante el período del Quinto Sol: el año Ce Acatl, que correspondía al año 1519 de la Era Cristiana[7].

Carlos Fuentes (escritor mexicano), *Los cinco soles de México*, 2000

Representación de Quetzalcóatl en Teotihuacán, México

1. mitologías
2. dirigidos
3. *miroir de fumée*
4. *coton*
5. su cara
6. *les traits de son visage*
7. conquista de México por Hernán Cortés

1 Lee y comenta

a. Quetzalcóatl era… cuyo nombre significaba… y cuyas creaciones fueron… (l. 1-4)

b. ¿Qué regalo recibió Quetzalcóatl? ¿De parte de quién? (l. 4-10)

c. Al abrir el regalo, Quetzalcóatl… Se sintió… al… y para olvidar su desesperación… (l. 11-17)

d. Al abandonar México, Quetzalcóatl prometió que… (l. 18-21)

→ *Cahier p. 56*

2 Imagina

e. Imagina que Quetzalcóatl regresó a México en el año Ce Acatl, pocos días después de la llegada de los españoles. Cuenta lo que descubrió.

PALABRAS PARA DECIRLO

- acoger: *accueillir*
- darse cuenta de: *se rendre compte de*
- decepcionado, a: *déçu(e)*
- desaparecer: *disparaître*
- descubrir: *découvrir*
- destruir: *détruire*
- la llegada: *l'arrivée*
- regalar: *offrir*

Memoriza

→ Lengua p. 135

1 *Cuyo(s), cuya(s)*

« Dont » peut être rendu par ***cuyo*** + nom sans article. ***Cuyo*** s'accorde en genre et en nombre avec le nom qu'il précède.

› *Tezcatlipoca, **cuyo nombre** significa "espejo de humo"...*

2 *Al* + infinitif

Al + infinitif correspond à « dès que » ou « quand » + verbe ou encore au gérondif.

› ***Al descubrir** sus facciones humanas...*

Practica

1. Traduce

a. Quetzalcóatl dont le nom signifie Serpent à Plumes est un dieu. **b.** Le dieu dont le visage se reflétait dans le miroir avait peur.

2. Imita el modelo.

› *Cuando descubrió sus facciones… → Al descubrir sus facciones...*

a. Cuando le ofrecieron un regalo al dios los demonios menores tuvieron miedo. **b.** Cuando abandonó México el dios prometió regresar.

→ Exercices p. 135

La leyenda de Eldorado

CD classe

En las Indias Occidentales, los españoles supieron de boca de los indios que existía una ciudad, Manoa, a la orilla de una enorme laguna llamada Parima, cuyos tejados eran de plata[1]. En aquella ciudad el oro era tan abundante que su rey se recubría
5 el cuerpo entero cada día con el rico metal. [...] A la búsqueda de Manoa, donde sobraba[2] al parecer el oro, y de El Hombre o Rey Dorado, Eldorado, se dirigieron muchas expediciones en la enorme región entre los ríos Orinoco y Amazonas. En 1536 se dedicaron a ello[3] a la vez las de Gonzalo Jiménez de Quesada
10 y Sebastián Belalcázar. [...] Con el tiempo, hubo quien pensó que la laguna sagrada de los chibchabs, llamada de Guatavita, de aguas muy azules y localizadas en las montañas, era la famosa Parima, pues ciertamente en ella se hacían continuamente oraciones y ofrendas de esmeraldas[4] y gran cantidad de oro. [...] Si bien la
15 noticia[5] de que Eldorado existía circuló durante muchísimos años y animó a su busca a numerosos aventureros, nadie ha podido encontrarlo todavía.

José María Merino (escritor español),
Leyendas españolas de todos los tiempos, 2002

Fotograma de la película *El Dorado* de Carlos Saura, 1988

1. *dont les toits étaient en argent*
2. *où abondait*
3. *s'y consacrèrent*
4. *d'émeraudes*
5. *Bien que la rumeur*

1 Lee y comenta

a. Di dónde y cuándo nació esta leyenda.

b. Según los indios "Manoa" era... , "Parima" era... y Eldorado era ... (l. 1-8)

c. Cita los elementos que evocan Manoa como un lugar legendario. (l. 3-5)

d. Según los españoles Manoa se situaba en... (l. 8). Pero con el tiempo la gente asoció la laguna de Parima con... porque... (l. 10-14)

e. Explica por qué Eldorado se ha convertido en una leyenda.

→ *Cahier p. 57*

2 Imagina

f. A partir de los elementos del texto escribe el principio de la leyenda de Eldorado. *Érase una vez, una ciudad que se llamaba...*

PALABRAS PARA DECIRLO

- adornado, a con: *décoré(e) de*
- brillar
- los edificios: *les bâtiments*
- Érase una vez: *Il était une fois*
- las joyas: *les bijoux*
- un paraíso: *un paradis*
- rico, a: *riche*
- la riqueza: *la richesse*

Memoriza

→ Lengua p. 135

Les pronoms relatifs *que, quien(es)*

Le pronom ***que*** est le pronom relatif le plus employé. Il peut être précédé de ***el, la, los, las*** et du neutre ***lo***.
Les pronoms ***quien, quienes*** s'appliquent exclusivement aux personnes.

› *Fueron los españoles **los que** realizaron expediciones.*
› *Hubo **quien** pensó...*

Practica

Emplea *que* o *quien(es)*.

a. El oro y la plata son metales ... son preciosos.

b. Fueron los indios ... hablaron de Eldorado.

→ Exercices p. 135

¡Y AHORA TÚ!

Una gran decepción

Un compañero te anuncia una mala noticia. Por parejas, imaginad el diálogo.

Escribo el principio de un cuento

Cuenta un cuento que conoces que habla de un lugar fantástico.

La llegada de Colón a las Indias

Wayne Alaniz Healy (pintor chicano), *Colombus lands on las Indias*, 1992

¿Lo sabías?

El 12 de octubre de 1492 Cristóbal Colón y sus hombres desembarcaron en una isla de América pensando haber llegado a las Indias. Viajaron a bordo de tres carabelas o barcos: la Pinta, la Niña y la Santa María.

1 Mira

a. El documento es... pintado por... y se titula...

b. Di qué acontecimiento histórico evoca y quiénes son los personajes.

2 Exprésate

c. ¿A qué pueblos indígenas hace alusión este documento? Justifica tu respuesta

d. Indica los colores utilizados para representar cada cultura.

e. Describe y compara los sentimientos y las expresiones de los personajes: Los conquistadores se portan como si... En cambio la india los mira como si...

f. Muestra que el Descubrimiento está representado como una agresión.

g. ¿Cuáles son los elementos que corresponden a la época del Descubrimiento y cuáles a la época actual? Di por qué.

3 Conversa

h. Imaginad el diálogo entre una mujer india y su hija que quiere saber cómo vivía su pueblo antes de la llegada de los conquistadores. *En aquella época...*

Memoriza

→ Lengua p. 135

Les adjectifs démonstratifs

Les démonstratifs se répartissent en trois grands groupes, en fonction de l'éloignement dans le temps, dans l'espace et par rapport à la personne.

masc. sing. / pluriel	fém. sing. / pluriel
este / estos	esta / estas
ese / esos	esa / esas
aquel / aquellos	aquella / aquellas

› ***Este cuadro*** *(del que hablo yo).*
› *En* ***aquella época*** *(del Descubrimiento).*

Practica

Emplea *este(os), esta(s) o aquel(los), aquella(s).*

a. En el siglo XV Colón descubrió ... tierras lejanas. En ... siglo nadie conocía la existencia de ... continente que iba a llamarse América. **b.** En el cuadro, ... colores vivos recuerdan ... episodio cruel.

→ Exercices p. 135

PALABRAS PARA DECIRLO

- desembarcar: *débarquer*
- una espada: *une épée*
- humillar: *humilier*
- imponer: *imposer*
- invadir: *envahir*
- el mapa: *la carte*
- una máscara: *un masque*
- una metralleta: *une mitraillette*
- un obispo: *un évêque*
- una pirámide
- una tienda: *une tente*

Moros y cristianos

1 Mira

a. Este documento es: **1.** ¿un cartel de una agencia de viajes? **2.** ¿un cartel que anuncia una fiesta? **3.** ¿una publicidad para un producto? Explica cómo lo sabes.

b. Precisa las diferentes partes de este cartel.

2 Exprésate

c. Los personajes son... porque...

d. Describe el cartel imaginando lo que hay debajo de la ciudad.

e. Di a qué época hace alusión el cartel.

3 Conversa

f. Presenta a la clase las ventajas de las fiestas históricas y pídeles a tus compañeros que te describan otra fiesta de este tipo.

Mojácar (provincia de Almería)

¿Lo sabías?

Las fiestas de **"Moros y Cristianos"** se celebran en España para conmemorar de manera pacífica y divertida las guerras entre cristianos y musulmanes durante la Reconquista.

PALABRAS PARA DECIRLO

- el aljibe: *le réservoir à eau*
- la armadura: *l'armure*
- el casco: *le casque*
- el escudo: *le bouclier*
- la noria = sistema para sacar agua de los pozos
- el puñal: *le poignard*
- el turbante: *le turban*

Memoriza

→ Précis 32.C

L'expression de la date

La préposition ***de*** doit se trouver entre les jours et les mois et entre les mois et l'année.

› *Del 30* ***de*** *mayo al 3* ***de*** *junio* ***de*** *1996*

Practica

Imita el modelo :

› *08/06/1996 → A 8 de junio de 1996*

a. 23/12/2008 b. 01/01/2009

c. 25/08/1574 d. 13/04/1952

¡Y AHORA TÚ!

Cuento una escena chocante

Una vez viste en la tele o en una película una escena chocante de guerra o de invasión. Cuenta lo que viste y di por qué te chocó.

Preparando el desfile

Vas a participar al desfile de Moros y Cristianos: elige al personaje que quieres representar y di lo que te parece esencial para que te reconozcan como tal.

Imaginar un desenlace

Érase una vez un hombre rico que tenía una hija muy bella, pero ésta no ponía ningún interés en casarse. Una tarde, paseándose por Madrid, la joven se encontró con un joven caballero y entre ellos nació un amor muy intenso. Pocos días después, le pidieron al hombre rico su consentimiento para poder casarse, pero éste ordenó a sus sirvientes que expulsaran al joven de su casa por ser pobre y que no permitieran a su hija volver a verlo.

Desesperado, el joven caballero pensó: "Si yo fuera rico, el padre daría su consentimiento." Entonces, le envió un mensaje a su amada para despedirse y decirle que se iba al Nuevo Mundo con los conquistadores para probar fortuna y hacerse rico. La joven lo esperó mucho tiempo en vano y nunca aceptó casarse con los pretendientes que su familia le propuso.

El hombre rico, para obligarla a cumplir su voluntad, mandó que no la dejaran salir de casa hasta que aceptara casarse con un pretendiente de su clase.

1 Lee el modelo

a. Identifica a los protagonistas de esta leyenda.

b. Di dónde y cuándo se desarrolló la escena. (l. 1-17)

c. Los jóvenes le pidieron al hombre rico... pero, ante la oposición del padre, el joven pensó que si... y por eso decidió... (l. 7-18)

d. El padre mandó que... para que la hija... (l. 22-25)

2 Escribe el final de la leyenda

e. Comienza con una indicación temporal e imagina lo que le pasó a cada uno de los personajes en España y en América. *Algunos años más tarde...*

f. Cuando el caballero se hizo rico pensó que si...

g. Inventa un final triste o feliz y termina con una fórmula típica de las leyendas *(Fueron felices... Desgraciadamente...)*

PALABRAS PARA DECIRLO

- ante, delante de (fig): *devant*
- desgraciadamente: *malheureusement*
- (des)obedecer: *(dés)obéir*
- en tiempos de: *à l'époque de*
- huir (de): *fuir*
- matar: *tuer*
- una pesadilla: *un cauchemar*
- raptar: *enlever (quelqu'un)*
- vengarse: *se venger*

Memoriza

→ Lengua p. 134

***Si* + imparfait du subjonctif**

Proposition principale		Subordonnée de condition
conditionnel	→	subjonctif imparfait ou plus-que-parfait

› ***Si fuera** rico, el padre **daría** su consentimiento.*

Practica

Conjuga el verbo como conviene.

a. Los jóvenes se casarían si el padre (aceptarlo).

b. Los enamorados vivirían felices si (vivir) juntos.

→ Exercice p. 134

La isla misteriosa

Un *moai* en la isla de *Te Pito o Te Henua*

Fotogramas del vídeo

Fíjate bien

Mira los fotogramas A y B.
Di qué técnicas cinematográficas utiliza el cineasta. Justifica tu respuesta.

1 Observa

a. Identifica el lugar del que habla el reportaje y sitúalo geográficamente a partir del mapa p.IV y p.137 de tu libro.

b. Di lo que son un rapanui y un *moai*.

2 Exprésate

c. El verdadero nombre de la esta isla es *Te Pito o Te Henua* que significa...

d. Apunta tres preguntas que siguen sin respuesta sobre el misterio de los rapanui.

e. Associa los nombres: *Hotu Matu'a, Hiva Marae Renga, Vakai A Heva, Haumaka, Make Make,* con las palabras: un rey, una reina, un reino primitivo, un sacerdote y un dios.

f. Según la leyenda, los rapanui abandonaron su primitivo reino porque...

g. Cuenta la visión que tuvo *Haumaka*.

h. El reportaje utiliza la panorámica del fotograma A para... que podrían corresponder a...

3 Imagina

i. De regreso a *Hiva*, los siete exploradores le cuentan a *Hotu Matu'a* lo que vieron. Imagina lo que cuentan.

PALABRAS DE CINE

- La **panorámica:** la cámara está fija, pero gira sobre su eje *(axe)*. Se suele utilizar para mostrar paisajes.
- El **fundido encadenado** *(fondu enchaîné)*: el cineasta pasa de un plano a otro por medio de la superposición progresiva de dos imágenes. Se emplea para unir dos planos.

PALABRAS PARA DECIRLO

- alcanzar = llegar
- hundirse: *s'enfoncer*
- el ombligo: *le nombril*
- las pisadas: *les traces de pas*
- el reino: *le royaume*
- un sacerdote: *un prêtre*
- un sueño: *un rêve*
- tragar: *engloutir, avaler*
- trasladar = transportar

→ Autres exercices autocorrectifs 

Les complétives au subjonctif et la concordance des temps

→ Précis 27

Les complétives au subjonctif

Les verbes de conseil, de prière, de demande, d'ordre (***aconsejar*** conseiller de, ***rogar*** prier de, ***pedir*** demander de, ***impedir*** empêcher de, ***mandar*** demander/ordonner de, etc.), introduisent très souvent une proposition complétive au subjonctif.

Les expressions ***es normal, es interesante, es importante, es indispensable***, etc. sont également souvent suivies de ***que*** + subjonctif.

Il faut évidemment respecter la concordance des temps.

La concordance des temps

Proposition principale	Proposition subordonnée au subjonctif
présent futur → passé composé	présent du subjonctif
imparfait plus-que-parfait → passé simple conditionnel	imparfait ou plus-que-parfait du subjonctif

› *El chico **quiere que** los turistas **visiten** su barrio.*
› ***Mandó** a un soldado **que siguiera** a la joven.*
› ***Esperaba** el moro **que** el caballero **viniera**.*

1 Conjuga los verbos.

a. La chica quiere que alguien (darse) cuenta de sus penas.
b. El padre le aconseja a su hija que no (enamorarse).
c. Es normal que los jóvenes (tener) ganas de salir.
d. El joven le pide a la chica que (esperarlo).
e. Es indispensable que tú (estar) de acuerdo.
f. El padre le pidió al joven que (irse).
g. Tú querías que ella (hablarte).
h. Sería interesante que vosotros (conocer) la leyenda.
i. Nos rogó que no (tener) miedo.
j. Ellos les mandaron a los indios que (obedecer).

Como si + imparfait ou plus-que-parfait du subjonctif

→ Précis 20.C

Como si introduit une comparaison avec une notion de supposition. ***Como si*** est donc toujours suivi du subjonctif imparfait ou plus-que-parfait.
› ***Como si fuera*** *una de las tablas de multiplicar…*

2 Conjuga los verbos entre paréntesis.

a. El padre se portó con su hija como si (ser) una enemiga.
b. El joven quiere casarse con esta chica como si no (haber) problemas.
c. Los hombres ocupan las tierras como si (tener) el derecho de apropiarse de ellas.
d. El dios se fue como si (temer) tener un destino humano.
e. Los enamorados no protestan como si (aceptar) la decisión del padre y (renunciar) a su amor.

Si + imparfait du subjonctif

→ Précis 26

Lorsque, dans une proposition principale, le verbe est au conditionnel présent ou passé, le verbe de la proposition subordonnée de condition se met au subjonctif imparfait ou plus-que-parfait.
› ***Si fuera*** *rico, el padre **daría** su consentimiento.*

3 Conjuga el verbo como conviene.

a. Sería más fácil si (haber) agua en las casas.
b. Nos gustaría mucho si los libros (enseñarnos) leyendas.
c. Si el dios no (irse), los indios no habrían acogido a los españoles de la misma manera.
d. No se conocería tan bien la historia si ciertas fiestas no (recordarla).
e. Si tú (querer), podrías contarnos una historia que conoces.

Les pronoms relatifs → *Précis 15.C*

Que

- ***Que*** est le pronom relatif le plus fréquemment employé.
  › *La ciudadela fortificada **que** perteneció a los musulmanes.*

El/la/los/las que

- ***Que*** peut être précédé par ***el, la, los, las*** et par le neutre ***lo***.
  el que / los que: celui qui / ceux-qui
  la que / las que: celle qui / celles qui
  lo que: ce que, ce qui
  › ***Lo que** nos gusta son las leyendas.*

Quien(es)

- ***Quien(es)*** s'appliquent exclusivement aux personnes.
  › *Hubo **quien** pensó.*

Cuyo(s)/cuya(s)

- ***Cuyo*** a une fonction de déterminant, excluant de ce fait l'article défini. Il s'accorde donc en genre et en nombre avec le nom qu'il précède.
  › *Existía una ciudad **cuyos tejados** eran de plata.*

4 Emplea el relativo que conviene.

a. Es muy conocido el acueducto ... está en Segovia.
b. Hablaban de un rey ... cuerpo estaba cubierto de oro.
c. ... nos sorprende es la leyenda del acueducto de Segovia.
d. Estaba furioso el padre ... hija quería casarse con este joven. **e.** Eran superiores los españoles ... armas mataban a los indios.

Les démonstratifs → *Précis 9*

- **Les adjectifs démonstratifs**

	masc. sing. / pluriel	fém. sing. / pluriel
aquí - yo - ahora	este / estos	esta / estas
ahí - tú - antes	ese / esos	esa / esas
allí - él - hace mucho tiempo	aquel / aquellos	aquella / aquellas

› ***Este cuadro** (del que hablo yo)*
› *En **aquella época** (del Descubrimiento)*

- **Les pronoms démonstratifs**
  Les pronoms démonstratifs se différencient des adjectifs par un accent écrit.
  › ***Éste** es mi libro.*

5 Emplea *este(os), esta(s) o aquel(los), aquella(s)*.

a. Cuando leemos ... leyenda, pensamos en ... tiempos de antes **b.** ... antigua ciudad maya ya no existe. **c.** El padre no quería que su hija se casara con ... chico. **d.** Aquí ... fiestas son fenomenales. **e.** La agencia propone viajes a ... tierras lejanas que tú conoces bien.

TALLER DE LÉXICO

→ *Autre exercice autocorrectif* CD-ROM

Recuerda la leyenda...

a. Di qué lugares y qué personajes representan los dibujos.
b. Con la ayuda del vocabulario siguiente, resume brevemente cada una de estas leyendas.
castigar – ahogarse – el rostro – el espejo – una balsa – el cerro – tener miedo de – el Apu

muy INTERESANTE

Mitos y leyendas de América

Te presentamos cuatro leyendas de grandes civilizaciones latinoamericanas. Así descubrirás cómo nacieron o desaparecieron y cuáles fueron sus dioses o sus fundadores.

Representación de la leyenda de Tenochtitlán

a Aztecas en busca de la tierra prometida

El dios Huitzilopochtli ordenó a los aztecas que abandonaran Aztlán, su patria, para iniciar un largo éxodo en busca de la tierra prometida. En 1325, al llegar a un islote[1], reconocieron sus símbolos: un nopal[2] sobre una roca en el que un águila devoraba una serpiente. Allí fundaron su capital, Tenochtitlán. En 1521 fue conquistada por Hernán Cortés. Cuando vieron a los españoles, muchos indígenas pensaron que se cumplía la profecía que anunciaba el regreso del dios Quetzalcóatl.

1. *petite île* 2. variedad de cactus

Mapa de Tenochtitlán, capital de los Aztecas, hecho por Hernán Cortés

b Los hijos del Sol y el Imperio Inca

Cuenta la leyenda que cerca del lago Titicaca vivían unos hombres como animales. Al ver eso, Inti, el dios del Sol les pidió a sus hijos Ayar Manco (o Viracocha) y Mama Ocllo que bajaran hasta allí y que fundaran un imperio. El bastón de oro que les dio les indicaría dónde edificar la capital. Cuando los hijos del Sol llegaron al lago Titicaca los hombres los siguieron hasta un hermoso valle donde se hundió[1] el bastón de oro y allí fundaron la ciudad de Cuzco: "el ombligo[2] del mundo". Entonces Viracocha y Mama Ocllo educaron a los hombres y fueron los primeros monarcas de aquella gran civilización.

1. *où s'enfonça* 2. *le nombril*

Mapa de Perú

Cuzco, el ombligo del mundo

Chichén Itzá

Mapa de los territorios mayas

C Los mayas, hombres de maíz

El mundo maya floreció en una región que comprende hoy México, Belice, Guatemala, y parte de Honduras y El Salvador. Sus orígenes se pierden en la oscuridad de las leyendas. Así el Popol Vuh, el libro sagrado maya, relata cómo los dioses Tepeu y Gucumatz crearon al hombre a partir del maíz.
Varias teorías intentan explicar el declive[1] misterioso de esta civilización. Algunas hablan de una superpoblación que provocó el empobrecimiento[2] de las tierras fértiles. Otras evocan largas sequías[3], devastadoras guerras o conflictos sociales.

1. *le déclin*
2. *appauvrissement*
3. *sécheresses*

d La desaparición de Rapa Nui

Cuentan que la isla de Pascua, situada en el Pacífico, fue descubierta por un jefe polinesio llamado Hotu Matu'a. Aquel jefe fundó la cultura Rapanui basada en el culto a los *moai*, representaciones de los dioses o de los antiguos monarcas de la isla. La superpoblación, la destrucción de los bosques, la sequía y las guerras entre clanes enemigos llevaron a los habitantes a derribar[1] las estatuas porque ya no creían en sus dioses ni en sus antepasados[2]. Más tarde, la colonización de los europeos, las enfermedades que trajeron y la esclavitud destruyeron aquella cultura.

1. *renverser* 2. *leurs ancêtres*

Los *moai* de la isla de Pascua

Monte Terevaka 507 m
ISLA DE PASCUA
Hanga Roa
Océano Pacífico
Océano Atlántico
Océano Pacífico
CHILE
ISLA DE PASCUA
BOLIVIA
3600 km
ARGENTINA
3 km

Mapa de la isla de Pascua

¿A ver si lo sabes?

1. Indica cómo reconocieron los aztecas el lugar donde fundar su capital y cómo la llamaron. a
2. Di quiénes fundaron la civilización inca, cuál fue su capital y qué significa su nombre. b
3. ¿Cómo explica el Popol Vuh la creación del hombre maya? c
4. Di lo que son los *moai* y explica por qué fueron derribados. d

Proyecto final

Crea tu propia leyenda sobre el principio o el fin de una civilización.

→ En la introducción, comienza tu relato con *Érase una vez... Cuenta la leyenda... Dicen...*, imagina el nombre de esa civilización, dónde y cuándo vivió.

→ Indica lo que le pasó (problema, aparición, castigo, etc.) y organiza tu relato con indicaciones temporales (*luego, antes, muchos años más tarde* y *al* + infinitif)

→ Introduce un elemento fantástico y preséntalo utilizando *como si...*

→ Inventa un final trágico, feliz o fantástico.

1 Los hombres de maíz

Objectif : Comprendre quelqu'un qui raconte une légende.
Outils : Le passé simple, la concordance des temps avec *para que* + subjonctif, *al* + infinitif.

Escucha la grabación y completa.

A2

1. Los primeros indios mayas eran de... y poco duraron porque...
2. Luego los dioses crearon a los hombres de... pero también... porque...
3. Entonces los dioses...
4. Por fin, al... la actitud de los hombres, los dioses... para que las personas...

2 El acueducto de Segovia

Objectif : Comprendre un texte évoquant une légende.
Outils : La concordance des temps, le subjonctif imparfait.

Algunos dicen que el acueducto es obra de los egipcios, otros piensan que lo levantaron los romanos y aún otros, en fin, hablan de si no sería el diablo el arquitecto.

El nombre de Puente del Diablo le viene al acueducto de una leyenda que aún vive en muchos corazones segovianos: una muchacha pactó con el diablo que le entregaría su alma a cambio de que[1] el agua llegara hasta su misma casa. El diablo se comprometió a hacerlo en una sola noche y antes de la salida del sol y, efectivamente, en una noche, levantó el acueducto pero el agua, por milagro divino, no corrió[2] [...] hasta que el sol se levantó para alumbrar[3] la escena. Con el arte del diablo, por un lado, y con su tardanza en rematar[4] la obra, por el otro, Segovia se encontró con agua.

Camilo José Cela, *Moros, Judíos y Cristianos*, 1965

1. *à condition que*
2. *ne coula pas*
3. *éclairer*
4. *sa lenteur à finir*

Lee el texto y contesta.

A1

1. El documento cuenta...
2. El texto evoca varios constructores posibles. Cítalos.

A2

3. Otro nombre del acueducto es... Recibe este nombre ya que...
4. La muchacha quería que... A cambio, el diablo le pidió que... Entonces el diablo le prometió que...
5. Al... el sol el agua corrió porque...

3 Nuestra carne

Objectif : Parler d'une légende maya sur la création à partir d'une œuvre picturale.
Outils : Le lexique des couleurs, *como si* + subjonctif imparfait.

Mural de Ricardo Ramírez, *Nuestra carne*, 2008

Observa el mural y contesta.

A1

1. El documento es... y representa...
2. Según esta leyenda di cuál es el origen de la mujer.
3. El pintor utiliza colores... como... para crear una impresión de...

A2

4. Las formas y la actitud de la mujer evocan...
5. Observa el vientre de la mujer y las frutas que lo rodean. Es como si...
6. Con este título el pintor quiere decirnos que...

4 Si yo fuera un dios

Objectif : Créer un personnage de fiction, un dieu, le décrire physiquement et dire quels seraient ses pouvoirs.
Outils : *Si yo fuera* + principale au conditionnel, le lexique du corps.

A2

1. Describe tu aspecto físico: *Si yo fuera un dios...*
2. Di cuáles serían tus creaciones y tus poderes: *Si yo fuera un dios...*

Resultado

Tengo el nivel A2

Tengo que repasar

Bellas Artes

Dos genios del Arte español

Las Meninas, Pablo Picasso, 1957

Picasso en su taller

Pablo Ruiz Picasso

(Málaga 1881, Mougins 1973)

p. 140-141

Antonio Gaudí i Cornet

(Reus 1852, Barcelona 1926)

p. 142-143

Retrato de Antonio Gaudí

La Casa Batlló de Gaudí en Barcelona (1904-1906)

Bellas Artes

Pablo Picasso, un artista revolucionario

Pablo Picasso nació en España (Málaga) en 1881. Falleció en Francia (Mougins) en 1973. Fue un artista revolucionario y se le considera uno de los más importantes del siglo XX. Su obra sigue marcando la actualidad. Picasso es un artista que destacó en diferentes artes y técnicas: pintura, escultura, cerámica y litografía.

El periodo azul (1901-1904)

El periodo azul se llama así porque en sus pinturas predominan los tonos azules. En este periodo Picasso representa en sus cuadros la miseria y el dolor que sufren algunas personas: trabajadores agotados, gente pobre, alcohólicos... todos ellos aparecen representados ligeramente alargados.

Pobres al borde del mar, **Pablo Picasso, 1903**

Familia de acróbatas con un mono, **Pablo Picasso, 1905**

El periodo rosa (1904-1905)

El periodo rosa significa una ruptura con el anterior. Las escenas de sus cuadros son menos trágicas, sus temas se centran en el mundo de la danza y del circo utilizando para ello colores más cálidos como los rosas y los rojos.

El cubismo (1907-1916)

El cubismo es un movimiento que revolucionó la visión tradicional de la pintura. Picasso fue su iniciador. Para él pintar no significaba copiar la realidad. En esta etapa descompone las figuras en formas cúbicas o geométricas, presentando un mismo objeto simultáneamente de frente y de perfil. Las figuras aparecen distorsionadas, fragmentadas, como si el cuadro fuese un espejo roto.

Retrato de Dora Maar, Pablo Picasso, 1937

Picasso y los maestros clásicos

En muchos de sus últimos cuadros, Picasso se inspiró en las obras de los grandes maestros clásicos. Era un proceso laborioso en el que el artista se impregnaba de la obra clásica, la estudiaba, la descomponía y la analizaba detalladamente antes de crear su versión personal. Fue una manera muy personal de rendir homenaje a Goya, Velázquez o El Greco.

Masacre en Corea, Pablo Picasso, 1951

Picasso

Goya

El tres de mayo de 1808 en Madrid, Francisco de Goya, 1814

¿A ver si lo sabes?

1. ¿En qué siglo se desarrolló la actividad artística de Picasso?
2. Cita las tres etapas más conocidas de la obra del pintor.
3. Recuerda en qué disciplinas artísticas destacó.
4. Apunta las semejanzas y las diferencias entre los cuadros *Masacre en Corea* de Picasso y *El tres de mayo* de Goya.

Ciberencuesta

Entra en estas páginas web y busca otro cuadro que corresponda a cada periodo de la obra de Picasso. Justifica tu respuesta.

http://www.museovirtual.org/picasso.htm
http://picasso.tamu.edu/picasso
http://www2.museopicassomalaga.org/home.cfm

Bellas Artes

Gaudí: modernista y amante de la naturaleza

Antonio Gaudí, arquitecto español, nació en Reus (Cataluña) en 1852 y murió en Barcelona (Cataluña) en 1926 en un accidente de tranvía.

Su actividad coincidió con el nacimiento de una nueva corriente artística llamada *modernismo* en España que se desarrolló gracias a la aparición de una burguesía que quería invertir su riqueza en todo tipo de artes, y con la Exposición Universal que tuvo lugar en Barcelona en 1888.

La *Casa Vicens* (1883-1888)

El modernismo

En la arquitectura, el modernismo se caracterizó por el uso de líneas ondulantes o curvas, por el uso de decoraciones con motivos florales o fantásticos y por la voluntad de integrar en una sola obra disciplinas diversas como la música, la pintura, la escultura y el grafismo. El modernismo arquitectural también se basa en el redescubrimiento del estilo gótico al que transforma gracias a nuevos materiales como el hierro[1] o el cristal[2], creando así un nuevo estilo llamado *neogótico*.

1. *le fer*
2. *le verre*

El Parque Güell (1900-1914)

Un arquitecto modernista: Antonio Gaudí

Antonio Gaudí fue uno de los grandes artistas del modernismo. En efecto, muchas de sus obras integran flores o elementos vegetales como pilares que se parecen a árboles en el *Parque Güell*. También utilizó materiales como los azulejos para adornar la *Casa Vicens* o la cerámica como es el caso en el *Parque Güell*.

La *Casa Milá* o *Pedrera* (1906-1910)

La Sagrada Familia

En 1884 se convirtió en el arquitecto oficial de lo que sería su obra más emblemática: *la Sagrada Familia*, una catedral de dimensiones impresionantes que sigue en construcción hoy en día. En esta catedral Gaudí se apoya en el estilo gótico, pero lo modifica utilizando líneas curvas y añadiendo numerosos elementos naturales como flores, estalactitas o estalagmitas. Este monumento neogótico es también el testimonio del gran fervor religioso del arquitecto.

Fachada de la *Sagrada Familia* (1883-1926)

Geometría y naturaleza

Para Gaudí, la geometría estaba en la naturaleza, y muchos de sus edificios integran las líneas curvas en la piedra o en el hierro, como es el caso de la fachada y los balcones de la *Casa Milá* en Barcelona.

¿A ver si lo sabes?

1. Di en qué época vivió Gaudí.
2. Indica en qué movimiento artístico participó.
3. Apunta las características principales de las obras de Gaudí.
4. Cita el nombre de dos obras importantes del artista.

Ciberencuesta

Entra en las siguientes páginas web y busca:

- el nombre de dos edificios construidos por Gaudí fuera de Cataluña.
- el nombre de artistas modernistas españoles y cita sus obras principales.

http://www.bcn.es/gaudi2002/castellano
http://www.epdlp.com/arquitecto.php?id=48
http://www.gaudidesigner.com

Test de validation du niveau

1 Prueba de comprensión oral

Escucha la grabación y contesta.

A1

1. La señora vive en la ciudad de... y los habitantes se llaman...
2. Indica la respuesta correcta.
   La ciudad tiene: **a.** 16.000 habitantes **b.** 70.000 habitantes **c.** 60.000 habitantes

A2

3. Sitúa geográficamente la ciudad.
4. Es una bonita ciudad... con una .... y varias iglesias ...
5. Completa la frase indicando el nombre de los edificios y locales que corresponden a estas cantidades:
   La ciudad tiene: **a.** un(a) ... **b.** dos ... y ... **c.** muchos ... d. tres ...
6. Di por qué es conocida la ciudad y explica lo que es.

2 Prueba de comprensión escrita

Lee el texto y contesta.

A1

1. Precisa la forma del documento y di lo que están haciendo los protagonistas.
2. Indica el tema de la conversación y deduce quiénes son los protagonistas.
3. Uno se llama... pero quiere que todo el mundo... y el otro piensa en un nombre... porque...

A2

4. Cada uno tiene proyectos. Explícalos
5. Ayudándote de los adjetivos de las líneas 14-19, compara los caracteres de los chicos.
6. Para Nelson, para aprobar es necesario... mientras que, para el otro chico, lo importante es...
7. Al final,
   a. se ponen de acuerdo
   b. no se ponen de acuerdo.
   Justifica a partir de lo que deciden.

Planeando el futuro

–¿Qué decías?
–Que a partir de ahora quiero que todo el mundo me llame Bigboy...
–Oye, Nelson…
5 –…Llámame Bigboy desde ahora mismo… ¿vale?
–Bigboy… Quiero decir que… Bueno, no sé si necesito buscarme un nombre artístico. De mayor voy a ser informático.
–Con más motivo. Un informático con un buen
10 nombre puede triunfar un montón.
–No sé, me lo tengo que pensar.
–Chico, tú verás. Haz lo que quieras, pero así no vas a ninguna parte. Hoy en día hay que ser un poco más atrevido.
15 –Yo, lo único que quiero es aprobar el curso. –le explico.
–Para aprobar hay que ser un poco más listo… Hay que estudiar, pero también hay que espabilar.
–¿Quieres decir que no soy espabilado? ¿Qué soy un poco tonto?
20 –Bueno, vamos a cambiar de tema –propone.

Santiago García Clairac, *En un lugar de Atocha*, 2005

3 Prueba de expresión oral

Observa el documento y exprésate.

A1

1. Identifica y sitúa el documento.
2. Enumera los diferentes elementos que lo componen.

A2

3. Compara las dos fotos. ¿En qué se parecen? ¿En qué son diferentes?
4. Di lo que evocan para ti.
5. Explica el eslogan "Hay otra Sevilla porque..."
6. Imagina cómo será tu visita a la región de Sevilla: Quizás haya... y pueda...

4 Prueba de expresión escrita

Vas a pasar un mes con una familia española para practicar el idioma. Preséntate por escrito.

A1

1. Completa el formulario del organismo encargado de buscarte la familia.
   - **a.** Nombre
   - **b.** Apellido
   - **c.** Edad
   - **d.** Número de hermanos y hermanas
   - **e.** Dirección
   - **f.** Dirección de correo electrónico
   - **g.** Número de teléfono fijo
   - **g.** Número de móvil

A2

2. Haz una descripción de tu aspecto físico y de tu carácter/personalidad.
3. Describe tus hábitos alimentarios:
   - si sigues algún régimen particular.
   - lo que sueles comer.
   - los alimentos que te gustan más y los que te gustan menos.
   - si eres alérgico, di a qué.
4. Enumera los deportes que sueles practicar y/o tus actividades favoritas durante tu tiempo de ocio.
5. Añade más información sobre ti (tus gustos musicales, tu ciudad, tus amigos, etc.)

Index grammatical

→ Les renvois de cet index correspondent aux numéros de fiches du Précis.

a (préposition), 32.A
accent écrit, 2.B
accent tonique, 2.A
accentuation, 2
adjectifs qualificatifs, 10
adverbes, 31
affaiblissement (verbes à), 24.C
ahí, 31.A
algo, 7.B
alguien, 7.B
allí, allá, 31.A
alphabet, 1
apocope, 14
aquí, acá, 31.A
articles définis, 5.A
articles indéfinis, 5.B
aspects de l'action, 29

aún, 31.D
bastante, 7.A, 31.B

ciento, cien, 6.A
comparatifs, 11
con (préposition), 32.B
concordance des temps, 27
conditionnel, 19
conmigo, contigo, consigo, 15.B
cualquiera, 7.B
cuando + subjonctif, 26.A

de (préposition), 32.C
de nuevo, 29.B
deber (obligation), 35
définis (articles), 5.A
demasiado, 7.A, 31.B
démonstratifs (adjectifs et pronoms), 9
desde, 32.C
diminutifs, 13
diphtongue (verbes à), 24.D

en (préposition), 32.D
encantar, 34
enclise, 25
équivalents de « on », 37
équivalents de « il y a », 36
estar, 28.B
estar + gérondif, 29.A
exclamation, 4

forme progressive, 29.A
futur, 18.B

gérondif, 23
grande, gran, 14
gustar, 34

hace, 36
haber que (obligation), 35
hasta, 32.C
hay, 36

imparfait de l'indicatif, 18.D
impératif affirmatif, 21.A
impératif négatif, 21.B
indéfinis (adjectifs et pronoms), 7
indéfinis (articles), 5.B
indicatif, 18
infinitif, 17
interrogation, 3
ir + gérondif, 29.A

la, el, 5.A

más... que, 11
menos... que, 11
mucho, 7.A, 31.B

nada, 7.B, 30
nadie, 7.B, 30
négation, 30
ni, 30
ni siquiera, 30
ninguno, 30
noms de pays, 5.A
numération, 6
numéraux cardinaux, 6.A
numéraux ordinaux, 6.B
nunca, 30

o (conjonction), 33
obligation, 35
otra vez, 29.B
otro, 5.B, 7

para (préposition), 32.E
participe passé, 22
passé composé, 18.C
passé simple, 18.E
pedir, 38
plus-que-parfait, 18.F
poco, 7.A, 31.B
por (préposition), 32.F
possessifs (adjectifs et pronoms), 8
preguntar, 38
prépositions, 32
présent de l'indicatif, 18.A
présent du subjonctif, 20
pronom *se*, 37
pronoms personnels compléments, 15.B
pronoms personnels sujets, 15.A
pronoms relatifs, 15.C

se (pronom indéfini), 37
seguir + gérondif, 29.A
ser et *estar*, 28
ser, 28.A
ser necesario, preciso, 35
sin (préposition), 32.G
soler, 29.C
subjonctif, 20
subordonnées circonstancielles, 26
suffixes *-ito* et *-illo*, 13
superlatifs, 12

tan... como, 11
tanto, 28.B
tener que (obligation), 35
todavía, 31.D

usted, ustedes, 16

verbes comme *gustar*, 34
volver a, 29.B
volverse, 39
vosotros(as), 16
vouvoiement, 16

y (conjonction), 33
ya, 31.C

Les exemples de ce précis sont tirés des textes du manuel.

1 L'alphabet

A	*a*	H	*hache*	Ñ	*eñe*	U	*u*
B	*b*	I	*i*	O	*o*	V	*uve*
C	*ce*	J	*jota*	P	*pe*	W	*uve doble*
CH	*che*	K	*ka*	Q	*cu*	X	*equis*
D	*de*	L	*ele*	R	*ere*	Y	*i griega*
E	*e*	LL	*elle*	RR	*erre*	Z	*zeta*
F	*efe*	M	*eme*	S	*ese*		
G	*ge*	N	*ene*	T	*te*		

- Les lettres sont du genre féminin.
  la a, la efe, una u
- Les voyelles conservent leur son.
  an, en, in

¡Ojo! Dans les dictionnaires, les lettres *ch* et *ll* se trouvent dans les lettres « C » et « L ».

2 L'accentuation

A L'accent tonique

- Tous les mots espagnols portent un **accent tonique**, ce qui signifie qu'une syllabe est prononcée plus fort que les autres. Si un mot ne comporte qu'une seule syllabe, celle-ci est obligatoirement accentuée. Pour les autres mots, l'accent tonique porte :

  • **sur l'avant-dernière syllabe** lorsque les mots se terminent par une voyelle, un ***n*** ou un ***s***.
  todos los veranos
  La playa, las casas se quedan.

  • **sur la dernière syllabe** lorsque les mots se terminent par une consonne sauf ***n*** et ***s***.
  Me encanta buscar conchas.
  la ciudad
  Hace calor.

B L'accent écrit

- Lorsque l'accent est écrit, il peut porter sur la dernière syllabe, l'avant-dernière ou l'antépénultième.
  Cet accent écrit indique la voyelle tonique de la syllabe qui doit être prononcée plus fort que les autres.
  Los cerros se quedan atrás.
  ¿De dónde eres?
  mis padres biológicos
- Lorsque la syllabe finale d'un mot singulier se termine par une consonne et comporte un accent écrit, cet accent écrit disparaît au pluriel car il devient inutile.
  Una habitación → unas habitaciones

  ¡Ojo! Certains mots qui ne comportent pas d'accent écrit au singulier en prennent un au pluriel afin de conserver l'accent tonique à la place qu'il occupait au singulier.
  no es joven → no son jóvenes
- Certains accents écrits servent à distinguer deux mots de même forme mais de nature et/ou de sens différents :
  este (adjectif démonstratif) ≠ ***éste*** (pronom démonstratif)
  el (article) ≠ ***él*** (pronom)
  se (pronom) ≠ ***sé*** (verbe *saber*)
  hacia (préposition) ≠ ***hacía*** (verbe *hacer*)
  que (pronom relatif) ≠ ***qué*** (interrogatif ou exclamatif)
  *Hay gente **que** no es como nosotros.*
  *¡**Qué** palabra más boba!*

3 L'interrogation → p. 17

- L'interrogation est précédée **d'un point d'interrogation à l'envers** qui peut être placé en tête de phrase ou dans la phrase directement devant les éléments de la question.
  ¿De dónde eres?
  Resulta divertido, ¿no crees?
- **Les mots interrogatifs** portent un accent qui les différencie graphiquement des pronoms relatifs (à l'exception de ***si***). Certains s'accordent en nombre ou en genre et en nombre.

qué	*dónde*	*quién / quiénes*
por qué	*adónde*	*cuál / cuáles*
para qué	*cuándo*	*cuánto / cuánta / cuántos / cuántas*
a qué	*cómo*	

*¿**Qué** estudias?*
*¿**Cuántos años** tienes?*

- Dans les propositions interrogatives indirectes, le mot interrogatif conserve l'accent écrit.
  *Igual alguno sabe **dónde** trabaja ahora.*
- Puisqu'il s'agit d'une interrogation (*una pregunta*), c'est très souvent le verbe ***preguntar*** qui accompagne ces phrases.
  *¿Y no podría **preguntar** a sus compañeros si la conocen?*

4 L'exclamation → p. 67

- L'exclamation est précédée d'un **point d'exclamation à l'envers** qui peut être placé en tête de phrase ou dans la phrase devant l'exclamation.
- Le mot exclamatif ***qué*** introduit généralement l'exclamation lorsque celle-ci porte sur un nom, un adjectif, un participe ou un adverbe.
  *¡**Qué** palabra más boba!*

5 Les articles → p. 29

A Les articles définis

1. Les articles définis masculins et féminins

	Masculin	Féminin
Singulier	**el** (el libro)	**la** (la playa)
Pluriel	**los** (los libros)	**las** (las playas)

- Précédé des prépositions ***a*** ou ***de***, l'article défini masculin singulier ***el*** se soude et se contracte.
  *Sabía pescar **al** martillo.*
  *la geografía **del** río Ibaya*

2. Emplois de l'article défini

- Les articles définis sont utilisés dans l'expression :
  - de **l'heure**
    *Se levantan a **las ocho y media**.*
  - des **jours** de la semaine ou de **moments** déterminés
    ***A los veinte minutos** vi la verde línea de un río.*
  - de **l'âge**
    *a **los veinte años***
- Dans ces cas, l'article correspond au genre et au nombre du nom qui peut être sous-entendu : ***las** horas*, ***los** días*, ***los** años* (les heures, les jours, les années).
- **L'article défini devant un nom de pays et de continent**
  - L'espagnol n'emploie généralement pas l'article défini devant des noms de pays et de continent.
    ***Colombia** está en **América** latina.*
    *en el norte **de África***
- Dans certaines expressions, l'article défini est omis.
  por primera vez

B Les articles indéfinis

	Masculin	Féminin
Singulier	**un** (un libro)	**una** (una playa)
Pluriel	**unos** (unos libros)	**unas** (unas playas)

*Un bebé llevaba **unos** pañales desechables.*

- L'article indéfini ne doit pas être employé devant les adjectifs ***otro***, ***medio***, ***tal***, ***semejante***, ***igual*** (autre, demi, tel, pareil, égal/même).
  *Por **otra** parte*
  ***Medio** país es parque nacional.*

6 La numération → p. 20

A Les numéraux cardinaux

0	*cero*	13	*trece*	26	*veintiséis*	100	*ciento (cien)*	10 000	*diez mil*
1	*uno*	14	*catorce*	27	*veintisiete*	101	*ciento uno*	100 000	*cien mil*
2	*dos*	15	*quince*	28	*veintiocho*	200	*doscientos (as)*	1 000 000	*un millón*
3	*tres*	16	*dieciséis*	29	*veintinueve*	300	*trescientos (as)*	100 000 000	*cien millones*
4	*cuatro*	17	*diecisiete*	30	*treinta*	400	*cuatrocientos (as)*		
5	*cinco*	18	*dieciocho*	31	*treinta y uno*	500	*quinientos (as)*		
6	*seis*	19	*diecinueve*	40	*cuarenta*	600	*seiscientos (as)*		
7	*siete*	20	*veinte*	41	*cuarenta y uno*	700	*setecientos (as)*		
8	*ocho*	21	*veintiuno*	50	*cincuenta*	800	*ochocientos(as)*		
9	*nueve*	22	*veintidós*	60	*sesenta*	900	*novecientos (as)*		
10	*diez*	23	*veintitrés*	70	*setenta*	1000	*mil*		
11	*once*	24	*veinticuatro*	80	*ochenta*	1001	*mil uno*		
12	*doce*	25	*veinticinco*	90	*noventa*	2000	*dos mil*		

*El aeropuerto se encontraba a más de **cuatro mil** metros de altitud.*

- ***Uno*** s'apocope en ***un*** devant un nom masculin singulier.
  ***un** hombre*
- ***Ciento*** s'apocope en ***cien*** devant un nom et devant ***mil***.
  ***cien** mil*
- La conjonction ***y*** ne s'emploie qu'entre les dizaines et les unités.
  *cuarenta **y** dos euros*

→

- Les centaines à partir de 200 s'accordent avec le nom qui suit ou qui est sous-entendu.
  *doscient**as** person**as***

B Les numéraux ordinaux

primero	*sexto*
segundo	*séptimo*
tercero	*octavo*
cuarto	*noveno*
quinto	*décimo*

*Curso el **octavo** grado en el colegio.*
*Usted no vive en el **cuarto** piso.*

- ***Primero*** et ***tercero*** s'apocopent en ***prime**r* et ***tercer*** devant un nom masculin singulier. (→ l'apocope, 14)
  *el **primer** día de clase*
  *el **tercer** verso*

7 Les indéfinis → p. 65, p. 96

Les indéfinis sont adjectifs lorsqu'ils accompagnent un nom : ils s'accordent alors en genre et en nombre. Ils peuvent remplacer un nom et être pronoms. Ils sont aussi adverbes et donc invariables lorsqu'ils accompagnent un verbe (→ les adverbes, 31)

A Les adjectifs indéfinis

- Les adjectifs indéfinis fournissent des informations sur la quantité, l'intensité et l'identité du nom qu'ils déterminent.

1. La notion de quantité

- **Poco(s), poca(s)** = peu de
  *un hombre de **pocas palabras***
- **Mucho(s), mucha(s)** = beaucoup de, de nombreux / de nombreuses
  muchas expediciones
- **Alguno(s), alguna(s)** = un(e)/quelque ; des/quelques
  *en **algún sitio***
  algunas fosas
- **Ninguno, ninguna** = aucun, aucune
  *No tienes **ningún** amigo.*
  ***ninguna persona** de la ciudad*
- **Bastante (bastantes)** = assez de
  bastantes informaciones
- **Demasiado(s), demasiada(s)** = trop de
  demasiadas personas
- **Todo(s) / toda(s)** = tout / tous ; toute / toutes
  todas las salidas
- **Varios / varias** = plusieurs
  varias veces
- **Cierto(s) / cierta(s)** = certain / certains ; certaine / certaines
  *con **cierto alivio***
- **Cada** = chaque
  Cada + nom peut se traduire aussi par « tous les », « toutes les » pour exprimer la fréquence d'une action.
  ***Cada noche** crecía unos centímetros.*
- **Tanto(s), tanta(s)** = tant de
  *Los consideraba con **tanta inteligencia** como una persona.*

2. La notion d'identité ou d'appartenance

- **Cualquiera** = n'importe quel/quelle
  *Acércate a **cualquier mostrador**.*
- **Otro(s) / otra(s)** = un autre / d'autres ; une autre / d'autres
  *Tienen **otro color**.*
- **Mismo(s) / misma(s)** = le/la/les même(s)
  *la **misma** noche*

B Les pronoms indéfinis

- Les déterminants indéfinis peuvent être utilisés sans que le nom qu'ils déterminent soit exprimé.
  uno(s), una(s)
  alguno(s), alguna(s)
  poco(s), poca(s)
  mucho(s), mucha(s)
  otro(s), otra(s)
  cualquiera
  todo(s), toda(s)
  ***Todos** llevaban una camiseta*
- Le pronom indéfini ***alguien*** (quelqu'un) a un pendant négatif avec ***nadie*** (personne). Le pronom indéfini ***algo*** (quelque chose) a un pendant négatif avec ***nada*** (rien). (→ la négation, 30)

***Alguien** hablaba.*
***Nadie** ha podido encontrarlo.*
*El padre ya sospechaba **algo**.*
*No veía **nada**.*

¡Ojo! ***Alguien*** et ***nadie*** ne peuvent désigner que des personnes.

8 Les possessifs
→ p. 50

A Les adjectifs possessifs

- Les adjectifs possessifs s'accordent en genre et en nombre avec le nom qu'ils introduisent.

	Singulier	Pluriel
1res pers.	**mi** **nuestro, nuestra**	**mis** **nuestros, nuestras**
2es pers.	**tu** **vuestro, vuestra**	**tus** **vuestros, vuestras**
3es pers.	**su**	**sus**

__tu__ alegría y __tu__ gracia

B Les pronoms possessifs

	Singulier	Pluriel
1res pers.	**mío, mía** **nuestro, nuestra**	**míos, mías** **nuestros, nuestras**
2es pers.	**tuyo, tuya** **vuestro, vuestra**	**tuyos, tuyas** **vuestros, vuestras**
3es pers.	**suyo, suya**	**suyos, suyas**

- Les pronoms possessifs, précédés ou non de l'article, s'accordent en genre et en nombre avec le substantif auquel ils se rapportent.
Le insistió en que __la mía__ fuera bien mansita.

9 Les démonstratifs
→ p. 130

- Les adjectifs et les pronoms démonstratifs se répartissent en trois grands groupes, en fonction de l'éloignement dans le temps, dans l'espace et par rapport à la personne.
- Les pronoms démonstratifs ont la même forme que les adjectifs ; seul l'accent écrit portant sur la syllabe déjà tonique les différencie : ***éste*** (celui-ci), ***ése*** (celui-là), ***aquél*** (celui-là là-bas).

		Adjectifs		Pronoms	
		Sing	Pluriel	Sing	Pluriel
Aquí/Yo Temps présent	Masc	este	estos	éste	ésto
	Fem	esta	estas	ésta	éstas
Ahí/Tú Passé ou futur proches	Masc	ese	esos	ése	ésos
	Fem	esa	esas	ésa	ésas
Allí/Él Passé ou futur très éloignés	Masc	aquel	aquellos	aquél	aquéllos
	Fem	aquella	aquellas	aquélla	aquéllas

En __esta tierra__ me crié y crecí.
En __aquella ciudad__ el oro era abundante.

- Il existe également une forme neutre : ***esto***, ***eso***, ***aquello*** obéissant aux mêmes valeurs que les adjectifs et les autres pronoms.
__Eso__ se ha terminado.

10 Les adjectifs qualificatifs

A Le féminin des adjectifs qualificatifs

- Les adjectifs qualificatifs se terminant par **-*o*** ont un féminin en **-*a***.
encantad__o__ → encantad__a__
- Les adjectifs qualificatifs se terminant par une consonne peuvent être à la fois masculin et féminin ou prendre un **-*a*** au féminin.
un caso __general__ → una historia __general__
españo__l__ → españo__la__
- Les adjectifs en **-*e*** ont une forme commune au masculin et au féminin.
un chico alegre, una chica alegre

B Le pluriel des adjectifs qualificatifs

- Les adjectifs qualificatifs se terminant par une voyelle non accentuée ont un pluriel en **-*s***.
un chico contento → unos chicos contento__s__
una chica contenta → unas chicas contenta__s__
un chico/una chica alegre → unos chicos/unas chicas alegre__s__
- Les adjectifs qualificatifs se terminant par une consonne ou une voyelle accentuée ont un pluriel en **-*es***.
mi libro escolar → mis libros escolar__es__
- Les adjectifs se terminant par un **-*z*** ont un pluriel en **-*ces***.
capa__z__ → capa__ces__

11 Les comparatifs → p. 100

- Les comparatifs établissent des rapports de supériorité, d'infériorité ou d'égalité.
  - Le comparatif de **supériorité** s'exprime avec ***más... que***
  *El cerro es **más** alto **que** la ciudad.*
  - Le comparatif **d'infériorité** s'exprime avec ***menos... que***
  menos** alto **que
  - Le comparatif **d'égalité** s'exprime avec ***tan... como***
  tan** alto **como

- Il existe des **adjectifs comparatifs de forme propre** qui s'accordent en nombre avec le nom qu'il détermine.
  mejor (*más bien*) ≠ ***peor*** (*más mal*)
  mayor (*más grande*) ≠ ***menor*** (*más pequeño*)

  *Tengo la **mayor** admiración por mi Mela.*

12 Les superlatifs → p. 109

A Les superlatifs relatifs

- Les superlatifs relatifs de supériorité : ***el/la más, los/las más***
  *Es **el más** moderno.*
- Les superlatifs relatifs d'infériorité : ***el/la menos, los/las menos***

  ¡Ojo! Contrairement au français, l'article employé devant le nom n'est pas répété devant l'adjectif.
  *las farmacias **más modernas** de Iquitos*

B Les superlatifs absolus

- Les superlatifs absolus servent à intensifier ou nuancer une qualité : ***muy***, ***bien***.
  *Es **muy difícil**.*
  *Le insistió en que la mía fuera **bien mansita**.*
- Pour signifier l'intensité ou l'excellence, on peut employer le superlatif absolu qui se forme généralement en ajoutant à l'adjectif le suffixe ***-ísimo***(*s*), ***-ísima***(*s*). Il est proche de ***muy*** + adjectif. Certains adjectifs peuvent subir une modification orthographique :
  blanco → blanquísimo
  fuerte → fortísimo
  pobre → paupérrimo

  ***muchísimos** años*
  *una **fortísima** resaca de alcohol*

13 Les diminutifs → p. 62

- Les diminutifs nuancent les mots auxquels ils se rattachent (notions de petitesse, d'affection, marques d'admiration ou de mépris).
- Pour les mots se terminant par ***-o*** ou ***-a***, les diminutifs sont généralement en: ***-ito***/ ***-ita***, ***-illo***/***-illa***, ***-uelo***/***-uela***.
  *Te cuento de animal**itos**.*
  *piedras pequeñ**itas***
- Des changements orthographiques peuvent également intervenir.
  *mi **pueblecito***

14 L'apocope → p. 31

- L'apocope est la chute de la voyelle ou de la syllabe finales de certains mots – ***bueno*** (bon), ***malo*** (mal, mauvais), ***uno/ alguno***, (un), ***ninguno*** (aucun), ***primero*** (premier), ***tercero*** (troisième), ***grande*** (grand), ***cualquiera*** (n'importe quel, quelle), ***santo*** (saint) – devant un nom masculin singulier.
  *el **primer día** de clase*
  *no tienes **ningún amigo***
  *en **algún sitio***

¡Ojo! L'apocope de ces adjectifs est facultative devant un nom féminin singulier. Néanmoins, ***cualquiera*** et ***grande*** s'apocopent systématiquement et indifféremment devant un nom masculin ou féminin :
*la **Gran** Vía.*

15 Les pronoms → p. 47, 95, 110, 128, 129

A Les pronoms personnels sujets

(→ le vouvoiement, 16)

yo
tú
él, ella, usted
nosotros, nosotras
vosotros, vosotras
ellos, ellas, ustedes

- En espagnol, les pronoms personnels sujets ne sont pas nécessaires, car chaque terminaison verbale est presque toujours différente : *hablo*, *hablas*, *habla*, *hablamos*, *habláis*, *hablan*, et indique une personne précise. Les pronoms sujets marquent donc une valeur d'insistance.
  Yo sólo quiero rodar algo.
- Le pronom personnel sujet est parfois nécessaire lorsqu'il peut y avoir confusion, par exemple à l'imparfait : *llevaba (yo, él, ella, usted)*
  ***Yo llevaba** la conversación hacia temas anodinos.*

B Les pronoms personnels compléments

(→ le vouvoiement, 16)

1. Les pronoms personnels compléments non introduits par une préposition

COD	COI	Réfléchi
me	**me**	
te	**te**	
lo	**le**	**se**
la	**le**	**se**
nos	**nos**	
os	**os**	
los	**les**	**se**
las	**les**	**se**

- Les pronoms personnels compléments directs, indirects et réfléchis peuvent avoir une forme commune ou une forme différente suivant les personnes.
  ***Nos** invitaron a bailar con ellos.*
  *Ella **lo** miraba.*
  *Como **le** había contado su abuela, no estaba allí hacía unos años.*
- Lorsque deux pronoms se rapportent au verbe, l'ordre est le suivant : d'abord le pronom indirect, ensuite, le pronom direct.
  Dímelo.
- Lorsqu'un pronom indirect de 3e personne, ***le*** ou ***les*** se trouve devant un pronom direct de 3e personne, il se change en ***se***.
  ***Se lo** hicimos notar.*
  *Para pagár**selas**.*

2. Les pronoms personnels compléments introduits par une préposition

	Singulier	Pluriel
1res personnes	**mí**	**nosotros, nosotras**
2e personnes	**ti**	**vosotros, vosotras**
3e personnes	**él, ella usted**	**ellos, ellas, ustedes**
réfléchis	**sí**	**sí**
neutre	**ello**	

*Tenían miedo **de nosotras**.*
*Te veo muy segura **de ti** misma.*
*Nos invitaron a bailar **con ellos**.*
*Se enamoró **de ella** y Zulema **de él**.*

- Avec la préposition ***con***, l'espagnol emploie des formes spéciales à la 1re personne et à la 2e personne du singulier (***conmigo***, ***contigo***) ainsi qu'à la forme réfléchie (***consigo***).
  *¿Quieres venir **conmigo**?*

C Les pronoms relatifs

Parmi les pronoms relatifs :

- ***Que*** est le pronom relatif le plus fréquemment employé.
  *La gente **que** estaba aquí antes.*
  Que peut être précédé de ***el/la, los/las***, ainsi que par le neutre ***lo*** .
  *El valle en **el que** está la ciudad.*
  *Conocer todos los países era **lo que** más le gustaría.*
- ***Quien (quienes)*** s'appliquent exclusivement aux personnes.
  *Hubo **quien** pensó…*
  *Un hombre de pocas palabras con **quien** se reunió.*
- ***Cuyo*** (dont) s'accorde en genre et en nombre avec le nom qu'il précède. Il exclut l'article défini.
  *Tezcatlipoca, **cuyo nombre** significa "espejo de humo"...*
  *Una enorme laguna **cuyos tejados** eran de plata.*
  *Una enorme laguna **cuyas aguas** resplandecían.*

16 Le vouvoiement → p. 32

- ***Vosotros, as*** s'emploie pour s'adresser à plusieurs personnes que l'on tutoie. Il correspond à la deuxième personne du pluriel.
  *¿Y **vosotros**? ¿Quiénes **sois**? ¿Dónde **vivís**? ¿Cuántos años **tenéis**?*

  ¡Ojo! Bien employer les possessifs et les pronoms correspondants (→ les possessifs 8, et les pronoms personnels, 15)
  *Soy **vuestra** amiga. ¿Cómo **os** llam**áis**?*

- ***Usted(es)*** correspond au « vous » de politesse qui est employé pour s'adresser à une ou plusieurs personnes que l'on vouvoie. ***Usted*** et ***ustedes*** correspondent aux 3es personnes du singulier et du pluriel. Comme pour les autres pronoms sujets, ils peuvent ne pas apparaître.
  *Señor Mariano, que **usted no vive** en el cuarto piso.*
  *¿Y no **podría** preguntar a sus compañeros si la conocen?*

17 L'infinitif

Les verbes espagnols sont classés en trois groupes, selon leur terminaison :

- verbes se terminant en ***– ar*** *(habl**ar**)*
- verbes se terminant en ***– er*** *(com**er**)*
- verbes se terminant en ***– ir*** *(viv**ir**)*

18 L'indicatif *(→ tableau de conjugaisons, p. 162-165)*

A Le présent (→ tableau de conjugaisons, p. 162, p.165)

- **Formation des verbes réguliers**

  -verbes en ***– ar : -o, -as, -a, -amos, -áis, -an***
  -verbes en ***– er : -o, -es, -e, -emos, -éis, -en***
  -verbes en ***– ir : -o, -es, -e, -imos, -ís, -en***

  *Acab**o** de llegar.*

B Le futur (→ tableau de conjugaisons, p. 163, p.165)

- **Formation**

  - La terminaison est la même pour tous les verbes : infinitif + ***– é***, ***– ás***, ***– á***, ***– emos***, ***– éis***, ***– án***.

  ¡Ojo! Modification orthographique du radical de certains verbes.

Haber: habré, habrás…	**Poder**: podré, podrás…
Decir: diré, dirás…	**Poner**: pondré, pondrás…
Hacer: haré, harás…	**Salir**: saldré, saldrás …
Tener: tendré, tendrás…	**Venir**: vendré, vendrás…

  *Te **diré** lo que hacemos.*

- Pour rendre une idée de futur, l'espagnol emploie le futur mais il peut également, comme en français, employer le verbe ***ir a*** au présent de l'indicatif suivi d'un infinitif.
  *Lo **va a hacer**.*

- Le futur rend également l'hypothèse et la supposition.
  *¿Qué **pensará** este señor?*

C Le passé composé (→ tableau de conjugaisons, p. 163, p.165)

- **Formation :** ***haber*** au présent (***he***, ***has***, ***ha***, ***hemos***, ***habéis***, ***han***) + participe passé (verbes en ***– ar*** : ***– ado*** ; verbes en ***– er*** et ***– ir*** : ***– ido***).

- Le passé composé présente une action commencée dans le passé qui se prolonge dans le présent et n'est pas considérée comme terminée.
  *Una nueva forma de ocio familiar **ha nacido**.*

- Attention aux participes passés irréguliers comme ***escrito*** (escribir), ***dicho*** (decir), ***visto*** (ver)…

D L'imparfait (→ tableau de conjugaisons, p. 162, p.164)

- **Formation**

  - Pour les verbes en ***– ar*** : radical + ***-aba***, ***-abas***, ***-aba***, ***-ábamos***, ***-abais***, ***-aban***
  - Pour les verbes en ***– er*** et ***– ir*** : radical + ***-ía***, ***-ías***, ***-ía***, ***-íamos***, ***-íais***, ***-ían***

  - Attention aux imparfaits irréguliers :
  ir: iba, ibas, iba, íbamos, ibais, iban.
  ser: era, eras, era, éramos, erais, eran.
  ver: veía, veías, veía, veíamos, veíais, veían.

- Comme en français, l'imparfait est employé pour évoquer une action ou un état dans le passé qui s'inscrit dans la durée, la continuité ou l'habitude.
  *Le gust**aba** volver la cabeza hacia el cerro. Se deten**ía** un instante y lo mir**aba**. **Era** un cerro bien distinto.*

E Le passé simple (→ tableau de conjugaisons, p. 163, p. 165)

- **Formation des verbes réguliers**

  - Pour les verbes en ***– ar*** : ***– é***, ***– aste***, ***– ó***, ***– amos***, ***– asteis***, ***– aron***
  - Pour les verbes en ***– er*** et ***– ir*** : ***– í***, ***– iste***, ***– ió***, ***– imos***, ***– isteis***, ***– ieron***

  *Se pens**ó** inmediatamente en ella.*

- **Cas des verbes en -*er* et en -*ir* dont le radical est terminé par une voyelle**

  Lorsque le radical d'un verbe en -*er (leer, caer...)* ou en -*ir (concluir...)* est terminé par une voyelle, le « i » se change en « y » aux 3es personnes du singulier et du pluriel.
  *Le preocupó algo que **leyó**.*

- **Les passés simples irréguliers**

  Certains verbes ont un passé simple irrégulier avec une 1re personne et une 3e personne du singulier dont l'accent tonique tombe sur le radical.

  haber: hice, hiciste, hizo, hicimos, hicisteis, hicieron
  saber: supe, supiste, supo, supimos, supisteis, supieron
  poder: pude..., **poner:** puse..., **tener:** tuve...
  traer: traje, trajiste, trajo, trajimos, trajisteis, trajeron
  ser/ir: fui, fuiste, fue, fuimos, fuisteis, fueron

  *En diciembre **hubo** modificaciones.*

- Le passé simple est préféré au passé composé dés lors qu'une action est terminée.
  ***Se fue** la niña gitana y yo la sigo buscando.*

F Le plus-que-parfait

- **Formation :** ***haber*** à l'imparfait + participe passé
- Le plus-que-parfait présente une action antérieure à un évènement annoncé par le passé simple.
  *Como le **había contado** su abuela, no estaba allí hacía unos años.*

19 Le conditionnel *(⟶ tableau de conjugaisons, p. 163-165)*

Comme pour le futur, la terminaison est la même pour tous les verbes.

- **Formation**
  - Verbe à l'infinitif + ***-ía, -ías, -ía, -íamos, -íais, -ían***

  *Decidió que **iría** al sur.*

- Comme pour le futur, le radical de certains verbes est modifié.
  decir: diría...
  haber: habría...
  hacer: haría...
  tener: tendría...
  venir: vendría...

- Le conditionnel exprime une éventualité, une supposition.
  *¿Qué les **gustaría** ser, hacer, de grandes?*
  ***Viajaría** gratis por el mundo entero.*

  ¡Ojo! Le conditionnel du verbe ***querer (querría...)*** est très peu usité : il est généralement remplacé par l'imparfait du subjonctif ***(quisiera...)***.
  ***Quisiera** que mi Mela me prometiera que lo va a hacer.*

20 Le subjonctif *(⟶ tableau de conjugaisons, p. 162, 164)*

A Les présents réguliers *(⟶ tableau des conjugaisons, p. 162)*

- **Formation :**
  - Pour les verbes en -***ar*** : ***-e, -es, -e, -emos, -éis, -en***
  - Pour les verbes en -***er*** et -***ir*** : ***-a, -as, -a, -amos, -áis, -an***

- L'espagnol emploie le mode subjonctif lorsque l'action est irréelle ou lorsqu'elle présente une action non réalisée. Ainsi, dans une proposition subordonnée avec une valeur de futur, l'espagnol emploie le subjonctif. (⟶ Les propositions circonstancielles de temps, 26.A)
  ***Cuando venga** te lo presento.*

- L'espagnol forme également des complétives au subjonctif. (⟶ La concordance des temps, 27)
  ***Necesita que cuide** a su padre, **que recoja** a su hijo.*

- On peut le trouver après des adverbes comme ***tal vez, quizá, quizás, acaso, puede que*** (peut-être) selon que le caractère hypothétique est plus ou moins marqué.

B Les présents irréguliers *(⟶ tableau des conjugaisons, p. 162, 164)*

Certains verbes ont un présent du subjonctif irrégulier.
hacer: haga, hagas, haga, hagamos, hagáis, hagan
ir: vaya, vayas, vaya, vayamos, vayáis, vayan
haber: haya, hayas, haya, hayamos, hayáis, hayan
venir: venga... **decir:** diga...
tener: tenga... **parecer:** parezca...
saber: sepa...

L'imparfait

- **Formation :**
  - Il existe deux formes de subjonctif imparfait : une forme en ***-ra***, une forme en ***-se***.
  - Il se forme à partir de la troisième personne du pluriel du passé simple :
    – Verbes en ***-ar*** :
    -ara, -aras, -ara, -áramos, -arais, -aran
    -ase, -ases, -ase, -ásemos, -aseis, -asen

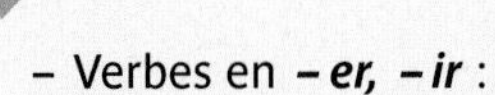

- Verbes en **-er, -ir** :
-iera, -ieras, -iera, -iéramos, -ierais, -ieran
-iese, -ieses, -iese, -iésemos, -ieseis, -iesen

¡Ojo! La 3e personne du pluriel des passés simples irréguliers sert également à former l'imparfait du subjonctif.
ir: fueron → fuera, fuese
poder: pudieron → pudiera, pudiese
haber: hubieron → hubiera, hubiese
querer: quisieron → quisiera, quisiese

- Dans une proposition principale, l'imparfait du subjonctif de certains verbes comme ***querer*** a la valeur d'un conditionnel. (→ Le conditionnel, 19)
__Quisiera__ que me lo prometieras.

21 Les impératifs → p. 52

Les impératifs espagnols comptent cinq personnes à cause des trois formes de « vous » : ***usted***, ***vosotros(as)***, ***ustedes***.

A L'impératif affirmatif

- **Formation**
L'impératif affirmatif est formé à partir du subjonctif sauf pour les deuxièmes personnes du singulier et du pluriel : *trabaja/aprende (tú)* ; *trabajad/aprended (vosotros,as)*.

	verbes en **-ar**	verbes en **-er**	verbes en **-ir**
tú	trabaj**a**	aprend**e**	viv**e**
usted	trabaje	aprenda	viva
nosotros, as	trabaj**emos**	aprend**amos**	viv**amos**
vosotros, as	trabaj**ad**	aprend**ed**	viv**id**
ustedes	trabaj**en**	aprend**an**	viv**an**

¡__Escribe__ pronto!

- Certaines 2es personnes du singulier ont des formes irrégulières : ***ser***: *sé* ; ***decir***: *di* ; ***hacer***: *haz* ; ***poner***: *pon* ; ***salir***: *sal* ; ***tener***: *ten* ; ***venir***: *ven*.

__Hazlo__ por mí.
__Dile__ que me mande un mensaje.

¡Ojo! L'enclise est obligatoire pour l'impératif affirmatif.
__Entérate__ si le gusto.

B L'impératif négatif

- **Formation**
L'impératif négatif utilise les formes du subjonctif.

	verbes en **-ar**	verbes en **-er**	verbes en **-ir**
tú	no trabaj**es**	no aprend**as**	no viv**as**
usted	no trabaje	no aprenda	no viva
nosotros, as	no trabaj**emos**	no aprend**amos**	no viv**amos**
vosotros, as	no trabaj**éis**	no aprend**áis**	no viv**áis**
ustedes	no trabaj**en**	no aprend**an**	no viv**an**

¡Ojo! Pas d'enclise a l'impératif négatif.
No __vuelvas__ a pedirme favores.
No __utilices__ el móvil en hospitales.

22 Le participe passé

- **Formation**
  - verbes en **-ar** : ***-ado*** — *hablar > habl**ado***
  - verbes en **-er** et **-ir** : ***-ido*** — *comer > com**ido*** ; *vivir > viv**ido***
- **Attention** à certains participes passés irréguliers.

abrir > abierto
decir > dicho
escribir > escrito
hacer > hecho
morir > muerto
romper > roto
ver > visto
volver > vuelto

- Lorsqu'il est employé avec l'auxiliaire ***haber***, le participe passé est toujours invariable.
Aún no habéis __llegado__ a La Paz.
- Lorsqu'il est employé comme adjectif, le participe passé s'accorde en genre et en nombre avec le nom qu'il détermine.
una hija muy __querida__

23 Le gérondif → p. 94

- **Formation**
  - Pour les verbes en **-ar** : ***-ando***
  - Pour les verbes en **-er** et **-ir** : ***-iendo***
  No camines __hablando__ con el móvil.
  - Le ***i*** de ***-iendo*** se change en ***-y*** lorsqu'il se trouve entre deux voyelles, c'est-à-dire lorsque le radical du verbe se termine par une voyelle.
  leer → leyendo

- Cas spécifiques
  dormir → durmiendo
  ir → yendo
  pedir → pidiendo
  servir → sirviendo
  venir → viniendo

■ **Valeurs :**

- Le gérondif exprime une action.
  La vi bailando.
- Le gérondif se trouve dans la forme progressive après les verbes ***estar/ir/seguir***. (⟶ Les aspects de l'action, 29)
  Fue cambiando mi vida, la sigo buscando.

24 Les irrégularités de certains verbes (⟶ tableau de conjugaisons, p. 162-165)

A L'irrégularité du radical de certains verbes

■ L'irrégularité du radical de la 1re personne du singulier de l'indicatif de certains verbes se retrouve à toutes les personnes du subjonctif présent.

- C'est le cas des verbes comme ***tener*** qui a une 1re personne du singulier au présent de l'indicatif en ***tengo*** et donc un subjonctif présent en : ***tenga, tengas, tenga, tengamos, tengáis, tengan***.
  Tengo un novio.
- Il en est de même pour :
  caer *:* caigo → caiga
  hacer : hago → haga
  poner : pongo → ponga
  salir : salgo → salga
  decir : digo → diga
  tener : tengo → tenga
  conocer : conozco → conozca

*En los recreos no **salgo** del salón.*
*No la **conozco** nada.*
*¿Qué quieres que **haga**?*

■ Verbes avec une 1re personne se terminant par ***-oy***

ser: ***soy, eres, es, somos, sois, son***
estar: ***estoy, estás, está, estamos, estáis, están***
dar: ***doy, das, da, damos, dais, dan***
ir: ***voy, vas, va, vamos, vais, van***

***Soy** amiga de un mapache.*
***Estoy** encantada y feliz como nunca.*

B Les verbes qui diphtonguent: *e > ie (pensar); o > ue (poder)*

■ Le **e** et le **o** du radical tonique de certains verbes se transforment respectivement en ***-ie*** et ***-ue***, au présent de l'indicatif et au présent du subjonctif, généralement aux 3 personnes du singulier et à la 3e personne du pluriel.

Pensar : p**ie**nso, p**ie**nsas, p**ie**nsa, pensamos, pensáis, p**ie**nsan
Poder : p**ue**do, p**ue**des, p**ue**de, podemos, podéis, p**ue**den

***Quiero** evitar el cáncer pulmonar.*
*¿**Puedes** hablar con ella?*

¡Ojo! Ces diphtongues se retrouvent à l'impératif.

■ La diphtongue n'empêche pas d'autres irrégularités.

Tener : tengo, t**ie**nes, t**ie**ne, tenemos, tenéis, t**ie**nen
*No **tienes** ningún amigo… Sí, y también **tengo** novio.*

C Les verbes à affaiblissement: *e > i*

Certains verbes comme ***decir, pedir, seguir, servir, repetir, gemir, vestir*** ont un ***e*** au radical qui se change en ***i*** à certaines personnes et à certains temps.

- Présent de l'indicatif: *sirvo, sirves, sirve, servimos, servís, sirven*
- Présent du subjonctif: *sirva, sirvas, sirva, sirvamos, sirváis, sirvan*
- Prétérit: *serví, serviste, sirvió, servimos, servisteis, sirvieron*
- Participe présent: *sirviendo*
  *¿Quién? **dice** el señor*

25 L'enclise ⟶ p. 36

■ L'enclise est la soudure du pronom complément au verbe lorsque celui-ci est :

- à l'infinitif
- au gérondif
- à l'impératif affirmatif.
  *¿Cómo voy a **preguntarle** si tú...?*
  ***Hablándole** del peligro inevitable*
  ***Comunícate** con tus padres.*

¡Ojo! L'accentuation après enclise (⟶ L'accentuation, 2) : L'ajout d'un ou de plusieurs pronoms au verbe conduit à reconsidérer la place de l'accent tonique avant enclise.

preguntar → preguntarle
hablando → hablándole

26 Les subordonnées circonstancielles → p. 92, 112, 126, 132

- Les subordonnées circonstancielles sont, comme en français, de temps, de manière, de cause, de condition, de comparaison et de concession. L'espagnol se différencie par l'emploi des modes : indicatif ou subjonctif, suivant la notion de réalité ou de non-réalité qu'il veut énoncer.

  ¡Ojo! Avec le choix du mode (indicatif ou subjonctif), il ne faut pas oublier la règle de la concordance des temps (présent ou passé).

A Les subordonnées de temps

1. Action simultanée

*Cuando **terminó** el baile, los indígenas **comenzaron** a vender artesanías.*

- La conjonction de subordination ***mientras*** permet d'exprimer une simultanéité qui s'inscrit généralement dans la durée.
  *Digo para calmar mis nervios **mientras** desayunamos.*

  ¡Ojo! La simultanéité se rend également par ***al + infinitif*** : cette construction équivaut soit à un gérondif soit à une proposition subordonnée temporelle.
  *El mal de altura que, **al llegar** a México D.F., le paralizaría.*

2. Action antérieure à celle de la principale

Lorsque l'action de la subordonnée temporelle est irréelle et se traduirait en français par un futur ou un conditionnel, le verbe de cette subordonnée se met au subjonctif, en espagnol.
***Cuando consiga** encarrilar mi carrera, me iré a Estados Unidos.*
*La gente que estaba aquí **antes de que llegaran** los españoles.*

3. Action postérieure à celle de la principale

La locution conjonctive temporelle ***hasta que*** annonce une action postérieure à celle de la proposition principale. Le verbe de la subordonnée peut être à l'indicatif (fait réel) ou au subjonctif (fait hypothétique)
*Uno y otra se habían despedido **hasta que el cristiano regresara** de la guerra.*

B Les subordonnées de cause

- Avec ***porque, ya que, puesto que***
  *No empleaba nunca la dinamita **porque** amaba la naturaleza.*

C La subordonnée de condition

- Avec une proposition principale au conditionnel présent ou passé, le verbe de la subordonnée se met au subjonctif imparfait ou au plus-que-parfait.
  ***Si fuera** rico, el padre **daría** su consentimiento.*

D La subordonnée de comparaison avec *como si* + imparfait ou plus-que-parfait du subjonctif

- Après ***como si***, l'espagnol emploie l'imparfait ou le plus-que-parfait du subjonctif, quel que soit le temps employé dans la proposition principale.
  ***Como si se tratara** de una fortísima resaca de alcohol*

E La proposition subordonnée de but

- La proposition subordonnée de but est introduite le plus souvent par ***para que*** + subjonctif.
  *Todavía eres muy joven **para que te den** la oportunidad de rodar algo.*

F La subordonnée de concession

- La locution de subordination ***aunque*** + indicatif (= bien que) introduit une notion de concession sur un fait réel.
  ***Aunque conocemos** la leyenda nos gusta volver a escucharla.*

- ***Aunque*** + subjonctif (= même si) introduit une notion de concession sur un fait hypothétique.
  *Nunca hay que olvidar a los amigos **aunque se encuentren** en el mismísimo infierno.*

27 La concordance des temps → p. 98, 127

- Lorsque dans une proposition subordonnée, le verbe est au mode subjonctif, le temps de ce verbe dépend du temps du verbe de la proposition principale, obéissant ainsi à la règle de la concordance de temps.

Principale à l'indicatif	Subordonnée au subjonctif
présent futur → passé composé	présent du subjonctif
imparfait plus-que-parfait → passé simple conditionnel	imparfait ou plus-que-parfait du sujonctif

- Si le verbe de la proposition principale est au présent, au futur ou au passé composé (dont l'auxiliaire est au présent), le verbe de la proposition subordonnée au subjonctif est au présent.
  ***Es importante que haga** su Doctorado.*

- Si le verbe de la proposition principale est à l'imparfait, au plus-que-parfait, au passé simple ou au conditionnel, le verbe de la proposition subordonnée au subjonctif est à l'imparfait ou au plus-que-parfait.
  *Me **propuso que diésemos** un salto a Palacagüina.*

28 Ser et estar → p. 15, 16

A Le verbe *ser*

- Le verbe ***ser*** est utilisé pour exprimer une qualité essentielle, définir, caractériser.
  Soy forastero.
  *El nombre **era** muy apropiado.*
- ***Ser*** est employé pour introduire les expressions temporelles.
  ***Son** las seis de la tarde y ya **es** de noche.*
- ***Ser*** est toujours employé avec des adjectifs comme ***cierto, evidente, fácil, difícil, frecuente, imposible, improbable, indispensable, interesante, necesario, posible, preciso, probable***.
  *Eso **es** muy **difícil**.*

B Le verbe *estar*

- Le verbe ***estar*** est employé pour exprimer une situation dans le temps ou l'espace.
  *La ciudad donde **está** mi barrio.*
- Le verbe ***estar*** est utilisé lorsque le résultat d'une action est privilégié ou pour décrire un état, souvent passager, correspondant à une circonstance et sans valeur de caractérisation.
  *Ahora mismo **estoy** solo aquí.*
- Le verbe ***estar*** suivi d'un gérondif marque la forme progressive (→ Les aspects de l'action, 29)
  ***Está** hablando.*

29 Les aspects de l'action → p. 18, 29, 48, 68

A La forme progressive

Le fait d'utiliser ***estar***, ***ir*** ou ***seguir*** + gérondif, là où le français emploie le plus souvent le seul verbe disant l'action, permet de donner un aspect de durée à l'action, un aspect dynamique ou un aspect de continuité.
*El metro justo **está entrando** en la estación.*
*El cerro se **fue formando** poco a poco.*
***Seguía preguntando** Paulina.*

B L'idée de répétition

L'idée de répétition s'exprime avec ***volver a*** + infinitif ou verbe + ***de nuevo/otra vez*** :
***Vuelvo a llamar** al teléfono.*
*Tenía que **viajar de nuevo**.*

C L'habitude avec le verbe *soler* (avoir l'habitude de)

L'idée d'habitude et de fréquence peut être rendue par le verbe ***soler*** + infinitif (= *estar acostumbrado(a) a* + infinitif)
***Sueles** hacerte la cama. / **Estás acostumbrado a** hacerte la cama.*

30 La négation → p. 65, 96

- Pour que le verbe ait un sens négatif, il doit toujours être précédé d'une négation : ***no***, ***ni***, ***nunca*** (jamais), ***nada*** (rien), ***nadie*** (personne), ***ninguno,a*** (aucun(e)), ***ni/ siquiera*** (même pas), ***tampoco*** (non plus).
- L'adverbe ***no*** est toujours avant le verbe. Il peut être employé seul pour nier l'ensemble de la phrase.
  *Creía que **no** tenía rostro.*
- ***No*** peut être aussi employé avec les autres termes négatifs placés après le verbe.
  ***No** empleaba **nunca** la dinamita.*
- Si ***nunca***, ***jamás***, ***nada***, ***nadie***, ***ninguno,a***, ***ni siquiera*** sont placés avant le verbe, ***no*** disparaît.
  ***Nunca** hay que olvidar a los amigos.*
  ***Nadie** conocía la comarca como él.*
  *La altura **tampoco** ayuda demasiado.*
  ***Ni siquiera** se llaman coches.*
- Dans une phrase négative commençant par ***no, ni, ni siquiera, nada, nunca, nadie, ninguno***, on traduit « mais » par ***sino***.
  ***Ni siquiera** se llaman coches **sino** movilidades.*

31 Les adverbes → p. 126

A Les adverbes de lieu *aquí, acá, ahí, allí, allá*

- ***Aquí***, ***acá*** s'utilisent pour désigner ce qui est proche du locuteur.
  ***Aquí** no trabaja nadie con ese nombre.*
- ***Ahí*** indique ce qui se trouve à moyenne distance.
  *Ya no trabaja **ahí**.*
- ***Allí***, ***allá*** indiquent ce qui est éloigné.
  *Como le había contado su abuela, no estaba **allí** hacía unos años.*

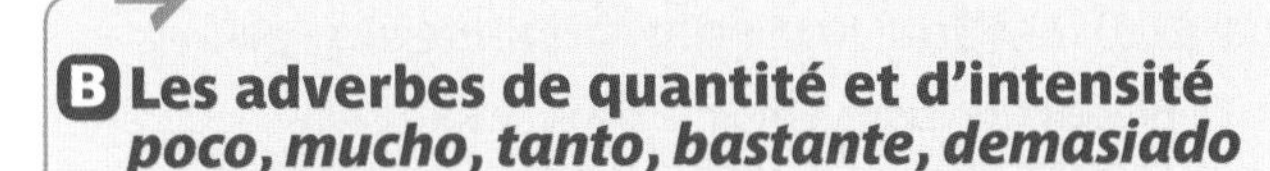

B Les adverbes de quantité et d'intensité *poco, mucho, tanto, bastante, demasiado*

Poco (peu), ***mucho*** (beaucoup), ***tanto*** (tant), ***demasiado*** (trop), ***bastante*** (assez), modifient un verbe, un adjectif ou un adverbe et conservent dans ces cas leur statut d'adverbe : ils sont donc invariables.
En Galicia llovía ***mucho****.*
La altura tampoco ayuda ***demasiado****.*
El plan de vuelo era ***bastante*** *simple.*

C L'adverbe de temps *ya* (déjà)

Ya es de noche.

D Les adverbes *aún* et *todavía* (encore ou toujours)

Aún *no habéis llegado a La Paz.*
todavía *eres muy joven.*

E Les adverbes en *-mente*

- Certains adverbes se forment à partir des adjectifs qualificatifs au **féminin** auxquels s'ajoute la terminaison ***-mente***.
Se pensó ***inmediatamente*** *en ella.*

¡Ojo! Il faut veiller à la forme de l'adjectif. Tous les adjectifs n'ont pas un féminin en **-a**.

*continuo → continua → continu**amente***
*alegre → alegre → alegre**mente***
*general → general → general**mente***
parcialmente *amurallado*

- L'adverbe ***recientemente*** s'apocope devant un adjectif ou un participe passé.
la ciudad ***recién conquistada***

F Les adverbes à forme d'adjectif comme *rápido*

- Certains adjectifs peuvent être employés sous une forme adverbiale et sont alors invariables. ***Rápido*** a souvent la valeur de ***rápidamente***.
- On trouve aussi :
bajo → *hablar bajo* (parler doucement)
claro → *decir claro* (dire clairement)
diferente → *vestir diferente* (s'habiller différemment)
Visten ***diferente****, miran* ***distinto****.*

G La place de l'adverbe avec un verbe aux temps composés

Lorsqu'il est employé avec un verbe à un temps composé, l'adverbe ne doit jamais séparer l'auxiliaire de son participe passé. Il se place avant ou après le verbe, suivant le cas.
Aún no habéis llegado *a La Paz.*

32 Les prépositions → p. 18, 35, 92, 97, 98, 131

A La préposition *a*

- La préposition ***a*** précède un complément d'objet dans le cas où celui-ci est un être animé.
Cuide ***a*** *su padre, recoja* ***a*** *su hijo.*
- La préposition ***a*** s'emploie après un verbe de mouvement comme ***ir(se)***, ***salir***, ***venir, viajar***, ***dirigirse***. Cette idée de mouvement implique souvent une idée de but.
Se va a *un pueblo del sur.*
Viene a *comer de mi mano.*
Ir a *la Tiendecita Blanca con Lily* ***a tomar*** *un helado era una felicidad..*

B La préposition *con* (avec)

- La préposition ***con*** introduit une notion d'accompagnement, de manière ou de moyen.
un pueblo ***con mar***
lanza ***con punta de hueso***
- La préposition ***con*** est employée lorsque cette caractérisation ne présente pas un caractère systématique.
La abuela sonreía ***con nostalgia.***

C Les prépositions *de*, *desde* et *hasta* (de, depuis, jusqu'à)

- La préposition ***de*** introduit l'origine.
Usted no es ***de aquí.***
- La préposition ***de*** se trouve dans l'expression d'une date, entre les jours et les mois et entre les mois et l'année.
del 30 ***de*** *mayo al 3* ***de*** *junio* ***de*** *1996*
- La préposition ***de*** introduit un complément déterminatif et indique la matière dont est faite une chose.
Nos llevó en canoa ***de motor.***
tambor ***de cuero y madera***
África ***de selvas húmedas y de gordos gongos sonoros***
- La préposition ***desde*** indique le lieu de départ, d'origine dans l'espace ou dans le temps.
Tienes vuelos directos ***desde Madrid.***
Desde la ventana *de mi habitación se ve el mar.*
desde el siglo XIII, desde 1234 *para ser exactos*
- De***sde*** a pour corrélatif la préposition ***hasta***.
Un inmenso jardín que llega ***hasta la playa.***

D La préposition *en* (dans, en)

- La préposition ***en*** sert à localiser lorsqu'il n'y a pas de mouvement.
  *corresponsal **en México***
- Des verbes comme *entrar, penetrar, ingresar* sont normalement suivis de la préposition ***en*** lorsqu'ils impliquent un mouvement vers l'intérieur d'un espace.
  ***Entrar en** la ciudad.*
  ***Ingresar en** la universidad.*
- La préposition ***en*** introduit une notion de temps.
  ***En septiembre**, Damián nos cuenta la misma historia.*
- La préposition ***en*** se trouve également dans l'expression ***en casa (de)*** avec le sens de « chez ».
  *Está **en casa de** un amigo de su padre.*

E La préposition *para* (pour)

- La préposition ***para*** introduit un complément d'objet indirect.
  *Estaba de vuelta **para** apuntar en un papel un nombre*
- La préposition ***para*** introduit un point de vue.
  ***Para Tellagorri**, los perros, si no hablaban, era porque no querían*
- La préposition ***para*** exprime une idée de destination ainsi que de but et de finalité.
  *Se pensó en ella **para nombrarla** corresponsal.*

F La préposition *por* (par, à cause de, pour)

- La préposition ***por*** s'emploie dans l'expression de la cause.
  *Se sufre el desagradable mal de altura **por falta de oxígeno**.*
- ***Por*** peut être suivi d'un infinitif. Il correspond alors à ***porque*** suivi d'un verbe conjugué.
  ***Por ser** maya y mujer (= porque soy maya y mujer)*
  ***Por ser** mujeres (= porque somos mujeres)*
- La préposition ***por*** peut introduire un élément temporel.
  *Viene a comer de mi mano **por las noches**.*
- La préposition ***por*** introduit une notion d'espace en donnant une idée de mouvement et de passage.
  *Cuando vas **por** la calle...*
- La préposition ***por*** introduit une notion de but et d'intérêt.
  *Hazlo **por mí**.*

G La préposition *sin* (sans)

- La préposition ***sin*** signifie l'absence, le manque.
  *No puedo vivir **sin ella**.*

33 Les conjonctions *y* et *o*

- La conjonction de coordination ***y*** (et) qui lie des mots, des groupes de mots ou des propositions, se transforme en ***e*** devant un autre ***i/hi***.
  *Málaga **y** Almería*
  *Dejar que la luz entre **e** ilumine una habitación*
- La conjonction ***o*** (ou) donne le choix entre deux éléments.
  *desde Madrid **o** desde Málaga*
- Elle se transforme en ***u*** devant un mot commençant par le son ***o*** → ***u** otro*

34 La construction des verbes comme *gustar, encantar...*

- Pour exprimer une opinion, une préférence ou un sentiment, l'espagnol peut utiliser certains verbes à la 3e personne du singulier ou du pluriel selon l'élément généralement placé après le verbe.

***Me gusta** ir a la playa.*
***A mí me encanta** buscar conchas.*
***Le gustaba** embromar a la gente.*
*No me **gustan los garimpeiros**.*

35 L'obligation → p. 30, 49

- L'obligation peut s'exprimer de façon personnelle ou de façon impersonnelle.
  - Certains verbes admettent la personne : ***tener que*** + infinitif ; ***deber*** + infinitif.
    ***Tengo que** andar.*
    ***Debo** salir de casa.*
  - D'autres n'indiquent pas une personne déterminée : ***haber que*** (au présent : ***hay que***) + infinitif ; ***es necesario/ preciso/ menester*** + infinitif (il faut).
    ***Hay que** subir las persianas.*
    ***Había que** echar los desperdicios.*

36 Les équivalents de « il y a » → p. 111

- Pour traduire « il y a » et présenter des objets et des personnes, l'espagnol emploie le verbe ***haber*** à la forme impersonnelle.
Hay monos y perezosos.

- Lorsque « il y a » est suivi d'un élément temporel, il est rendu par le verbe ***hacer***, à la 3e personne du singulier.
*El cerro no estaba allí **hacía** unos años.*

37 Les équivalents de « on » → p. 14

Le « on » français peut être traduit de plusieurs façons en espagnol, comme par :

- ***se*** pronom sujet indéfini:
*Desde la ventana de mi habitación **se ve** el mar, **se oye** el mar.*
*En los pasillos **se cruzan** uniformes militares.*

¡Ojo! Avec ***se***, si le verbe est suivi d'un nom pluriel, il s'accorde.

- la 1re personne du pluriel:
*Cuando **navegamos** las casas se quedan atrás.*

38 Les verbes de demande *preguntar* et *pedir* → p. 44

- Il faut bien différencier la demande-question introduite par le verbe ***preguntar*** (→ L'interrogation, 3) de la demande-ordre introduite par le verbe ***pedir***.
  - Le verbe ***preguntar*** est suivi d'un mot interrogatif
  *Le **pregunta** a su amigo **cuál** es el problema.*
  - Le verbe ***pedir*** est généralement suivi d'une **proposition au subjonctif**. C'est ***pedir*** que l'on utilise lorsque l'on veut passer du style direct (dialogue) au style indirect (narration) avec une phrase à l'impératif.
  *Cuéntame cosas… → **Le pide que le cuente** cosas.*

D'autres verbes qui introduisent un ordre, un conseil, une prière, etc. sont eux-aussi généralement suivis de *que* + subjonctif.
***Dile que me mande** un mensaje.*

39 Les équivalents de « devenir »

- Lorsqu'il est suivi d'un adjectif, « devenir » peut être traduit de différentes façons, selon les cas d'emploi.
  - ***Volverse* + adjectif** rend compte d'une transformation rapide.
  *Nuestro estado comenzó a **volverse alarmante**.*
  - ***Hacerse* + adjectif** rend compte d'une transformation progressive.
  *El señor Mariano **se hace viejo**.*
  - ***Ponerse* + adjectif** rend compte d'une transformation passagère.
  *El cielo **se pone** gris.*

40 Les verbes comme *permitir, decidir, conseguir* → p. 49

- Certains verbes espagnols se construisent directement, sans préposition, contrairement à l'usage français : parmi ces verbes, ***permitir, decidir, conseguir, lograr, intentar, proponer, prometer***.

*Los cuentos nos **permiten imaginar** otras vidas.*
*Me **prometí ser** antipática.*
***Decidieron montar** a caballo.*

Infinitivo (infinitif)	Presente de indicativo (indicatif présent)		Presente de subjuntivo (subjonctif présent)		Imperativo (impératif)		Pretérito imperfecto de indicativo (indicatif imparfait)	

Verbes réguliers

Infinitivo	Presente de indicativo		Presente de subjuntivo		Imperativo		Pretérito imperfecto de indicativo	
HABLAR	hablo	hablamos	hable	hablemos	habla	hablad	hablaba	hablábamos
parler	hablas	habláis	hables	habléis	hable	hablen	hablabas	hablabais
	habla	hablan	hable	hablen	hablemos		hablaba	hablaban
APRENDER	aprendo	aprendemos	aprenda	aprendamos	aprende	aprended	aprendía	aprendíamos
apprendre	aprendes	aprendéis	aprendas	aprendáis	aprenda	aprendan	aprendías	aprendíais
	aprende	aprenden	aprenda	aprendan	aprendamos		aprendía	aprendían
VIVIR	vivo	vivimos	viva	vivamos	vive	vivid	vivía	vivíamos
vivre	vives	vivís	vivas	viváis	viva	vivan	vivías	vivíais
	vive	viven	viva	vivan	vivamos		vivía	vivían

Verbes à diphtongue e → ie o → ue

Infinitivo	Presente de indicativo		Presente de subjuntivo		Imperativo		Pretérito imperfecto de indicativo	
PENSAR	pienso	pensamos	piense	pensemos	piensa	pensad	pensaba	pensábamos
penser	piensas	pensáis	pienses	penséis	piense	piensen	pensabas	pensabais
	piensa	piensan	piense	piensen	pensemos		pensaba	pensaban
CONTAR	cuento	contamos	cuente	contemos	cuenta	contad	contaba	contábamos
raconter	cuentas	contáis	cuentes	contéis	cuente	cuenten	contabas	contabais
	cuenta	cuentan	cuente	cuenten	contemos		contaba	contaban

Verbes à affaiblissement e → i

Infinitivo	Presente de indicativo		Presente de subjuntivo		Imperativo		Pretérito imperfecto de indicativo	
PEDIR	pido	pedimos	pida	pidamos	pide	pedid	pedía	pedíamos
demander	pides	pedís	pidas	pidáis	pida	pidan	pedías	pedíais
	pide	piden	pida	pidan	pidamos		pedía	pedían
SERVIR	sirvo	servimos	sirva	sirvamos	sirve	servid	servía	servíamos
servir	sirves	servís	sirvas	sirváis	sirva	sirvan	servías	servíais
	sirve	sirven	sirva	sirvan	sirvamos		servía	servían

Se conjuguent sur le même modèle : CORREGIR, DESPEDIR, MEDIR, REÍR, REPETIR, SEGUIR.

Verbes à alternance e → ie et i o → ue et u

Infinitivo	Presente de indicativo		Presente de subjuntivo		Imperativo		Pretérito imperfecto de indicativo	
PREFERIR	prefiero	preferimos	prefiera	prefiramos	prefiere	preferid	prefería	preferíamos
préférer	prefieres	preferís	prefieras	prefiráis	prefiera	prefieran	preferías	preferíais
	prefiere	prefieren	prefiera	prefieran	prefiramos		prefería	preferían
DORMIR	duermo	dormimos	duerma	durmamos	duerme	dormid	dormía	dormíamos
dormir	duermes	dormís	duermas	durmáis	duerma	duerman	dormías	dormíais
	duerme	duermen	duerma	duerman	durmamos		dormía	dormían

Se conjuguent sur le même modèle : DIVERTIR, MENTIR, SENTIR, SUGERIR.

Verbes en -acer / -ecer / -ocer / -ucir c → zc

Infinitivo	Presente de indicativo		Presente de subjuntivo		Imperativo		Pretérito imperfecto de indicativo	
PARECER	parezco	parecemos	parezca	parezcamos	parece	pareced	parecía	parecíamos
paraître	pareces	parecéis	parezcas	parezcáis	parezca	parezcan	parecías	parecíais
	parece	parecen	parezca	parezcan	parezcamos		parecía	parecían

Se conjuguent sur le même modèle : CONOCER, NACER, OBEDECER, PADECER, PERTENECER, RELUCIR.

Verbes en -ducir c → zc c → j

Infinitivo	Presente de indicativo		Presente de subjuntivo		Imperativo		Pretérito imperfecto de indicativo	
CONDUCIR	conduzco	conducimos	conduzca	conduzcamos	conduce	conducid	conducía	conducíamos
conduire	conduces	conducís	conduzcas	conduzcáis	conduzca	conduzcan	conducías	conducíais
	conduce	conducen	conduzca	conduzcan	conduzcamos		conducía	conducían

Se conjuguent sur le même modèle : DEDUCIR, INTRODUCIR, PRODUCIR, TRADUCIR, SEDUCIR.

Verbes en -uir i → y

Infinitivo	Presente de indicativo		Presente de subjuntivo		Imperativo		Pretérito imperfecto de indicativo	
CONSTRUIR	construyo	construimos	construya	construyamos	construye	construid	construía	construíamos
	construyes	construís	construyas	construyáis	construya	construyan	construías	construíais
	construye	construyen	construya	construyan	construyamos		construía	construían

Se conjuguent sur le même modèle : CONCLUIR, CONSTITUIR, CONTRIBUIR, HUIR, INFLUIR, SUSTITUIR.

Pretérito perfecto *(passé composé)*		**Pretérito indefinido** *(passé simple)*		**Futuro** *(futur)*		**Condicional** *(conditionnel)*		**Gerundio - Participio pasivo** *(participe passé)*	
he hablado	hemos hablado	hablé	hablamos	hablaré	hablaremos	hablaría	hablaríamos	g.	hablando
has hablado	habéis hablado	hablaste	hablasteis	hablarás	hablaréis	hablarías	hablaríais	p. p.	hablado
ha hablado	han hablado	habló	hablaron	hablará	hablarán	hablaría	hablarían		
he aprendido	hemos aprendido	aprendí	aprendimos	aprenderé	aprenderemos	aprendería	aprenderíamos	g.	aprendiendo
has aprendido	habéis aprendido	aprendiste	aprendisteis	aprenderás	aprenderéis	aprenderías	aprenderíais	p. p.	aprendido
ha aprendido	han aprendido	aprendió	aprendieron	aprenderá	aprenderán	aprendería	aprenderían		
he vivido	hemos vivido	viví	vivimos	viviré	viviremos	viviría	viviríamos	g.	viviendo
has vivido	habéis vivido	viviste	vivisteis	vivirás	viviréis	vivirías	viviríais	p. p.	vivido
ha vivido	han vivido	vivió	vivieron	vivirá	vivirán	viviría	vivirían		
he pensado	hemos pensado	pensé	pensamos	pensaré	pensaremos	pensaría	pensaríamos	g.	pensando
has pensado	habéis pensado	pensaste	pensasteis	pensarás	pensaréis	pensarías	pensaríais	p. p.	pensado
ha pensado	han pensado	pensó	pensaron	pensará	pensarán	pensaría	pensarían		
he contado	hemos contado	conté	contamos	contaré	contaremos	contaría	contaríamos	g.	contando
has contado	habéis contado	contaste	contasteis	contarás	contaréis	contarías	contaríais	p. p.	contado
ha contado	han contado	contó	contaron	contará	contarán	contaría	contarían		
he pedido	hemos pedido	pedí	pedimos	pediré	pediremos	pediría	pediríamos	g.	pidiendo
has pedido	habéis pedido	pediste	pedisteis	pedirás	pediréis	pedirías	pediríais	p. p.	pedido
ha pedido	han pedido	pidió	pidieron	pedirá	pedirán	pediría	pedirían		
he servido	hemos servido	serví	servimos	serviré	serviremos	serviría	serviríamos	g.	sirviendo
has servido	habéis servido	serviste	servisteis	servirás	serviréis	servirías	serviríais	p. p.	servido
ha servido	han servido	sirvió	sirvieron	servirá	servirán	serviría	servirían		
Se conjuguent sur le même modèle : CORREGIR, DESPEDIR, MEDIR, REÍR, REPETIR, SEGUIR.									
he preferido	hemos preferido	preferí	preferimos	preferiré	preferiremos	preferiría	preferiríamos	g.	prefiriendo
has preferido	habéis preferido	preferiste	preferisteis	preferirás	preferiréis	preferirías	preferiríais	p. p.	preferido
ha preferido	han preferido	prefirió	prefirieron	preferirá	preferirán	preferiría	preferirían		
he dormido	hemos dormido	dormí	dormimos	dormiré	dormiremos	dormiría	dormiríamos	g.	durmiendo
has dormido	habéis dormido	dormiste	dormisteis	dormirás	dormiréis	dormirías	dormiríais	p. p.	dormido
ha dormido	han dormido	durmió	durmieron	dormirá	dormirán	dormiría	dormirían		
Se conjuguent sur le même modèle : DIVERTIR, MENTIR, SENTIR, SUGERIR.									
he parecido	hemos parecido	parecí	parecimos	pareceré	pareceremos	parecería	pareceríamos	g.	pareciendo
has parecido	habéis parecido	pareciste	parecisteis	parecerás	pareceréis	parecerías	pareceríais	p. p.	parecido
ha parecido	han parecido	pareció	parecieron	parecerá	parecerán	parecería	parecerían		
Se conjuguent sur le même modèle : CONOCER, NACER, OBEDECER, PADECER, PERTENECER, RELUCIR									
he conducido	hemos conducido	conduje	condujimos	conduciré	conduciremos	conduciría	conduciríamos	g.	conduciendo
has conducido	habéis conducido	condujiste	condujisteis	conducirás	conduciréis	conducirías	conduciríais	p. p.	conducido
ha conducido	han conducido	condujo	condujeron	conducirá	conducirán	conduciría	conducirían		
Se conjuguent sur le même modèle : DEDUCIR, INTRODUCIR, PRODUCIR, TRADUCIR, SEDUCIR									
he construido	hemos construido	construí	construimos	construiré	construiremos	construiría	construiríamos	g.	construyendo
has construido	habéis construido	construiste	construisteis	construirás	construiréis	construirías	construiríais	p. p.	construido
ha construido	han construido	construyó	construyeron	construirá	construirán	construiría	construirían		
Se conjuguent sur le même modèle : CONCLUIR, CONSTITUIR, CONTRIBUIR, HUIR, INFLUIR, SUSTITUIR.									

Verbes irréguliers

Infinitivo *(infinitif)*	**Presente de indicativo** *(indicatif présent)*		**Presente de subjuntivo** *(subjonctif présent)*		**Imperativo** *(impératif)*		**Pretérito imperfecto de indicativo** *(indicatif imparfait)*	
ANDAR	ando	andamos	ande	andemos		andemos	andaba	andábamos
marcher	andas	andáis	andes	andéis	anda	andad	andabas	andabais
	anda	andan	ande	anden	ande	anden	andaba	andaban
CAER	caigo	caemos	caiga	caigamos		caigamos	caía	caíamos
tomber	caes	caéis	caigas	caigáis	cae	caed	caías	caíais
	cae	caen	caiga	caigan	caiga	caigan	caía	caían
DAR	doy	damos	dé	demos		demos	daba	dábamos
donner	das	dais	des	deis	da	dad	dabas	dabais
	da	dan	dé	den	dé	den	daba	daban
DECIR	digo	decimos	diga	digamos		digamos	decía	decíamos
dire	dices	decís	digas	digáis	di	decid	decías	decíais
	dice	dicen	diga	digan	diga	digan	decía	decían
ESTAR	estoy	estamos	esté	estemos		estemos	estaba	estábamos
être	estás	estáis	estés	estéis	está	estad	estabas	estabais
	está	están	esté	estén	esté	estén	estaba	estaban
HABER	he	hemos	haya	hayamos			había	habíamos
avoir	has	habéis	hayas	hayáis			habías	habíais
	ha	han	haya	hayan			había	habían
HACER	hago	hacemos	haga	hagamos		hagamos	hacía	hacíamos
faire	haces	hacéis	hagas	hagáis	haz	haced	hacías	hacíais
	hace	hacen	haga	hagan	haga	hagan	hacía	hacían
IR	voy	vamos	vaya	vayamos		vayamos	iba	íbamos
aller	vas	vais	vayas	vayáis	ve	id	ibas	ibais
	va	van	vaya	vayan	vaya	vayan	iba	iban
OÍR	oigo	oímos	oiga	oigamos		oigamos	oía	oíamos
entendre	oyes	oís	oigas	oigáis	oye	oíd	oías	oíais
	oye	oyen	oiga	oigan	oiga	oigan	oía	oían
PODER	puedo	podemos	pueda	podamos			podía	podíamos
pouvoir	puedes	podéis	puedas	podáis			podías	podíais
	puede	pueden	pueda	puedan			podía	podían
PONER	pongo	ponemos	ponga	pongamos		pongamos	ponía	poníamos
mettre, poser	pones	ponéis	pongas	pongáis	pon	poned	ponías	poníais
	pone	ponen	ponga	pongan	ponga	pongan	ponía	ponían
QUERER	quiero	queremos	quiera	queramos		queramos	quería	queríamos
vouloir, aimer	quieres	queréis	quieras	queráis	quiere	quered	querías	queríais
	quiere	quieren	quiera	quieran	quiera	quieran	quería	querían
SABER	sé	sabemos	sepa	sepamos		sepamos	sabía	sabíamos
savoir	sabes	sabéis	sepas	sepáis	sabe	sabed	sabías	sabíais
	sabe	saben	sepa	sepan	sepa	sepan	sabía	sabían
SALIR	salgo	salimos	salga	salgamos		salgamos	salía	salíamos
sortir	sales	salís	salgas	salgáis	sal	salid	salías	salíais
	sale	salen	salga	salgan	salga	salgan	salía	salían
SER	soy	somos	sea	seamos		seamos	era	éramos
être	eres	sois	seas	seáis	sé	sed	eras	erais
	es	son	sea	sean	sea	sean	era	eran
TENER	tengo	tenemos	tenga	tengamos		tengamos	tenía	teníamos
avoir	tienes	tenéis	tengas	tengáis	ten	tened	tenías	teníais
	tiene	tienen	tenga	tengan	tenga	tengan	tenía	tenían
TRAER	traigo	traemos	traiga	traigamos		traigamos	traía	traíamos
apporter	traes	traéis	traigas	traigáis	trae	traed	traías	traíais
	trae	traen	traiga	traigan	traiga	traigan	traía	traían
VENIR	vengo	venimos	venga	vengamos		vengamos	venía	veníamos
venir	vienes	venís	vengas	vengáis	ven	venid	venías	veníais
	viene	vienen	venga	vengan	venga	vengan	venía	venían
VER	veo	vemos	vea	veamos		veamos	veía	veíamos
voir	ves	veis	veas	veáis	ve	ved	veías	veíais
	ve	ven	vea	vean	vea	vean	veía	veían

Pretérito perfecto *(passé composé)*		**Pretérito indefinido** *(passé simple)*		**Futuro** *(futur)*		**Condicional** *(conditionnel)*		**Gerundio - Participio pasivo** *(participe passé)*	
he andado	hemos andado	anduve	anduvimos	andaré	andaremos	andaría	andaríamos	g.	andando
has andado	habéis andado	anduviste	anduvisteis	andarás	andaréis	andarías	andaríais	p. p.	andado
ha andado	han andado	anduvo	anduvieron	andará	andarán	andaría	andarían		
he caído	hemos caído	caí	caímos	caeré	caeremos	caería	caeríamos	g.	cayendo
has caído	habéis caído	caíste	caísteis	caerás	caeréis	caerías	caeríais	p. p.	caído
ha caído	han caído	cayó	cayeron	caerá	caerán	caería	caerían		
he dado	hemos dado	di	dimos	daré	daremos	daría	daríamos	g.	dando
has dado	habéis dado	diste	disteis	darás	daréis	darías	daríais	p. p.	dado
ha dado	han dado	dio	dieron	dará	darán	daría	darían		
he dicho	hemos dicho	dije	dijimos	diré	diremos	diría	diríamos	g.	diciendo
has dicho	habéis dicho	dijiste	dijisteis	dirás	diréis	dirías	diríais	p. p.	dicho
ha dicho	han dicho	dijo	dijeron	dirá	dirán	diría	dirían		
he estado	hemos estado	estuve	estuvimos	estaré	estaremos	estaría	estaríamos	g.	estando
has estado	habéis estado	estuviste	estuvisteis	estarás	estaréis	estarías	estaríais	p. p.	estado
ha estado	han estado	estuvo	estuvieron	estará	estarán	estaría	estarían		
he habido	hemos habido	hube	hubimos	habré	habremos	habría	habríamos	g.	habiendo
has habido	habéis habido	hubiste	hubisteis	habrás	habréis	habrías	habríais	p. p.	habido
ha habido	ha habido	hubo	hubieron	habrá	habrán	habría	habrían		
he hecho	hemos hecho	hice	hicimos	haré	haremos	haría	haríamos	g.	haciendo
has hecho	habéis hecho	hiciste	hicisteis	harás	haréis	harías	haríais	p. p.	hecho
ha hecho	han hecho	hizo	hicieron	hará	harán	haría	harían		
he ido	hemos ido	fui	fuimos	iré	iremos	iría	iríamos	g.	yendo
has ido	habéis ido	fuiste	fuisteis	irás	iréis	irías	iríais	p. p.	ido
ha ido	han ido	fue	fueron	irá	irán	iría	irían		
he oído	hemos oído	oí	oímos	oiré	oiremos	oiría	oiríamos	g.	oyendo
has oído	habéis oído	oíste	oísteis	oirás	oiréis	oirías	oiríais	p. p.	oído
ha oído	han oído	oyó	oyeron	oirá	oirán	oiría	oirían		
he podido	hemos podido	pude	pudimos	podré	podremos	podría	podríamos	g.	pudiendo
has podido	habéis podido	pudiste	pudisteis	podrás	podréis	podrías	podríais	p. p.	podido
ha podido	han podido	pudo	pudieron	podrá	podrán	podría	podrían		
he puesto	hemos puesto	puse	pusimos	pondré	pondremos	pondría	pondríamos	g.	poniendo
has puesto	habéis puesto	pusiste	pusisteis	pondrás	pondréis	pondrías	pondríais	p. p.	puesto
ha puesto	han puesto	puso	pusieron	pondrá	pondrán	pondría	pondrían		
he querido	hemos querido	quise	quisimos	querré	querremos	querría	querríamos	g.	queriendo
has querido	habéis querido	quisiste	quisisteis	querrás	querréis	querrías	querríais	p. p.	querido
ha querido	han querido	quiso	quisieron	querrá	querrán	querría	querrían		
he sabido	hemos sabido	supe	supimos	sabré	sabremos	sabría	sabríamos	g.	sabiendo
has sabido	habéis sabido	supiste	supisteis	sabrás	sabréis	sabrías	sabríais	p. p.	sabido
ha sabido	han sabido	supo	supieron	sabrá	sabrán	sabría	sabrían		
he salido	hemos salido	salí	salimos	saldré	saldremos	saldría	saldríamos	g.	saliendo
has salido	habéis salido	saliste	salisteis	saldrás	saldréis	saldríais	saldría	p. p.	salido
ha salido	han salido	salió	salieron	saldrá	saldrán	saldrías	saldrían		
he sido	hemos sido	fui	fuimos	seré	seremos	sería	seríamos	g.	siendo
has sido	habéis sido	fuiste	fuisteis	serás	seréis	serías	seríais	p. p.	sido
ha sido	han sido	fue	fueron	será	serán	sería	serían		
he tenido	hemos tenido	tuve	tuvimos	tendré	tendremos	tendría	tendríamos	g.	teniendo
has tenido	habéis tenido	tuviste	tuvisteis	tendrás	tendréis	tendrías	tendríais	p. p.	tenido
ha tenido	han tenido	tuvo	tuvieron	tendrá	tendrán	tendría	tendrían		
he traído	hemos traído	traje	trajimos	traeré	traeremos	traería	traeríamos	g.	trayendo
has traído	habéis traído	trajiste	trajisteis	traerás	traeréis	traerías	traeríais	p. p.	traído
ha traído	han traído	trajo	trajeron	traerá	traerán	traería	traerían		
he venido	hemos venido	vine	vinimos	vendré	vendremos	vendría	vendríamos	g.	viniendo
has venido	habéis venido	viniste	vinisteis	vendrás	vendréis	vendrías	vendríais	p. p.	venido
ha venido	han venido	vino	vinieron	vendrá	vendrán	vendría	vendrían		
he visto	hemos visto	vi	vimos	veré	veremos	vería	veríamos	g.	viendo
has visto	habéis visto	viste	visteis	verás	veréis	verías	veríais	p. p.	visto
ha visto	han visto	vio	vieron	verá	verán	vería	verían		

Lexique Espagnol - Français

Abréviations utilisées

adj : adjectif	*loc* : locution
adv : adverbe	*m* : masculin
amer : américanisme	*n* : nom
conj : conjonction	*pl* : pluriel
f : féminin	*prep* : préposition
fam : familier	*pron* : pronom
interj : interjection	*v* : verbe

a diario *loc* tous les jours
a menudo *loc* souvent
a pesar de *loc* en dépit de
a veces *loc* parfois
abajo *adv* dessous, en bas
abanico *nm* éventail
abogado, da *n* avocat(e)
abrigarse *v* s'abriter, se couvrir
abrigo *nm* manteau
abril *nm* avril
abuelo, la *n* grand-père, grand-mère
aburrir(se) *v* (s')ennuyer
acabar *v* achever
acequia *nf* canal d'irrigation
acera *nf* trottoir
acercar(se) *v* (s')approcher
acero *nm* acier
acertar (ie) *v* tomber juste, deviner
acoger *v* accueillir
acontecimiento *nm* événement
acordarse (ue) *de* v se souvenir (de)
acostarse (ue) *v* se coucher
acostumbrarse *v* s'habituer
acudir *v* aller à ; venir
acueducto *nm* aqueduc
adelante *adv* en avant
adornar *v* orner
aficionado, da *n* amateur, -trice
agosto *nm* août
agradecer *v* remercier
agua *nf* eau
agudo, a *adj* pointu, e ; aigu, aigüe
águila *nf* aigle
ahogar(se) *v* (se) noyer
ahora *adv* maintenant
ahorros *nmpl* économies
aislado, da *adj* isolé(e)
ala *nf* aile
alborotado, da *adj* agité(e)
alcázar *nm* château fort
aldea *nf* petit village
alegre *adj* gai(e), joyeux, -euse
alegría *nf* gaîté, joie
alejado, da *adj* éloigné(e)
algo *pron* quelque chose
alguien *pron* quelqu'un
aliviar *v* soulager
alivio *nm* soulagement
alma *nf* âme
almacén *nm* magasin
almuerzo *nm* déjeuner
alojamiento *nm* logement
alojarse *v* se loger
alrededor *adv* autour
altiplano *nm* haut plateau
alto, ta *adj* haut(e), grand(e)
altura *nf* hauteur ; altitude
alumbrar *v* éclairer
alumno, a *n* élève
alzar *v* hausser
amanecer *nm* lever du soleil
amarillo, lla *adj* jaune
amazona *nf* cavalière
ambos, bas *adj/pron* tous, toutes les deux
amigo, ga *n* ami(e)
amistad *nf* amitié
amor *nm* amour
amplio, a *adj* vaste
añadir *v* ajouter
ancho, cha *adj* large
anciano, na *adj/n* ancien, ancienne, personne âgée
andar *v* marcher
andén *nm* quai
anhelo *nm* désir, souhait
animar *v* encourager
anochecer *nm* couchant (soleil)
anotar *v* noter
anteayer *adv* avant hier
antepasado, da *n* ancêtre
antes *adv* avant
apagar *v* éteindre
aparecer *v* apparaître
aparte *adv* à part
apellido *nm* nom de famille
apetecer *v* faire envie
aplauso *nm* applaudissement
apodo *nm* surnom
apóstol *nm* apôtre
apoyar *v* appuyer
aprendizaje *nm* apprentissage
apresurarse *v* se dépêcher
apretar (ie) *v* serrer
aprobar (ue) *v* réussir un examen
aprovechar *v* profiter
apuntar *v* prendre des notes
apuntarse *v* s'inscrire, souhaiter participer
árbol *nm* arbre
arder *v* brûler
arena *nf* sable
arete *nm* boucle d'oreille
armadura *nf* armure
arrepentirse (ie, i) *v* se repentir
arriba *adv* au-dessus, en haut
arriesgarse *v* prendre des risques
arroyo *nm* ruisseau
ascender (ie) *v* monter ; être promu(e)
asco *nm* dégoût
asiento *nm* siège
asignatura *nf* matière (école)
asomar *v* dépasser ; apparaître
asombro *nm* étonnement
asunto *nm* affaire, sujet
atardecer *nm/v* crépuscule
atasco *nm* embouteillage
atender (ie) *v* s'occuper de, écouter
atento, ta *adj* attentif, -ve
aterrizar *v* aterrir
atractivo, va *adj* attirant(e)
atraer *v* attirer
atravesar (ie) *v* traverser
atrever(se) (a) *v* oser
aula *nf* salle de classe
aún *adv* encore
averiguar *v* vérifier
ayer *adv* hier
ayuda *nf* aide
ayudar *v* aider
azúcar *nm/f* sucre
azul *adj* bleu(e)

bailar *v* danser
bailarín, na *n* danseur, -euse
baile *nm* bal
bajar *v* baisser, descendre
bajo *prep* sous
bajo, ja *adj* bas(se), petit(e)
baloncesto *nm* basket-ball
bañador *nm* maillot de bain
bañarse *v* se baigner
bandera *nf* drapeau
baño *nm* baignade, bain
barato, ta *adj* bon marché
barrio *nm* quartier
barullo *nm* cohue
bastante *adj/adv* assez
beber *v* boire
bebida *nf* boisson
belleza *nf* beauté
bienestar *nm* bien-être
bigote *nm* moustache
blanco, ca *adj* blanc, blanche
boca *nf* bouche
bocadillo *nm* sandwich, casse-croûte
boda *nf* noce
bofetada *nf* gifle
bolsa *nf* sac
bolsillo *nm* poche
bombero, ra *n* pompier
bonito, ta *adj* joli(e)
borrador *nm* brouillon
bravo, va *adj* sauvage
broncear *v* bronzer
brotar *v* jaillir
brújula *nf* boussole
burlar(se) *v* (se) moquer
buscar *v* chercher

caballero *nm* chevalier
caballo *nm* cheval
cabeza *nf* tête
cada *adj* chaque
caer *v* tomber
calendario *nm* calendrier
calle *nf* rue
calor *nm* chaleur
calzada *nf* chaussée
calzado *nm* chaussure
cama *nf* lit
cámara de fotos *nf* un appareil photo
camarero, ra *n* serveur, -euse, garçon de café
cambiar *v* changer
cambio *nm* changement, échange, monnaie
caminar *v* marcher, cheminer
camisa *nf* chemise
camiseta *nf* maillot de corps, tee-shirt
campamento *nm* colonie de vacances
campana *nf* cloche
campeón, ona *n* champion(ne)
campo *nm* campagne
canal *nm* chaîne (radio, télé)
cancha *nf* terrain de sport
canción *nf* chanson
cansado, da *adj* fatigué(e)
cantante *n* chanteur, -euse
cantaor *nm* chanteur de flamenco
cantar *v* chanter
canto *nm* chant
capucha *nf* capuche
cara *nf* face, visage
carencia *nf* manque
cariño *nm* tendresse
caro, ra *adj* cher, chère
carrera *nf* carrière, études ; course
carretera *nf* route
carrito *nm* caddie
carro *nm* char, charrette, voiture *(amer)*
carta *nf* lettre, carte
cartel *nm* affiche

cartera *nf* cartable, portefeuille
casa *nf* maison
casarse *v* se marier
castigar *v* punir
castigo *nm* punition
castillo *nm* château
casualidad *nf* hasard
cazador(a) *n* chasseur, -euse
celebrar *v* fêter
cena *nf* dîner
cenar *v* dîner
cerca *adv* près
cercano, na *adj* proche
cerrar (ie) *v* fermer
chancla *nf* tongue
chaqueta *nf* veste
charlar *v* discuter, bavarder
chiste *nm* blague
chubasquero *nm* ciré (vêtement de pluie)
ciego, ga *adj/n* aveugle
científico, ca *adj/n* scientifique
cierto, ta *adj* certain(e) ; vrai(e)
cintura *nf* taille
cinturón *nm* ceinture
cita *nf* rendez-vous
citar *v* citer, donner rendez-vous
ciudad *nf* ville, cité
ciudadania *nf* citoyenneté
claro *adv* bien sûr
claro, ra *adj* clair(e)
cliente *n* client(e)
coche *nm* voiture
cocina *nf* cuisine
cocinero, ra *n* cuisinier, -ère
código *nm* code
coger *v* prendre, cueillir
cola *nf* colle, queue
cole *nm, fam* collège, école
collar *nm* collier
colocar *v* placer ; ranger
columpiarse *v* se balancer
comedor *nm* salle à manger
comer *v* manger, déjeuner
comida *nf* nourriture, repas
cómodo, da *adj* confortable
compartir *v* partager
complacer *v* faire plaisir
compra *nf* achat
comprar *v* acheter
comprobar (ue) *v* vérifier
conmigo, *pron* avec moi
conocer *v* connaître
conocido, da *n/adj* connaissance, ami(e) ; connu(e)
conquistar *v* conquérir
conseguir (i) *v* obtenir
consejo *nm* conseil
consejo *nm* conseil
consumo *nm* consommation
contaminar *v* polluer
contento, ta *adj* content(e)
contestación *nf* réponse
contestador *nm* répondeur
contestar *v* répondre
contigo *pron* avec toi
contratar *v* engager, embaucher
convencer *v* convaincre
conveniente *adj* opportun(e)
conversar *v* discuter
corazón *nm* cœur
correr *v* courir
cortado, da *adj* coupé(e)
corte *nf* cour du roi
corte *nm* coupure
cortejar *v* courtiser
cortesía *nf* politesse
corteza *nf* écorce
corto, ta *adj* court(e)
coser *v* coudre
costa *nf* côte
costar (ue) *v* coûter
costumbre *nf* coutume, habitude
crecer *v* croître
creer *v* croire
criar *v* élever (un petit)
cruz *nf* croix
cruzar *v* croiser, traverser
cuadro *nm* tableau
cuánto *adv* combien
cuartel *nm* caserne
cuarto de baño *nm* salle de bains
cuarto *nm* chambre
cuchara *nf* cuillère
cuello *nm* col, cou
cuenta *nf* note (prix), addition
cuento *nm* conte
cuerpo *nm* corps
cuesta *nf* côte
cueva *nf* grotte
cuidado *nm* attention
cuidar *v* faire attention
culpa *nf* faute, responsabilité
cultivo *nm* culture (plantes)
cumbre *nf* sommet
cumpleaños *nm* anniversaire
cumplir (con) *v* accomplir ; tenir sa promesse
curar *v* soigner

dar *v* donner
darse cuenta *loc* se rendre compte
dato *nm* donnée
de nuevo loc *à* nouveau
de repente *loc* subitement
debajo de *loc* en dessous
debidamente *adv* comme il se doit
débil *adj* faible
decir (i) *v* dire
dedo *nm* doigt
deducir *v* déduire
dejar *v* laisser, quitter
delante *adv* devant
deletrear *v* épeler
delgado, da *adj* mince
demasiado *adv* trop
demonio *nm* démon
dentro *adv* dans, dedans
deporte *nm* sport
deportista *n* sportif, -ve
deportivo, va *adj* sportif, -ve
derecho, cha *adj* droit(e)
desanimar *v* décourager
desarrollar(se) *v* (se) dérouler, (se) développer
desayunar *v* prendre le petit déjeuner
desayuno *nm* petit-déjeuner
descansar *v* se reposer
desconfiado, da *adj* méfiant(e)
descubrimiento *nm* découverte
desde *prep* depuis, de
desear *v* souhaiter, désirer
deseo *nm* désir
desfile *nm* défilé
desgraciadamente *adv* malheureusement
deshacer(se) *v* (se) défaire, (se) débarrasser
deslizarse *v* (se) glisser
desmayar(se) *v* faiblir, s'évanouir
desobedecer *v* désobéir
despacho *nm* bureau
despacio *adv* lentement
despedida *nf* adieux
despedir (i) *v* renvoyer
despedirse (i) *v* dire au revoir
despegar *v* décoller
despertar(se) (ie) *v* (se) réveiller
despreciar *v* mépriser
después *adv* après
destacar *v* détacher
detrás *adv* derrière
devolver (ue) *v* rendre
diario *nm* journal quotidien
dibujante *n* dessinateur, -trice
dibujar *v* dessiner
diciembre *nm* décembre
difundir *v* diffuser
dígame *interj* allô
diluvio *nm* déluge
dinero *nm* argent
dirección *nf* adresse
disculpar(se) *v* (s')excuser
disfrazarse (de) *v* se déguiser (en)
disfrutar *v* profiter
disolver (ue) *v* dissoudre
disponer *v* disposer
distinguir *v* distinguer, différencier
distinto, ta *adj* différent(e)
divertirse *v* s'amuser
dividir *v* diviser
domingo *nm* dimanche
dormido, da *adj* endormi(e)
dormitorio *nm* chambre à coucher
ducharse *v* se doucher
duda *nf* doute
dueño, ña *n* maître, -esse, patron, -onne

echar de menos *loc* regretter ; manquer
echar *v* jeter ; mettre
edad *nf* âge
ejemplo *nm* exemple
ejercer *v* exercer
elegir (i) *v* choisir, élire
embarcar(se) *v* (s')embarquer
embrujar *v* ensorceler
emisora *nf* émetteur, station de radio
empeorar *v* empirer
emperador, triz *n* empereur, impératrice
empezar *(ie)* v commencer
emplear *v* employer
emprender *v* entreprendre
enamorado, da *adj/n* amoureux, -euse
enamorar *v* rendre amoureux
encabezar *v* prendre la tête (de)
encantador, ora *adj* charmant(e)
encender (ie) *v* allumer
encima de *loc* sur
encontrar (ue) *v* rencontrer, trouver
encuentro *nm* rencontre
enero *nm* janvier
enfadarse *v* se mettre en colère
enfermedad *nf* maladie
enfermero, ra *n* infirmier, -ère
enfermo, ma *n/adj* malade
enfrentar(se) *v* affronter
enfrente *adv* en face
enfurecerse *v* s'emporter ;
devenir furieux, -euse
entender *(ie)* v comprendre
enterarse *(de)* v apprendre une nouvelle
entonces *adv* alors
entorno *nm* environnement
entrada *nf* entrée
entrenador, ora *n* entraîneur, -euse
entrevista *nf* entretien, interview
enviar *v* envoyer
envidioso, sa *adj* envieux, -euse
equilibrado, da *adj* équilibré(e)
error *nm* faute
escapar(se) *v* (s')échapper
escaparate *nm* vitrine, devanture
esclavo, va *n* esclave
escoger *v* choisir
escoltar *v* escorter
esconder *v* cacher
escuchar *v* écouter
escudo *nm* bouclier
eslogan *nm* slogan
espada *nf* épée

espantar *v* effrayer
espantoso, sa *adj* effrayant(e)
espejo *nm* miroir
esperar *v* attendre
esquiador, ra *n* skieur, -euse
esquina *nf* coin
estación *nf* gare ; saison
estadio *nm* stade
estado *nm* état
estar *v* être
este *nm* est (point cardinal)
estrecho, cha *adj* étroit(e)
estrella *nf* étoile, vedette
estreno *nm* première (spectacle)
estribillo *nm* refrain
estudiar *v* étudier
estupendo, da *adj* super, génial
éxito *nm* succès
experimentar *v* éprouver, ressentir
extrañado, da *adj* surpris(e)
extrañar *v* surprendre

fábrica *nf* usine
falda *nf* jupe
falso, sa *adj* faux, -sse
falta *nf* manque, faute
faltar *v* manquer
famoso, sa *adj* célèbre
fantasía *nf* imagination
fastidiar *v* embêter
favorecer *v* favoriser
febrero *nm* février
fecha *nf* date
felicidad *nf* bonheur
feliz *adj* heureux, -euse
feo, a *adj* laid(e)
feria *nf* fête, foire
festivo, va *adj* férié(e)
fiarse *(de)* v se fier, avoir confiance
fiebre *nf* fièvre
fijar *v* fixer
fin de semana *loc* week-end
firma *nf* signature
firmar *v* signer
flechazo *nm* coup de foudre
forastero, ra *adj* étranger, -ère
fortaleza *nf* forteresse
francés, a *adj* français(e)
franquista *n/adj* franquiste, de l'époque de Franco
fregar (ie) *los* platos loc faire la vaisselle
fuera *adv* dehors
fuerte *adj* fort(e)
fundador, ora *n* fondateur, -trice
fundar *v* fonder
futbolista *n* footballeur, -euse

gafas *nfpl* lunettes
galardonado, da *adj* recompensé(e) ; primé(e)
gallina *nf* poule
gana *nf* envie
ganado *nm* bétail
gasolinera *nf* station service
gastar *v* dépenser
gato, ta *n* chat, chatte
gazpacho *nm* soupe froide
girar *v* pivoter, tourner
golpe *nm* coup
gordo, da *adj* gros, grosse
gorra *nf* casquette
grabación *nf* enregistrement
grabar *v* enregistrer, graver
gracias *interj* merci
gracioso, sa *adj/n* drôle, amusant(e)
gradas *nfpl* gradins
granja *nf* ferme
griego, ga *adj* grec, grecque
grito *nm* cri
guapo, pa *adj* beau, belle
guay *interj* super !
guión *nm* scénario
gustar *v* plaire

habitación *nf* chambre
hablar *v* parler
hacia *prep* vers
hambre *nf* faim
hasta *prep* jusqu'à
helado *nm* glace
heredar *v* hériter
herencia *nf* héritage
hermano, na *n* frère, sœur
hijo, ja *n* fils, fille
hilera *nf* file
hincha *n* supporter (sport)
hola *interj* bonjour
hombre *nm* homme
homenaje *nm* hommage
hondo, da *adj* profond(e)
hongo *nm* champignon
honor *nm* honneur
honrado, da *adj* honnête
horario *nm* horaire, emploi du temps
horror *nm* horreur
hoy *adv* aujourd'hui
hoyo *nm* trou
huella *nf* trace, empreinte
huerta *nf* plaine maraîchère
hueso *nm* os
huir *v* fuir
humilde *adj* humble
humo *nm* fumée
humor *nm* humour

idioma *nm* langue
igual *adj* égal(e)
impedir (i) *v* empêcher
imperio *nm* empire
imponer *v* imposer
imprescindible *adj* indispensable
impresión *nf* impression
incendio *nm* incendie
incluir *v* inclure
incluso *adv* même
infierno *nm* enfer
inglés, a *adj* anglais(e)
inolvidable *adj* inoubliable
instituto *nm* lycée
intentar *v* essayer, tenter
intercambiar *v* échanger
interesar *v* intéresser
invadir *v* envahir
investigador, ra *n* enquêteur, -euse ; chercheur, -euse
invierno *nm* hiver
ir de tiendas *loc* faire les boutiques
ir *v* aller
izquierdo, da *adj* gauche

jersey *nm* chandail
jinete *nm* cavalier
jornada *nf* journée
joven *adj* jeune
jubiloso, a *adj* ravi, e
judío, a *adj/n* juif, -ve
juego *nm* jeu
jueves *nm* jeudi
jugar (ue, u) *v* jouer
juguete *nm* jouet
juicioso, sa *adj* sage ; judicieux, -euse
julio *nm* juillet
junio *nm* juin
juntos, tas *adv pl* ensemble
juventud *nf* jeunesse

L

labor *nf* travail, couture
laboral *adj* en rapport avec le travail
lado *nm* côté
lanza *nf* lance (arme)
lanzar *v* lancer
largo, ga *adj* long(ue)
lástima *nf/interj* dommage ; pitié
lealtad *nf* loyauté
leer *v* lire
lejos *adv* loin
lema *nm* slogan
levantar(se) *v* se lever
leyenda *nf* légende
libro *nm* livre
limón *nm* citron
limpiabotas *nm* cireur de chaussures
limpio, a *adj* propre
línea *nf* ligne
llama *nf* flamme
llamar la *atención* loc attirer l'attention
llamar(se) *v* (s')appeler
llamativo, va *adj* criard(e)
llano *nm* plaine
llegada *nf* arrivée
llegar *v* arriver
llenar *v* remplir
llevar *v* porter
llorar *v* pleurer
llover (ue) *v* pleuvoir
lluvia *nf* pluie
lo siento *loc* désolé(e)
loco, ca *adj/n* fou, folle
locutor, ora *n* présentateur, -trice
luego *adv* ensuite
lugar *nm* lieu, place
lujo *nm* luxe
lunes *nm* lundi
luz *nf* lumière

M

madera *nf* bois (matière)
madre *nf* mère
maduro, ra *adj* mûr(e)
maleta *nf* valise
malo, la *adj* mauvais(e), méchant(e)
mañana *nf* matin ; adv demain
mandar *v* envoyer ; ordonner
manejar *v* manier
manga *nf* manche
maniquí *nm* mannequin
manso, a *adj* doux, douce (caractère)
manta *nf* couverture
manzana *nf* pomme
mapa *nm* carte (géographique)
mar *nm/f* mer
maravillar *v* émerveiller
marco *nm* cadre
marear(se) *v* avoir la tête qui tourne, le mal de mer, mal au cœur
mareo *nm* mal de mer, évanouissement
marrón *adj* marron
martes *nm* mardi
marzo *nm* mars
matar *v* tuer
matrimonio *nm* mariage
mayo *nm* mai
mayor *adj* plus grand(e), aîné(e)
mayoría *nf* majorité, plupart
media *nf* moyenne
medianoche *nf* minuit (autour de)

médico, ca *n* médecin
medida *nf* mesure
medio *adv* à moitié
medio, a *adj* moyen, ne ; demi, e
mediodía *nm* midi (autour de)
medir (i) *v* mesurer
mejor *adj* meilleur(e), mieux
menor *adj/n* cadet, plus petit(e), mineur(e)
menos *adv* moins
mensaje *nm* message
mentira *nf* mensonge
mercado *nm* marché
merecer *v* mériter
mes *nm* mois
mesa *nf* table
meter *v* mettre
meterse *v* s'immiscer, se mêler
metro *nm* mètre ; métro
mezclar *v* mélanger
mezquita *nf* mosquée
miedo *nm* peur
miembro *nm* membre
mientras *prep* pendant que
mientras que *conj* tandis que, alors que
miércoles *nm* mercredi
mirar *v* regarder
misa *nf* messe
mitad *nf* moitié
mochila *nf* sac à dos
modo *nm* façon
mogollón *nm* (fam) un paquet, beaucoup
molestar *v* déranger
monte *nm* mont, forêt
montón *nm* tas
morder (ue) *v* mordre
moreno, na *adj* brun(e)
morir(se) (ue, u) *v* mourir
mostrador *nm* comptoir
mostrar (ue) *v* montrer
móvil *nm* mobile, téléphone portable
muchacho, cha *n* garçon, fille
mucho, cha *adv* beaucoup (de)
muelle *nm* quai
muerto, ta *n/adj* mort(e)
mujer *nf* femme, épouse
museo *nm* musée

nacimiento *nm* naissance
nada *adv* rien
nadar *v* nager
nadie *pron* personne
naranja *nf/adj* orange
nariz *nf* nez
naturaleza *nf* nature
navidad *nf* noël
navío *nm* navire
necesitar *v* avoir besoin
negar (ie) *v* nier
negarse a *v* refuser
negocio *nm* affaire
negro, gra *adj* noir(e)
nervioso, sa *adj* nerveux, -euse
niebla *nf* brouillard
nieto, ta *n* petit-fils, petite-fille
nieve *nf* neige
ningún, ninguno, na *pron* aucun(e)
niño, ña *n* enfant
nivel *nm* niveau
noche *nf* nuit
norte *nm* nord
noticia *nf* nouvelle
novela *nf* roman
noviembre *nm* novembre
novio, a *n* fiancé(e)
nube *nf* nuage
nunca *adv* jamais

obedecer *v* obéir
obra *nf* œuvre
ocio *nm* loisir
octubre *nm* octobre
ocurrir *v* arriver (événement)
odiar *v* haïr, détester
odio *nm* haine
oeste *nm* ouest
oficina *nf* bureau
oficio *nm* métier
ofrecer *v* offrir
oír *v* entendre
ojalá *interj* plaise à Dieu !
ojo *nm* œil
oler (ue) *v* sentir
olor *nm* odeur
olvidar *v* oublier
ombligo *nm* nombril
opinar *v* donner son opinion
oportunidad *nf* opportunité
oración *nf* prière
ordenar *v* ordonner, ranger
orgullo *nm* orgueil
orgulloso, sa *adj* orgueilleux, -euse
origen *nm* origine
orilla *nf* rive
oscuro, ra *adj* obscur(e), sombre
otoño *nm* automme
otra vez *loc* encore

padecer *v* souffrir
padre *nm* père
pagar *v* payer
página *nf* page
paja *nf* paille
pájaro *nm* oiseau
palabra *nf* mot, parole
palmera *nf* palmier
pandilla *nf* bande de copains
pantalla *nf* écran
papel *nm* papier
para *prep* pour, par
parada *nf* station (de métro)
paraguas *nm* parapluie
paraíso *nm* paradis
parecer *v* paraître, sembler
pareja *nf* couple
parque *nm* parc
párrafo *nm* paragraphe
parte *nf* partie
partido *nm* match
pasarela *nf* passerelle, podium
pasarlo bomba, bien *loc* s'éclater
pasear(se) *v* se promener
paseo *nm* promenade
pasillo *nm* couloir
pastor, ora *n* berger, -ère
patada *nf* coup de pied
patio *nm* cour
patrocinador, ora *n/adj* sponsor
patrocinar *v* sponsoriser
paz *nf* paix
pedazo *nm* morceau
pedido *nm* commande
pedir (i) *v* demander
pegar *v* coller
pelear *v* lutter
película *nf* film
peligroso, sa *adj* dangereux, -euse
pelo *nm* cheveu(x)
pelota *nf* balle
peluquero, ra *n* coiffeur, -euse
pena *nf* peine
pendiente *nm* boucle d'oreille
península *nf* péninsule
peor *adj* pire
pequeño, ña *adj* petit(e)
peregrino, na *n* pèlerin
pereza *nf* paresse
perezoso, sa *adj* paresseux, -euse
periódico *nm* journal
periodista *n* journaliste
perro, rra *n* chien, chienne
persecución *nf* poursuite
personaje *nm* personnage
pertenecer *v* appartenir
pesadilla *nf* cauchemar
pescado *nm* poisson (dans l'assiette)
pescador, a *n* pêcheur, -euse
peso *nm* poids
pez *nm* poisson (dans l'eau)
pimiento *nm* poivron
piso *nm* appartement
pitillo *nm* cigarette
pizarra *nf* tableau, ardoise
placer *nm* plaisir
plan *nm* projet
planchar *v* repasser
planear *v* planifier
planeta *nm* planète
plata *nf* argent (matière)
plátano *nm* banane
plaza *nf* place
pluma *nf* plume
pobreza *nf* pauvreté
poco, ca *adv* peu (de)
poder (ue, u) *v* pouvoir
poeta *nm* poète
pollo *nm* poulet
polvo *nm* poudre, poussière
poner *v* mettre
ponerse *v* devenir
por fin *loc* enfin
por *prep* pour, par
por supuesto *loc* évidemment
portarse *v* se comporter
posibilidad *nf* possibilité
practicar *v* pratiquer
práctico, ca *adj* pratique
precio *nm* prix
precioso, sa *adj* très joli(e)
pregunta *nf* question
preguntar *v* demander
premio *nm* lot, récompense
prensa *nf* presse
preocupar *v* préocuper, inquiéter
prestar *v* prêter
presupuesto *nm* budget
primavera *nf* printemps
primero, ra *adj* premier, -ère
primo, ma *n* cousin(e)
princesa *nf* princesse
príncipe *nm* prince
principio *nm* principe, début
prisa *nf* hâte
probar (ue) *v* essayer, goûter, prouver
procurar *v* essayer
profesión *nf* métier
prohibir *v* interdire
promover (ue) *v* promouvoir
pronto *adv* bientôt
pronunciar *v* prononcer
propio, a *adj* propre (à soi)
proponer (u) *v* proposer
propósito *nm* but
propuesta *nf* proposition
protagonista *n* protagoniste ; héros, héroïne
próximo, ma *adj* prochain(e)
proyecto *nm* projet
puente *nm* pont
puerta *nf* porte
puerto *nm* port
puesto *nm* place, étal, poste
pulmón *nm* poumon

pulsar *v* appuyer (sur un bouton)
pulsera *nf* bracelet
pureza *nf* pureté

quedar *v* rester ; avoir rendez-vous
quejarse *v* se plaindre
querido, da *adj* cher, chère
quieto, ta *adj* tranquille
quitar *v* ôter, enlever
quizá(s) *adv* peut-être

raíz *nf* racine
rápido, da *adj* rapide
raro, ra *adj* bizarre, étrange
rascacielos *nm* gratte-ciel
rato *nm* instant, moment
razón *nf* raison
real *adj* réel, -elle, royal(e)
realidad *nf* réalité
realizar *v* accomplir
recoger *v* ramasser
reconocer *v* reconnaître
recordar (ue) *v* (se) rappeler, se souvenir
recorrer *v* parcourir
recorrido *nm* parcours
recto, *ta* adj droit(e)
recuerdo *nm* souvenir
red *nf* filet ; réseau
redondo, da *adj* rond(e)
reflejar *v* refléter
refresco *nm* rafraîchissement
regalar *v* faire cadeau
regalo *nm* cadeau
regañar *v* gronder, (se) disputer
regresar *v* rentrer, revenir
regreso *nm* retour
rehusar *v* refuser
reír (i) *v* rire
reja *nf* grille
relajar(se) *v* (se) relaxer
relato *nm* récit
rematar *v* achever
renunciar *v* renoncer
repartir *v* distribuer, partager
repasar *v* réviser
repetir (i) *v* répéter
repostar (gasolina) *v* prendre de l'essence
rescatar *v* sauver ; récupérer
resolver (ue) *v* résoudre
respetar *v* respecter
respuesta *nf* réponse
revista *nf* magazine
rey *nm* roi
rezar *v* prier
rico, ca *n/adj* riche
riña *nf* bagarre
rincón *nm* coin
risa *nf* rire
risueño, ña *adj* souriant(e), rieur, -euse
rodar *(ue)* v rouler ; tourner un film
rodear *v* entourer
rogar (ue) (a alguien que haga algo) v prier (quelqu'un de faire quelque chose)
rojo, ja *adj* rouge
romper *v* briser, casser
ropa *nf* linge, vêtement
rostro *nm* visage
rubio, a *adj* blond(e)
rueda *nf* roue
rumbo *nm* (a) en direction de (pour un moyen de transport)
ruta *nf* itinéraire
rutinario, a *adj* routinier, -ère

sábado *nm* samedi
sabor *nm* saveur
sabroso, sa *adj* savoureux, -euse
sacar *v* enlever
salir *v* sortir, partir
salto *nm* saut
salud *nf* santé
saludar *v* saluer
salvaje *adj* sauvage
salvar *v* sauver
sanidad *nf* service de santé
sano, na *adj* sain(e)
secuencia *nf* séquence
sed *nf* soif
seducir *v* séduire
seguir (i) *v* suivre, continuer
según *prep* selon
seguro, ra *adj* sûr(e)
señalar *v* signaler, indiquer, désigner
sencillo, lla *adj* simple
sentido *nm* sens
septiembre *nm* septembre
sequía *nf* sécheresse
ser *v* être
sereno, na *adj* serein(e)
siempre *adv* toujours
sierra *nf* chaîne de montagnes
siglo *nm* siècle
siguiente *adj* suivant(e)
silla *nf* chaise
sillón *nm* fauteuil
sitio *nm* emplacement, place
sobrar *v* être en trop
sobrino, na *n* neveu, nièce
sol *nm* soleil
solamente *adv* seulement
soleado, da *adj* ensoleillé(e)
soledad *nf* solitude
soler (ue) *v* avoir l'habitude de
solo, la *adj* seul(e)
sombra *nf* ombre
sombrero *nm* chapeau
soñar (ue) *v* rêver
sonido *nm* son
sonreír (i) *v* sourire
sonrisa *nf* sourire
sordo, da *adj* sourd(e)
sorprender *v* surprendre, étonner
subir *v* monter, élever
sucio, a *adj* sale
sueldo *nm* salaire
suelo *nm* sol
sueño *nm* rêve
suerte *nf* chance
sufrimiento *nm* souffrance
sur *nm* sud
suspender *v* être collé a un examen
susto *nm* peur (subite)

taller *nm* atelier
tamaño *nm* taille
también *adv* aussi
tampoco *adv* non plus
tardar *v* mettre du temps, tarder
tarde *nf/adv* après-midi; tard
tarjeta *nf* une carte
tarta *nf* tarte, gâteau
tebeo *nm* bande dessinée
techo *nm* plafond
tejido *nm* étoffe, tissu
telediario *nm* journal télé
temporada *nf* saison
temprano *adv* tôt
tener (ie) *v* avoir
tener clase *loc* avoir cours
tener suerte *loc* avoir de la chance
tesoro *nm* trésor
tienda *nf* boutique
tierno, na *adj* tendre
tío, a *n* oncle, tante
título *nm* titre
toalla *nf* serviette
tocar *v* toucher, jouer d'un instrument
todavía *adv* encore, toujours
todo, da *adj/pron* tout(e)
tomar *v* prendre
torera *nf* bolero (vêtement)
tormenta *nf* orage
tortilla *nf* omelette
traba *nf* entrâve
trabajar *v* travailler
trabajo *nm* travail
trabalenguas *nm* allitération
traducir *v* traduire
traer *v* aporter, amener
traje *nm* costume, tailleur
transcurrir *v* se dérouler
tranvía *nm* tramway
travieso, sa *adj* espiègle
trayecto *nm* trajet
trenza *nf* tresse
tutoría *nf* direction d'un tuteur

último, ma *adj* dernier, -ère
unos, unas *pronpl* quelques
uso *nm* emploi

vacaciones *nfpl* vacances
vaciar *v* vider
vacilar *v* hésiter
vacío, cía *adj* vide
vale *interj* (fam) d'accord
varios, as *adjpl* plusieurs
vaso *nm* verre
vejez *nf* vieillesse
vengar(se) *v* (se) venger
ventaja *nf* avantage
ventana *nf* fenêtre
veranear *v* passer les vacances d'été
verano *nm* été
verdad *nf* vérité
verdadero, ra *adj* véritable, vrai(e)
verde *adj* vert(e)
vergüenza *nf* honte, gêne
verosímil *adj* vraissemblable
vestido *nm* robe
vestido, da *adj* habillé(e)
vestirse (i) *v* s'habiller
vez *nf* fois
vía *nf* voie
viajar *v* voyager
vida *nf* vie
viejo, ja *adj* vieux, vieille
viernes *nm* vendredi
villancico *nm* chant de Noël
volver (ue) *v* revenir
voz *nf* voix
vuelta *nf* tour

yegua *nf* jument

zapatilla *nf* pantoufle, tennis
zapato *nm* chaussure, soulier
zarpar *v* partir (bateau)
zona *nf* zone
zumbido *nm* bourdonnement
zumo *nm* jus

Lexique Français - Espagnol

Abréviations utilisées

adj : adjectif	*loc* : locution
adv : adverbe	*m* : masculin
amer : américanisme	*n* : nom
conj : conjonction	*pl* : pluriel
f : féminin	*prep* : préposition
fam : familier	*pron* : pronom
interj : interjection	*v* : verbe

à nouveau *loc* de nuevo
à part *loc* aparte
abriter (s') *v* abrigarse
accomplir *v* cumplir (con), realizar
accueillir *v* acoger
achat *nm* compra
acheter *v* comprar
achever *v* acabar
acier *nm* acero
addition *nf* cuenta
adresse *nf* dirección
affaire *nf* asunto
affaire *nf* negocio
affiche *nf* cartel
affronter *v* enfrentar(se)
âge *nm* edad
agité(e) *adj* alborotado, da
aide *nf* ayuda
aider *v* ayudar
aile *nf* ala
aîné(e) *adj/n* mayor
ajouter *v* añadir
aller *v* ir
allô *interj* dígame
allumer *v* encender (ie)
alors *adv* entonces
amateur, -trice *n* aficionado, da
âme *nf* alma
amener *v* traer
ami(e) *n* amigo, ga
amitié *nf* amistad
amour *nm* amor
amoureux, -euse *adj/n* enamorado, da
amusant(e) *adj* gracioso, sa, divertido, da
amuser (s') *v* divertir(se) (ie, i)
ancêtre *n* antepasado, da
ancien(ne) *adj/n* anciano, na
anglais(e) *adj* inglés, a
anniversaire *nm* cumpleaños
août *nm* agosto
aporter *v* traer
apparaître *v* aparecer
appareil photo *nm* cámara de fotos
appartement *nm* piso
appartenir *v* pertenecer
appeler (s') *v* llamar(se)
applaudissement *nm* aplauso
apprendre (une nouvelle) *v* enterarse (de)
apprentissage *nm* aprendizaje
approcher (s') *v* acercar(se)
appuyer *v* apoyar
après *adv* después
après-midi *nm/f* tarde
arbre *nm* árbol
ardoise *nf* pizarra
argent *nm* dinero (monnaie), plata (matière)
arrivée *nf* llegada
arriver *v* llegar, ocurrir (événement)
assez *adj/adv* bastante
atelier *nm* taller
aterrir *v* aterrizar
attendre *v* esperar
attentif, -ve *adj* atento, ta
attention *nf* cuidado
attirant(e) *adj* atractivo, va
attirer l'attention *loc* llamar la atención
attirer *v* atraer
aucun(e) *pron* ningún, ninguno, na
au-dessus *adv* arriba
aujourd'hui *adv* hoy
aussi *adv* también
automme *nm* otoño
autour *adv* alrededor
avant *adv* antes
avantage *nm* ventaja
aveugle *adj/n* ciego, ga
avocat(e) *n* abogado, da
avoir besoin *loc* necesitar
avoir confiance *loc* fiarse (de)
avoir cours *loc* tener clase
avoir de la chance *loc* tener suerte
avoir la tête qui tourne (le mal de mer, mal au cœur) *loc* marear(se)
avoir l'habitude de *loc* soler (ue)
avoir *v* tener (ie)
avril *nm* abril

bagarre *nf* riña
baigner (se) *v* bañarse
bain *nm* baño
baisser *v* bajar
bal *nm* baile
balle *nf* pelota
banane *nf* plátano
bande de copains *loc* pandilla
bande dessinée *nf* tebeo
bas(se) *adj* bajo, ja
basket-ball *nm* baloncesto
bavarder *v* charlar
beau, belle *adj* guapo, pa, bello, lla
beaucoup (de) *adv* mucho, cha
beauté *nf* belleza
berger, -ère *n* pastor, ora
bétail *nm* ganado
bêtise *nf* bobada
bien sûr *loc* claro, por supuesto
bientôt *adv* pronto
bizarre *adj* raro, ra
blague *nf* chiste
blanc, blanche *adj* blanco, ca
bleu(e) *adj* azul
blond(e) *adj* rubio, a
boire *v* beber
bois (matière) *nm* madera
boisson *nf* bebida
bonheur *nm* felicidad
bonjour *interj* hola, buenos días
bouche *nf* boca
bracelet *nm* pulsera
briser *v* romper
bronzer *v* broncear
brouillard *nm* niebla
brouillon *nm* borrador
brûler *v* arder
brun(e) *adj* moreno, na
bureau *nm* despacho, oficina
but *nm* propósito

cacher *v* esconder
cadeau *nm* regalo
cadet *adj/n* menor
cadre *nm* marco
calendrier *nm* calendario
campagne *nf* campo
cartable *nm* cartera
carte *nf* mapa, carta
carte *nf* tarjeta
caserne *nf* cuartel
casquette *nf* gorra
casser *v* romper
cauchemar *nm* pesadilla
cavalier, ère *n* jinete, amazona
ceinture *nf* cinturón
célèbre *adj* famoso, sa
chaîne (de montagnes) *nf* sierra
chaîne (radio, télé) *nm* canal
chaise *nf* silla
chaleur *nf* calor
chambre *nf* habitación, cuarto, dormitorio
champion(ne) *n* campeón, ona
chance *nf* suerte
chandail *nm* jersey
changement *nm* cambio
changer *v* cambiar
chanson *nf* canción
chant *nm* canto
chanter *v* cantar
chanteur, -euse *n* cantante
chapeau *nm* sombrero
chaque *adj* cada
charmant(e) *adj* encantador, ora
charrette *nf* carro
chasseur, -euse *n* cazador, ra
chat, chatte *n* gato, ta
château *nm* castillo
chaussée *nf* calzada
chaussure *nm* zapato
chemise *nf* camisa
cher, chère *adj* caro, ra ; querido, da
chercher *v* buscar
cheval *nm* caballo
cheveu(x) *nm* pelo
chien, chienne *n* perro, rra
choisir *v* elegir (i), escoger
cigarette *nf* pitillo
cireur de chaussures *nm* limpiabotas
cité *nf* ciudad
citoyenneté *nf* ciudadania
citron *nm* limón
clair(e) *adj* claro, ra
client(e) *n* cliente
cloche *nf* campana
code *nm* código
cœur *nm* corazón
coiffeur, -euse *n* peluquero, ra
coin *nm* rincón, esquina
col *nm* cuello
colle *nf* cola, pegamento
collège *nm* escuela, colegio, cole (fam)
coller *v* pegar
collier *nm* collar
colonie de vacances *loc* campamento
combien *adv* cuánto
commande *nf* pedido
commencer *v* empezar (ie)
comporter (se) *v* portarse
comprendre *v* entender (ie)
comptoir *nm* mostrador
confortable *adj* cómodo, da
connaissance *nf* conocido, da
connaître *v* conocer
connu(e) *n/adj* conocido, da
conquérir *v* conquistar
consacrer (se) (à) *v* dedicar(se) (a)
conseil *nm* consejo
consommation *nf* consumo
conte *nm* cuento
content(e) *adj* contento, ta
continuer *v* seguir (i)

convaincre *v* convencer
corps *nm* cuerpo
costume *nm* traje
côte *nf* costa ; cuesta
côté *nm* lado
cou *nm* cuello
coucher (se) *v* acostarse (ue)
coudre *v* coser
couloir *nm* pasillo
coup de foudre *loc* flechazo
coup de pied *loc* patada
coup *nm* golpe
coupé(e) *adj* cortado, da
couple *nm* pareja
coupure *nf* corte
cour *nf* patio ; corte (del rey)
courir *v* correr
course *nf* carrera
court(e) *adj* corto, ta
cousin(e) *n* primo, ma
coûter *v* costar (ue)
coutume *nf* costumbre
couverture *nf* manta
cri *nm* grito
criard(e) *adj* llamativo, va
croire *v* creer
croiser *v* cruzar
croix *nf* cruz
cueillir *v* coger
cuillère *nf* cuchara
cuisine *nf* cocina
culture (plantes) *nf* cultivo

dangereux, -euse *adj* peligroso, sa
danser *v* bailar
danseur, *-euse* n bailarín, na
date *nf* fecha
débarrasser (se) *v* deshacer(se)
début *nm* principio
décembre *nm* diciembre
décoller *v* despegar
décourager *v* desanimar
découverte *nf* descubrimiento
dedans *adv* dentro
déduire *v* deducir
défaire (se) *v* deshacer(se)
défilé *nm* desfile
dégoût *nm* asco
déguiser (se) (en) *v* disfrazarse (de)
dehors *adv* fuera
déjeuner *nm* almuerzo, comida
déjeuner *v* comer
demander *v* pedir (i), preguntar
demi(e) *adj* medio, a
dépêcher (se) *v* apresurarse
dépenser *v* gastar
depuis *prep* desde
déranger *v* molestar
dernier, -ère *adj* último, ma
dérouler (se) *v* transcurrir
dérouler *v* desarrollar
derrière *adv* detrás
descendre *v* bajar
désir *nm* deseo, anhelo
désobéir *v* desobedecer
désolé(e) *loc* lo siento
dessinateur, -trice *n* dibujante
dessiner *v* dibujar
dessous *adv* abajo, debajo
détester *v* odiar
devant *adv* delante
développer (se) *v* desarrollar(se)
devenir *v* ponerse
deviner (la bonne réponse) *v* acertar (ie) ; adivinar
différencier *v* distinguir
diffuser *v* difundir
dimanche *nm* domingo
dîner *nm* cena
dîner *v* cenar
dire *v* decir (i)
discuter *v* conversar, charlar
disposer *v* disponer
disputer (se) *v* regañar, pelear(se)
dissoudre *v* disolver (ue)
distribuer *v* repartir
diviser *v* dividir
doigt *nm* dedo
dommage *nm/interj* lástima
donnée *nf* dato
donner rendez-vous *loc* quedar
donner son opinion *loc* opinar
donner *v* dar
doucher (se) *v* ducharse
doute *nm* duda
droit(e) *adj* derecho, cha, recto, ta
drôle *adj* gracioso, sa, divertido, da

eau *nf* agua
échange *nm* cambio
échanger *v* intercambiar
éclairer *v* alumbrar
école *nm*, escuela
économies *nfpl* ahorros
écouter *v* escuchar
écran *nm* pantalla
effrayant(e) *adj* espantoso, sa
égal(e) *adj* igual
élève *n* alumno, a
élever *v* criar
éloigné(e) *adj* alejado, da
embarquer (s') *v* embarcar(se)
embêter *v* fastidiar
embouteillage *nm* atasco
empêcher *v* impedir (i)
empirer *v* empeorar
emploi *nm* uso, empleo
employer *v* emplear
en dessous *loc* debajo de
en face *loc* enfrente
en haut *loc* arriba
encore *adv* aún, todavía, otra vez
encourager *v* animar
endormi(e) *adj* dormido, da
endroit *nm* sitio, lugar
enfant *n* niño, ña
enfer *nm* infierno
enfin *adv* por fin
engager *v* contratar
enlever *v* quitar, sacar
ennuyer *(s')* v aburrir(se)
enregistrer *v* grabar
ensemble *adv* juntos, tas
ensuite *adv* luego
entendre *v* oír
entourer *v* rodear
entraîneur, -euse *n* entrenador, ora
entrée *nf* entrada
entreprendre *v* emprender
entretien *nf* entrevista
envie *nf* gana
environnement *nm* entorno
envoyer *v* enviar
épée *nf* espada
épeler *v* deletrear
épouse *nf* mujer
équilibré(e) *adj* equilibrado, da
escorter *v* escoltar
essayer *v* intentar, probar (ue)
est (point cardinal) *nm* este
état *nm* estado
été *nm* verano
éteindre *v* apagar
étoile *nf* estrella
étonnement *nm* asombro
étonner *v* sorprender
étrange *adj* raro, ra
étranger, -ère *adj* forastero, ra
être en trop *loc* sobrar
être *v* estar, ser
étroit(e) *adj* estrecho, cha
étudier *v* estudiar
événement *nm* acontecimiento
éventail *nm* abanico
excuser (s') *v* disculpar(se)
exemple *nm* ejemplo
exercer *v* ejercer

façon *nf* modo
faible *adj* débil
faim *nf* hambre
faire attention *loc* cuidar
faire la vaisselle *loc* fregar (ie) los platos
faire plaisir *loc* complacer
faire un cadeau *loc* regalar
fatigué(e) *adj* cansado, da
faute *nf* error, falta, culpa
fauteuil *nm* sillón
faux, -sse *adj* falso, sa
favoriser *v* favorecer
femme *nf* mujer, esposa
fenêtre *nf* ventana
férié(e) *adj* festivo, va
ferme *nf* granja
fermer *v* cerrar (ie)
fêter *v* celebrar
février *nm* febrero
fiancé(e) *n* novio, a
fier, ère *adj* orgulloso, sa
filet *nm* red
film *nm* película
fils, fille *n* hijo, ja
fixer *v* fijar
flamme *nf* llama
foire *nf* feria
fois *nf* vez
fonder *v* fundar
football *nm* fútbol
footballeur, -euse *n* futbolista
forêt *nf* bosque, monte
formidable *adj* estupendo, a
fort(e) *adj* fuerte
forteresse *nf* fortaleza
fou, folle *adj/n* loco, a
français(e) *adj* francés, a
frère, sœur *n* hermano, na
fuir *v* huir
fumée *nf* humo

gai(e) *adj* alegre
gaîté *nf* alegría
garçon, fille *n* muchacho, cha
gare *nf* estación
gâteau *nf* tarta
gauche *nf* izquierda
génial(e) *adj* estupendo, da
glace *nf* helado
goûter *v* probar (ue)
grandir *v* crecer
grand-père, grand-mère *n* abuelo, la
grille *nf* reja
gronder *v* regañar
gros, grosse *adj* gordo, da
grotte *nf* cueva

habillé(e) *adj* vestido, da
habiller (s') *v* vestirse (i)
habitude *nf* costumbre
habituel *adj* rutinario
habituer (s') *v* acostumbrarse
haine *nf* odio
haïr *v* odiar
hasard *nm* casualidad
hâte *nf* prisa
haut(e) *adj* alto, ta
hériter *v* heredar
héros, héroïne *nm* héroe, heroína, protagonista
hésiter *v* vacilar
heure *nf* hora
heureux, -euse *adj* feliz
hier *adv* ayer
hiver *nm* invierno
homme *nm* hombre
honnête *adj* honrado, da
honneur *nm* honor
honte *nf* vergüenza
horreur *nm* horror
humour *nm* humor

imposer *v* imponer
incendie *nm* incendio
inclure *v* incluir
indiquer *v* señalar
infirmier, -ère *n* enfermero, ra
informations *nfpl* noticias
inoubliable *adj* inolvidable
inquiéter (s') *v* preocuparse
inscrire (s') *v* apuntarse
instant *nm* rato
interdire *v* prohibir
intéresser *v* interesar
isolé(e) *adj* aislado, da

jamais *adv* nunca
janvier *nm* enero
jaune *adj* amarillo, lla
jeter *v* echar, tirar
jeu *nm* juego
jeudi *nm* jueves
jeune *adj* joven
jeunesse *nf* juventud
joie *nf* alegría
joli(e) *adj* bonito, ta
jouer *v* jugar (ue, u), tocar (un instrumento)
jouet *nm* juguete
journal (quotidien) *nm* diario, periódico
journaliste *n* periodista
juillet *nm* julio
juin *nm* junio
jupe *nf* falda
jus *nm* zumo
jusqu'à *prep* hasta

la plupart *loc* la mayoría
laid(e) *adj* feo, a
laisser *v* dejar
lancer *v* lanzar
langue *nf* idioma
large *adj* ancho, cha
lentement *adv* despacio
lettre *nf* carta
lever (se) *v* levantar(se)
lever du soleil *nm* amanecer
lieu *nm* lugar
ligne *nf* línea
lire *v* leer
lit *nm* cama
livre *nm* libro
logement *nm* alojamiento
loger (se) *v* alojar(se)
loin *adv* lejos
loisir *nm* ocio
long(ue) *adj* largo, ga
lumière *nf* luz
lundi *nm* lunes
lunettes *nfpl* gafas
luxe *nm* lujo
lycée *nm* instituto

magasin *nm* tienda
magazine *nm* revista
mai *nm* mayo
maillot de bain *nm* bañador
maintenant *adv* ahora
maison *nf* casa
maître, -esse *n* dueño, ña, maestro, tra
majorité *nf* mayoría
malade *n/adj* enfermo, ma
maladie *nf* enfermedad
malheureusement *adv* desgraciadamente
manche *nf* manga
manger *v* comer
mannequin *nm* modelo
manquer *v* faltar
manteau *nm* abrigo
marché *nm* mercado
marcher *v* andar
mardi *nm* martes
mariage *nm* boda
marier (se) *v* casarse
marron *adj* marrón
mars *nm* marzo
match *nm* partido
matière (école) *nf* asignatura
matin *nf* mañana
mauvais(e) *adj* malo, la
méchant(e) *adj* malo, la
médecin *n* médico, ca
méfiant(e) *adj* desconfiado, da
meilleur(e) *adj* mejor
mélanger *v* mezclar
mêler (se) *v* meterse
membre *nm* miembro
même *adv* incluso
mensonge *nm* mentira
mépriser *v* despreciar
mer *nf* mar
merci *interj* gracias
mercredi *nm* miércoles
mère *nf* madre
mériter *v* merecer
message *nm* mensaje
messe *nf* misa
mesure *nf* medida
mesurer *v* medir (i)
métier *nm* oficio, profesión
mettre *v* meter, poner
midi *nm* mediodía
mieux *adj* mejor
milieu (au) *nm/adv* medio, mitad
mince *adj* delgado, da
mineur(e) *adj/n* menor
minuit *nf* medianoche
miroir *nm* espejo
moins *adv* menos
mois *nm* mes
moitié *nf* mitad
moment *nm* rato
monter *v* subir
montrer *v* enseñar, señalar
moquer (se) *v* burlar(se)
morceau *nm* pedazo, trozo
mordre *v* morder (ue)
mort(e) *n/adj* muerto, ta
mot *nf* palabra
mourir *v* morir(se) (ue, u)
moustache *nf* bigote
moyen, -ne *adj* medio, a
moyenne *nf* media
mûr(e) *adj* maduro, ra
musée *nm* museo

nager *v* nadar
naissance *nf* nacimiento
nature *nf* naturaleza
neige *nf* nieve
nerveux, -euse *adj* nervioso, sa
neveu, nièce *n* sobrino, na
nez *nm* nariz
nier *v* negar (ie)
niveau *nm* nivel
noël *nm* navidad
noir(e) *adj* negro, gra
nom de famille *nm* apellido
non plus *adv* tampoco
nord *nm* norte
noter *v* anotar
novembre *nm* noviembre
noyer (se) *v* ahogar(se)
nuage *nm* nube
nuit *nf* noche

obéir *v* obedecer
obtenir *v* conseguir (i)
occuper (s') *v* atender (ie)
octobre *nm* octubre
odeur *nf* olor
œil *nm* ojo
offrir *v* ofrecer
oiseau *nm* pájaro
omelette *nf* tortilla
oncle, tante *n* tío, a
opportunité *nf* oportunidad
orage *nm* tormenta
orange *nf/adj* naranja
ordonner *v* mandar
origine *nf* origen
os *nm* hueso
oser *v* atrever(se) (a)
oublier *v* olvidar
ouest *nm* oester

page *nf* página
paix *nf* paz
palmier *nm* palmera
papier *nm* papel
par *prep* para, por
paradis *nm* paraíso
paraître *v* parecer
parapluie *nm* paraguas
parc *nm* parque
parcourir *v* recorrer
parcours *nm* recorrido
parfois *adv* a veces
parler *v* hablar
partager *v* compartir, repartir
partie *nf* parte
partir *v* salir
passer les vacances d'été *loc* veranear
pauvreté *nf* pobreza
payer *v* pagar
pêcheur, -euse *n* pescador, a
peine *nf* pena

pendant (que) prep *mientras*
père *nm* padre
personne *pron* nadie
petit(e) *adj* bajo, ja, pequeño, ña
petit-déjeuner *nm* desayuno
petit-fils, petite-fille *n* nieto, ta
peu (de) *adv* poco, ca
peur *nf* miedo, susto
peut-être *adv* quizá(s)
pire *adj* peor
place *nf* plaza, sitio, lugar
placer *v* colocar
plafond *nm* techo
plaindre (se) *v* quejarse
plaine *nf* llano
plaire *v* gustar
plaisir *nm* placer
planète *nf* planeta
planifier *v* planear
pleurer *v* llorar
pleuvoir *v* llover (ue)
pluie *nf* lluvia
plusieurs *adjpl* varios, as
poche *nf* bolsillo
poète *nm* poeta
poids *nm* peso
poisson *nm* pescado (dans l'assiette), pez (dans l'eau)
poivron *nm* pimiento
politesse *nf* cortesía
polluer *v* contaminar
pollution *nf* contaminación
pomme *nf* manzana
pompier *nm* bombero, ra
pont *nm* puente
port *nm* puerto
portable (téléphone) *nm* móvil
porte *nf* puerta
portefeuille *nm* cartera
porter *v* llevar
possibilité *nf* posibilidad
poule *nf* gallina
poulet *nm* pollo
pour *prep* por, para
pour, *par* prep por
pouvoir *v* poder (ue, u)
pratique *adj* práctico, ca
pratiquer *v* practicar
premier, -ère *adj* primero, ra
première (spectacle) *nm* estreno
prendre *v* coger, tomar
près *adv* cerca
présentateur, -trice *n* locutor, ora
presse *nf* prensa
prêter *v* prestar
prier (quelqu'un de faire quelque chose) v rogar (a alguien que haga algo)
prier *v* rezar
prince, princesse *n* príncipe, princesa
printemps *nf* primavera
prix *nm* precio
prochain(e) *adj* próximo, ma
proche *adj/n* cercano, na, pariente
profiter *v* aprovechar, disfrutar
projet *nm* proyecto, plan
promenade *nf* paseo
promener (se) *v* pasear(se)
prononcer *v* pronunciar
proposer *v* proponer (u)
proposition *nf* propuesta
propre *adj* limpio, a, (à soi) propio, a
propriétaire *n* dueño, ña
protagoniste *n* protagonista
prouver *v* probar (ue)
punir *v* castigar

quai *nm* andén, muelle
quartier *nm* barrio
quelqu'un *pron* alguien
quelques *pronpl* unos, unas
question *nf* pregunta
quitter *v* dejar

R

raison *nf* razón
ramasser *v* recoger
ranger *v* ordenar, colocar
rapide *adj* rápido, da
rappeler(se) *v* recordar (ue)
rater *un* examen v suspender
réalité *nf* realidad
récit *nm* relato
reconnaître *v* reconocer
refrain *nm* estribillo
refuser *(de)* v negarse (a)
regarder *v* mirar
regretter *v* arrepentirse (ie, i) ; echar de menos
relaxer *(se)* v relajar(se)
remercier *v* agradecer
remplir *v* llenar
rencontre *nf* encuentro
rencontrer *v* encontrar (ue), conocer
rendez-vous *nm* cita
rendre compte (se) *loc* dar(se) cuenta
rendre *v* devolver (ue)
renoncer *v* renunciar
rentrer *v* regresar
renvoyer *v* despedir (i)
repas *nm* comida
repasser *v* planchar
répéter *v* repetir (i)
répondre *v* contestar
réponse *nf* respuesta, contestación
reposer (se) *v* descansar
résoudre *v* resolver (ue)
respecter *v* respetar
responsabilité *nf* culpa
ressentir *v* experimentar
rester *v* quedar
retirer *v* quitar
retour *nm* regreso
réussir *v* **(un examen)** aprobar (ue)
réussite *nf* éxito
rêve *nm* sueño
réveiller (se) *v* despertar(se) (ie)
revenir *v* regresar, volver (ue)
rêver *v* soñar (ue)
réviser *v* repasar
riche *n/adj* rico, ca
rien *adv* nada
rire *nm* risa
rire *v* reír (i)
robe *nf* vestido
roi *n* rey
roman *nm* novela
rond(e) *adj* redondo, da
rouge *adj* rojo, ja
route *nf* carretera
royal(e) *adj* real
ruisseau *nm* arroyo

sable *nm* arena
sac à dos *nm* mochila
sac *nm* bolsa
sain(e) *adj* sano, na
saison *nf* estación
saison *nf* temporada
salaire *nm* sueldo
sale *adj* sucio, a
salle à manger *nf* comedor
salle de bains *nf* cuarto de baño
salle de classe *nf* aula
saluer *v* saludar
samedi *nm* sábado
sandwich *nm* bocadillo
santé *nf* salud
saut *nm* salto
sauvage *adj* salvaje
sauver *v* salvar
savoureux, -euse *adj* sabroso, sa
scientifique *adj/n* científico, ca
se couvrir *v* abrigarse
séduire *v* seducir
selon *prep* según
sembler *v* parecer
sens *nm* sentido
sentir *v* oler (ue)
septembre *nm* septiembre
serein(e) *adj* sereno, na
serrer *v* apretar (ie)
serveur, -euse *n* camarero, ra
serviette *nf* toalla, servilleta
seul(e) *adj* solo, la
seulement *adv* solamente
siècle *nm* siglo
siège *nm* asiento
signature *nf* firma
simple *adj* sencillo, lla
skieur, -euse *n* esquiador, ra
slogan *nm* eslogan, lema
soif *nf* sed
soigner *v* curar
soir *nm* tarde, noche
sol *nm* suelo
soleil *nm* sol
solitude *nf* soledad
sombre *adj* oscuro, ra
sommet *nm* cumbre
son *nm* sonido
sortir *v* salir
souffrance *nf* sufrimiento
souffrir *v* padecer
souhaiter *v* desear
soulager *v* aliviar
souriant(e) *adj* risueño, ña
sourire *v* sonreír (i) ; nf sonrisa
sous *prep* bajo
souvenir (se) *de* v acordarse (ue) de
souvenir *nm* recuerdo
souvent *adv* a menudo
sponsoriser *v* patrocinar
sport *nm* deporte
sportif, -ve *n/adj* deportista, deportivo, va
stade *nm* estadio
station (de métro) *nf* estación, parada
station de radio *nf* emisora
succès *nm* éxito
sucre *nm* azúcar
sud *nm* sur
suivant(e) *adj* siguiente
suivre *v* seguir (i)
sujet *nm* asunto
super ! *interj* ¡guay!
supporter *n* hincha
sur *prep* encima de
surnom *nm* apodo
surprendre *v* extrañar
surpris(e) *adj* extrañado, da

table *nf* mesa
tableau *nm* cuadro
taille *nf* tamaño
tandis que *conj* mientras que
tas *nm* montón
tee-shirt *nf* camiseta
tendre *adj* tierno, na
tendresse *nf* cariño
tenter *v* intentar
terrain de sport *loc* cancha

tête *nf* cabeza
tissu *nm* tejido, tela
titre *nm* título
toit *nm* tejado
tomate *nf* tomate
tomber *v* caer
tôt *adv* temprano
toucher *v* tocar
toujours *adv* siempre, todavía
tour *nm* vuelta
tourner (un film) *v* rodar
tourner *v* girar
tout à coup *loc* de repente
tout(e) *adj/pron* todo, da
traduire *v* traducir
trajet *nm* trayecto
tranquille *adj* quieto, ta
travail *nm* trabajo
travailler *v* trabajar
traverser *v* cruzar
trésor *nm* tesoro
trop *adv* demasiado
trottoir *nm* acera
trouver *v* encontrar (ue)
tuer *v* matar

usine *nf* fábrica

vacances *nfpl* vacaciones
valise *nf* maleta
vaste *adj* amplio, a
vedette *nf* estrella
vendredi *nm* viernes
venger (se) *v* vengar(se)
venir *v* acudir
vérifier *v* comprobar (ue)
véritable *adj* verdadero, ra
vérité *nf* verdad
verre *nm* vaso
vers *prep* hacia
vert(e) *adj* verde
veste *nf* chaqueta
vêtement *nm* ropa
vide *adj* vacío, cía
vider *v* vaciar
vie *nf* vida
vieillesse *nf* vejez
vieux, vieille *adj* viejo, ja
ville *nf* ciudad
visage *nm* cara, rostro
vitrine *nf* escaparate
voie *nf* vía
voiture *nf* coche
voix *nf* voz
voyager *v* viajar
vrai(e) *adj* cierto, ta ; verdadero, ra

week-end *nm* fin de semana

zone *nf* zona

Crédits photographiques

Couverture de h en b : EYEDEA/Wojcik Krzysztof/Gamma; AGE FOTOSTOCK/Yedid Levy;GETTY/Aurora; **11** AGE FOTOSTOCK/Gonzalo Azumendi; **12** SIPA/Julian Martin/EFE; **13** AGE FOTOSTOCK/Danilo Donadini; **14** Photo DESCHARNES/daliphoto.com © Salvador Dali, Gala-Salvador Dali Fondation-Adagp, Paris 2009; **15** REA/Mario Fourmy; **16** EYEDEA/Pedro Coll/AGE; **18** ©1988-2009 Arte Maya Tz'utuhil/droits réservés; **19** © El Corte Inglés; **20 ht** EYEDEA/Jaume Gual/AGE; **20 bas** GETTY/Chris Butler; **21 g** Collection CHRISTOPHE L; **21 g, d ht, d bas** © Les Films du Whippet; **24 bas d** AGE FOTOSTOCK/Bill Bachmann; **24 bas g** GETTY/Richard Ross; **24 ht d** SIPA/Chem Moya/EFE; **24 m** REA/Mario Fourmy; **25 bas d** CORBIS/Donoso; **25 bas g** GETTY/Krassowitz; **25 ht d** REA/Marta Nascimento; **25 ht g** EYEDEA/J.-M.Coureau/Explorer; **26** SIPA/Sekretavev/AP; **27** REA/Miquel Gonzalez/LAIF; **28** EYEDEA/Antonio Moreno/AGE; **29** REA/Stéphane Audras; **30** EYEDEA/Ken Welsh/AGE; **31** CORBIS/Montserrat Diaz/EPA; **32** Manolito gafotas/Droits réservés; **33** REA/Mario Fourmy; **34** © Ayuntamiento de Madrid; **35** Herman BRAUN-VEGA ©Adagp, Paris 2009; **36** REA/Mario Fourmy; **37 g, d ht, d bas** © MEDULA Films; **40 bas d** HEMIS/Alain Félix; **40 bas g** REA/Mario Fourmy; **40 ht** GETTY/Chris Cheadle; **40 m** GETTY/Richard Ross; **41 bas d** REA/Gaulier; **41 bas g** CORBIS/José Luis Pelaez; **41 ht d** PANORAMIC/ZM; **41 ht g** GETTY/Jim Franco; **42** Museum of Arts & Sciences, Daytona Beach,Floride/Droits réservés; **43** GETTY/Antonio Mo; **45** © Play Manía/Droits réservés; **46** Joaquin S. Lavado (QUINO)/CAMINITO S.a.s; **47** GETTY/Tony Anderson; **48** LEEMAGE/Carrion/PrismaArchivo; **49** CORBIS/Patrick Giardino; **50** CORBIS/Tim Pannel; **51** © Nik/Droits réservés; **53 g, d ht, d bas** © Imágenes de Cobardes escrito y dirigido por José Corbacho y Juan Cruz cortesía de Filmax Entertainment; **56 bas** EYEDEA/Ifema Larrea/AGE; **56 ht d** REA/Mario Fourmy; **57** GETTY/John Giustina; **58** © Movistar/Droits réervés; **59** COVER/Xulio Villarino; **60** REA/Mario Fourmy; **61** REA/Benoît Decout; **62** REA/Tobias Hauser/LAIF; **63** MAGNUM/Stuart Franklin; **64** Courtesy Edelvives; **65** EYEDEA/Mattes/Explorer/Hoa-Qui; **66** © Con bici; **67** ©José Asuncion Arteaga /droits réservés; **68** Extrait de Natalia -Música del mundo, Sergio Salma/ ©CASTERMAN; **69 g, d ht, d bas** © D. R.; **72 bas d** EYEDEA/Michael N. Paras/AGE; **72 ht** REA/Gonzalez/LAIF; **72 ht g** SIPA/Duran/EFE; **72 m** EYEDEA/John-Marshall Mantel/AGE; **73 bas d** EYEDEA/Jaume Gual/AGE; **73 bas g** SIPA/Fernando Bustamante/AP; **73 ht d** EYEDEA/Kevin Galvin/AGE; **73 ht g** CORBIS/Javier Echezarreta; **74** Droits Réservés; **75** EFE/Paco Rodrigue; **76** REA/Mario Fourmy; **77** REA/Mario Fourmy; **78** REA/Decout; **79** CORBIS; **80** © Luis Bargallo Llurba/Droits Réservés; **81** REA/Ludovic/Pool; **82** © Universidad SEK/Droits réservés; **83** SIPA/Mysty; **85 g, d ht, dr bas** © Latido Films; **88 bas** SIPA/Bertral Xavier/EFE; **88 ht** REA/Fantoni Hollande Hoogte; **89 bas** AFP/Ronaldo Schemidt/STR; **89 ht** Courtesy Samira & Sineb Consultores; **90** Extrait de Natalia -Todo el mundo al puente, Sergio Salma/©Casterman; **91** EYEDEA/Jeremy Horner; **92** SIPA/Chamussy; **93** LEEMAGE/PrismaArchivo; **94** © Aurora Gaviño/Droits réservés; **95** EYEDEA/Grandadam/Hoa-Qui; **96** EYEDEA/Escudero/Hoa-Qui; **97** Hélène Courouge; **98** © MTAS; **99** EYEDEA/Valentin/Hoa-Qui; **100** EYEDEA/Gerard Sioen/Rapho; **101 g** LEEMAGE/PrismaArchivo; **d ht, d bas** © Nathan; **104 bas d** SIPA/Emilio Naranjo/EFE; **104 ht d** EYEDEA/Michael Paras/AGE; 104 m d CORBIS/Peter Turnley; 104 m g EYEDEA/Shoot/AGE; **104 m** Droits Réservés; **105 ht d** GETTY/Jim Franco; **105 ht g** REA/Diego Giudice/ArchivoLatino; **105 m d** GETTY/ Aagamia; **105 m g** SIPA/José Castillo/EFE; **107** EYEDEA/Gerard Sioen/Rapho; **106** © Bancaja; **108** SIPA/Rosa Veiga/EFE; **109** REA/Piaggesi/Fotogramma/Ropi; **110** EYEDEA/Dallet/AGE; **111** AGE FOTOSTOCK/Roberto Contini; **112** EYEDEA/Hervé Collart/Gamma; **113** EYEDEA/Vaisse/Hoa-Qui; **116** PHOTONONSTOP/Bernard Richebé; **114** droits réservés; **115** droits réservés; **117 g, d ht, d bas** © Diaphana Films; **120 bas** EYEDEA/Doug Scott/AGE; **120 ht** EYEDEA/Fernando Fernandez/AGE; **121 bas g** REA/Joulmanns/LAIF; **121 ht d** LEEMAGE/Ramon Villero/PrismaArchivo; **122** © Bancaja; **123** LEEMAGE/Hubert Josse; **124** AGE FOTOSTOCK/Cavalli; **125** LEEMAGE/PrismaArchivo; **126** LEEMAGE/PrismaArchivo; **127** LEEMAGE/PrismaArchivo; **128** LEEMAGE/PrismaArchivo; **129** © Lolafilms; **130** ©Wayne Alaniz Healy ©Patricia Correa Gallery/DR; **131** © Ayuntamiento de Mojácar; **133 g** GETTY/Harald Sun, **d ht, d bas** © DeAPlaneta; **136 bas** LEEMAGE/Ketan Raventos/PrismaArchivo; **136 ht** THE PICTURE DESK/Collection Dagli Orti/The Art Archive; **136 m** AKG-Images; **137 d** LEEMAGE/Heritage Images; **137 g** LEEMAGE/PrismaArchivo; **138** ©Ricardo Ramirez/Droits réservés; **139 bas d** LEEMAGE/PrismaArchivo; **139 bas g** LEEMAGE/PrismaArchivo; **139 ht d** MAGNUM/René Burri; **139 ht g** ©Succession Picasso,Paris 2009; **140 d** Archivo L.A.R.A./Planeta ©Succession Picasso,Paris 2009; **140 g** LA COLLECTION/Imagno ©Succession Picasso, Paris 2009; **141 bas d** LA COLLECTION/Domingie & Robetti; **141 bas g** CORBIS/Edimedia ©Succession Picasso, Paris 2009; **141 ht d** LA COLLECTION/Artothek ©Succession Picasso, Paris 2009; **142 bas** LEEMAGE/Imagestate; **142 ht** LEEMAGE/PrismaArchivo; **143 d** LEEMAGE/Orio Cabrero/PrismaArchivo; **143 g** LEEMAGE/Ketan Raventos/PrismaArchivo; **145** © Provincia de Sevilla/Droits réservés

Crédits textes

14, 32 © Daniel Nesquens / Anaya; **15** © Lorenzo Silva / Anaya, 1997; **16** © Jordi Sierra i Fabra / Edebé; **20** © Chris Vargas Pérez, Derechos Reservados; **30** © Aida Sánchez Navas, *Rutina*, 2008 (relato presentado en la 2ª edición del concurso literario on-line de Transportes Metropolitanos de Barcelona con motivo de la festividad de Sant Jordi) / TMB; **31** © Jesús Rodríguez, El País Semanal; **33** © Lorenzo Silva / Anaya, 1998; **46** © Care Santos / Edebé; **47** © Guadalupe Nettel / Anagrama; **48** © Rodrigo Muñoz Avia / Edebé; **49** © Francesco Manetto / El País Semanal; **58** © Lucía Etxebarría; **62** © José María Mendiluce / Planeta; **63** © Enrique Vila-Matas / Anagrama; **64** © Alfredo Gómez Cerdá / Edelvives; **65** © Pío Baroja / Alianza Editorial; **78, 144** © Santiago García Clairac / SM Madrid; **79** © Mario Vargas Llosa; **80** © Luis Sepúlveda; **112, 122** © Luis Sepúlveda / Tusquets; **81** © Ingrid Betancourt / RMH; **90** © Alfredo Gómez Cerdá / Editorial Bruño; **94** © Manuel de la Calva; **95, 113** © Javier Reverte; **96, 106** © Paloma Bordons / SM Madrid; **97** © Nicolás Guillén / Editorial Losada S.A., Buenos Aires, 1952; **110** © Arturo Pérez Reverte; **111** © Matilde Asensi / Planeta; **126** © Antonio Muñoz Molina; **127** © Luis Díaz Viana / La esfera de los libros; **128** © Carlos Fuentes; **129** © José María Merino; **138** © Camilo José Cela / Destino-Planeta

Références sonores (pistes du CD élève)

8 © Radio Escolar Sierra de Arcos ; **9** Eurojunior 2003 © Vale Music D. R. ; **13** Bebe © Virgin Music Spain / EMI / D.R. ; **15, 24** © RTVE ; **26** © Tahina Can D. R. ; **28** © Radialistas.net ; **29** © audiorelatos.net

N° d'éditeur: 10169804
Dépôt légal: Juin 2010
Imprimé en Italie par Rotolito Lombarda

España, un país europeo